Mar 21/24

COMMENT LES ESKIMOS GARDENT LES BÉBÉS AU CHAUD

Lucky Girl : a Memoir, Algonquin Books of Chapel Hill, 2009.

www.editions-jclattes.fr

Mei-Ling Hopgood

COMMENT LES ESKIMOS GARDENT LES BÉBÉS AU CHAUD

Et autres aventures éducatives du monde entier

Traduit de l'anglais (États-Unis)
par Marine Bramly

JC Lattès

Titre de l'édition originale :

How Eskimos Keep Their Babies Warm and Other Adventures in Parenting
(from Argentina to Tanzania and Everywhere in Between)
Publiée par Algonquin Books of Chapel Hill, une division de Workman
Publishing

Maquette : Atelier Didier Thimonier
Illustration : © Steve Pilon, Code 18 Interactive

ISBN : 978-2-7096-4249-1

Pour Monte, Sofia et Violet

Introduction

> *Voyager, cela va plus loin que voir du paysage ; c'est un changement radical dans la manière de regarder la vie, une sorte de révolution en marche, qui laisse des empreintes profondes et éternelles.*
>
> Miriam Beard, *Realism in Romantic Japan*

Me voici à Buenos Aires, dans un patio fleuri typiquement argentin, attablée avec quelques amis autour d'un gros gâteau à la cannelle typiquement américain. Difficile de trouver plus éclectique que notre petit groupe d'expatriés, qui à part deux *Porteños* de souche comprend un Bolivien, une Portugaise, deux Afro-Américains, un Américain-Américain (mon mari) et une Sino-Américaine (moi). Cela fait vingt bonnes minutes qu'on est lancés dans un débat enflammé sur la façon dont les Argentins élèvent leurs enfants. Les hommes se mêlent à peine à la conversation. Comme partout dans le monde, c'est surtout nous, les « déjà

mamans » et les « sûrement un jour », qui nous pas-
sionnons pour le sujet. En particulier sur cette question : comment élever un enfant dans une culture
qui n'est pas la nôtre ?

— C'est dingue, dis-je, ici les parents font des
tonnes de choses qui me feraient complètement
flipper si on était chez nous, aux États-Unis.

— Moi pareil ! s'exclame l'une des mères américaines. Au début, ça me stressait que les *mamas* du
parc bourrent mon fils de biscuits et de bonbons,
je disais non, non, non, mais maintenant, je lâche
l'affaire. Et pas que sur ça…

— Tout ce sucre, ça excite le système nerveux,
non ? demande avec anxiété notre amie enceinte.

— Absolument pas ! réplique ma copine argentine
à l'autre bout de la table tout en se coupant une
grosse part de gâteau. Mon fils s'endort dès qu'il
pose la tête sur l'oreiller, avec ou sans sucreries.

— Et les horaires de dodo ? Les petits Argentins
se couchent à pas d'heure, n'est-ce pas ? s'angoisse
Martha, la main sur son énorme ventre.

— Moi, tous ces gamins en train de courir partout
dans les restaurants à minuit passé, je n'arrive pas à
m'y faire.

— Oh, ça va, ce n'est pas si grave ! dis-je, en mère
régulièrement coupable du même crime.

Élever mon enfant à l'étranger m'a ouvert les
yeux sur beaucoup de choses. Tant d'étonne-
ments, de contrastes à mettre à profit, et cela dès les

premiers mois de ma grossesse! Ici, en Argentine, on bichonne les femmes enceintes, c'est à qui le premier vous laissera sa place dans le bus. À la boulangerie, au cinéma, je n'ai pas fait la queue une seule fois. Les bébés aussi sont traités aux petits oignons : jamais de petits pots, que du frais. Du coup, ils mangent de tout, avec bonheur. Et c'est pareil au Brésil, où j'ai longuement séjourné avant d'être maman (mais là, me direz-vous, le non-recours aux petits pots est plus économique qu'idéologique). J'ai vu aux quatre coins de la planète des bébés avaler avec le sourire des trucs hallucinants ; du serpent dans le Mato Grosso, des grosses larves dans une hutte thaïlandaise. Dans ces pays-là, pas de poussette non plus : et hop! on grimpe la montagne sur le dos, les épaules, la hanche de papa ou de maman, et vroum! la famille au complet et sans casque sur une vieille moto pétaradante, ou debout pendant vingt kilomètres (qui prennent la journée) dans un bus bondé, quand ce n'est pas assis à l'arrière d'un camion surchargé ou sur le dos d'un chameau. Là encore, c'est principalement un problème économique, mais c'est aussi une manière radicalement différente d'envisager la vie. Donc l'enfant et tout ce qui le concerne. La superstition tient souvent une grande place. Après m'avoir conseillé de confectionner (moi-même!) mille origamis porte-bonheur pour décupler mes chances de tomber enceinte, ma sœur biologique (je suis une enfant adoptée), en bonne Taïwanaise, a insisté

comme une folle pour que, le mois suivant la naissance, je ne boive que des boissons chaudes, jamais
rien de froid, sans quoi mon corps ne « guérirait »
pas comme il fallait. Ma belle-sœur coréenne, elle,
a dormi avec ses enfants jusqu'à leur entrée au CP,
sans une once de culpabilité vis-à-vis de son mari, et
pour le petit déj, ce n'était pas biberon ou céréales,
mais soupe de nouilles, et à l'heure du goûter, riz
vapeur enroulé d'algue.

Jusqu'à ce que je devienne mère à mon tour, je
réduisais tout ça à de simples excentricités culturelles, qui m'émerveillaient, me faisaient rire ou fré-
mir d'horreur. Il m'a fallu donner naissance à mon
tour pour comprendre qu'il y a, de par le globe,
mille et une façons d'élever un enfant, toutes passionnantes et se valant à peu près. Il m'a suffi, pour
m'en rendre compte, de poser les bonnes questions.
C'est ainsi que j'ai parcouru la planète à la rencontre
de pères et de mères désireux de partager leur aventure parentale, que j'ai exploré Internet, écumé les
bibliothèques, pourchassé les experts, interrogé de
nombreux pédiatres, psychologues pour enfants et
autres spécialistes du développement infantile. Je
voulais un éclairage scientifique sur mes rencontres
humaines, pour m'aider à mieux comprendre, à
mieux faire. J'étais déjà familière des joies et des
névroses de la classe moyenne américaine ; notre
obsession de la famille nucléaire, que l'on étaye
comme on peut à grand renfort de gadgets destinés

à rendre nos enfants heureux, ou du moins à nous faciliter la vie, à les occuper et à les préserver du danger. Merci donc à ma poussette Maclaren, à mon écoute-bébé Sony, à mon écharpe de portage Zip-Zap, au site WebMD, sur lequel je me ruais dès que ma fille avait un hoquet bizarre ou des boutons sur le nez… Bon, d'accord, merci à la société de consommation, mais j'ai quand même ressenti l'envie, le besoin, d'aller voir comment ça se passait ailleurs. Et, éventuellement, d'en prendre de la graine.

Vous allez peut-être vous dire que je suis une mère calculatrice, qui vit sa vie et celle de sa progéniture comme sur un échiquier, réfléchissant à l'avance à chacun de ses mouvements, chacune de ses décisions. Et que tout cela ne laisse pas beaucoup de place à la spontanéité…

C'est tout le contraire. Avec ma fille, j'ai fonctionné à l'instinct, ne serait-ce qu'à cause de tous ces livres et magazines sur le sommeil de bébé, la propreté de bébé, le repas de bébé ; de tous ces blogs qui, au bout du compte, ne faisaient que m'embrouiller encore plus en me donnant l'impression que je faisais tout de travers, et que la moindre erreur risquait de détruire mon enfant, ma famille, la planète. J'avais déjà bien assez peur comme ça, inutile d'en rajouter. Seul avantage : les enjeux quotidiens me semblaient si énormes et pesants que j'en oubliais, à chaque étape, le calvaire des six mois précédents. Ainsi la pression ambiante en faveur de

l'allaitement exclusif cédait-elle le pas au cauchemar des premières poussées dentaires, les crises de
colère aux vilains virus attrapés à l'école maternelle,
et ainsi de suite…

Voir des parents français, chinois, canaques,
mozambicains et autres avec à peu près les mêmes
problèmes que moi, et ce dans un environnement
souvent bien moins favorable, m'a obligée à réfléchir, à essayer de voir plus loin que le bout de mon
nez, à sortir un peu de mes schémas culturels. Dans
son livre *Our Babies, Ourselves,* qui démontre comment la culture et la biologie influencent notre
façon d'être parents, l'anthropologue Meredith
Small écrit : *La manière dont les Occidentaux élèvent
leurs enfants est purement culturelle et n'a que peu à
voir avec les simples besoins naturels de ceux-ci. L'objectif, dès le berceau, est de façonner un futur citoyen
modèle. Et à chaque culture son citoyen modèle! Les
femmes de l'ethnie San du Botswana, par exemple,
portent leurs tout-petits du matin au soir et les laissent
téter à la demande. Et pas question qu'ils dorment seuls
la nuit ou pendant la sieste dans un coin de la case!
Les bébés occidentaux, eux, passent une grande partie
de leur temps dans des poussettes ou des transats. On
les nourrit à heures fixes, chacun a son propre lit et,
si possible, sa chambre. L'indépendance est érigée en
but ultime et on élève les enfants en ce sens. Le petit
San, lui, doit au contraire apprendre à vivre dans une
microsociété au tissu social tissé serré, où l'intégration*

et l'interdépendance, les deux mamelles de la solidarité, sont primordiales, pour ne pas dire vitales. Voilà qui reflète bien la place de l'individu dans la société, en fonction de sa culture. Et qui montre comment le milieu culturel modèle notre façon d'élever nos enfants.

C'est en voyant tous ces petits Chinois déjà sans couches à huit mois, ces petits Français avaler du camembert ou des huîtres à quatre ans, en véritables gastronomes, ces familles libano-américaines extralarges où l'on apprend aux cousins, même issus de germains, à s'occuper les uns des autres que je me suis dit que je suivais bêtement une route toute tracée, passant peut-être à côté d'autres jolis chemins de la vie. Pour l'anthropologue Robert LeVine, de Harvard, le fait d'explorer des modèles parentaux extérieurs à notre culture permet de déterminer des invariables et de se placer soi-même dans une perspective plus large.

Ainsi, plus je parcourais, plus je découvrais et plus j'avais envie de découvrir. Des choses qui me paraissaient à la fois étranges et familières – car l'éducation reste un impératif universel, même si chaque peuple, pour ne pas dire chaque parent, a sa propre vision de ce qui est bon ou pas pour son enfant. Je me suis transformée en une espèce de mère-missionnaire, explorant la planète et, par conséquent, moi-même pour découvrir les secrets qui m'aideraient à devenir la meilleure mère possible. Ce livre est ma quête.

1

Comment les enfants de Buenos Aires se couchent à pas d'heure

Flash back : il est plus de minuit, ma fille marche depuis un mois à peine et la voici en train de se déhancher comme une pro sur de la salsa, conduite par un petit Argentin ténébreux qui a presque le double de son âge, ce qui ne fait pas lourd. Chaque fois qu'elle tourne sur elle-même, sa robe se met en corolle et on découvre sa couche. Elle a les couettes de travers et ses yeux cernés me rappellent qu'à cette heure-ci ce petit corps potelé devrait être au lit avec ses doudous depuis des heures. Mais mon bébé jubile, un pas par-ci, un mouvement de tête par-là. Son cavalier, lequel doit friser les trois ans, l'applaudit à tout rompre. Du bout des doigts, Sofia lui envoie un baiser.

Aïe, on a encore brisé les règles du coucher, mais je souris intérieurement : mon petit ange a l'air si heureux ! Je n'ai pas envie de jouer les rabat-joie, c'est le réveillon. Avec toute cette musique dans la ville et les feux d'artifice qui illuminent le ciel, impossible, de toute façon, d'espérer la faire dormir. Je culpabilise un peu, en bonne Américaine, mais la vue des autres parents et des autres bambins me rassure : autant profiter de la fête, nous aussi, comme de vrais Argentins. Je fronce quand même les sourcils. C'est une nuit spéciale, certes, mais ici, toutes les nuits ne le sont-elles pas ? En tout cas chaque week-end et tout l'été. Dans la moindre *parilla* (bar à grillades) ou pizzeria, ça grouille de gamins et ça ne dérange personne. Après quatre ans passés en Argentine, je me suis habituée, on commence même à prendre le pli, mon mari et moi. On continue à dîner et à se coucher plus tôt que tout le monde ici, à l'américaine, mais on s'autorise de petites entorses de plus en plus souvent. Ce soir, pourtant, j'ai la désagréable impression de pousser le bouchon trop loin. D'un côté, je me dis que des millions d'Argentins ont été élevés comme ça et ne s'en portent pas plus mal. De l'autre, je m'inquiète de savoir si, en suivant leur exemple, je ferais de ma fille un être cool et décomplexé, ou un cas social qui fuguera en boîte à douze ans.

J'avais besoin de réponses à mes questions, et vite.

QUAND ON S'EST INSTALLÉS EN ARGENTINE, en 2004, Monte et moi, on n'avait pas d'enfants. On pouvait se coucher tard. Aux États-Unis, le samedi soir, il nous arrivait de faire la fermeture des bars jusqu'à 1 ou 2 heures du matin et on pensait avoir de l'entraînement. Mais en Argentine, on s'est rendu compte qu'on était de tout petits joueurs : ici, quand on t'invite le soir à dîner, c'est à 22 ou 23 heures, pas à 18 heures, comme chez nous. Malgré nos efforts pour suivre les conversations fiévreuses et endiablées, on se retrouvait dès 3 heures du matin à piquer du nez dans notre café. Le lendemain, impossible d'ouvrir un œil avant midi. Comment font ces gens ? me demandais-je. Ils vont travailler le matin, certains ont même des enfants… Leur arrive-t-il de dormir ?

Comme je l'ai dit, l'arrivée de Sofia dans notre vie m'a amenée à me poser beaucoup de questions, entre autres sur le sommeil. Ainsi ai-je appris que l'heure incroyablement tardive du coucher des Argentins, petits et grands, remonte à loin. Beaucoup d'habitants de Buenos Aires sont les descendants d'Espagnols et/ou d'Italiens qui ont immigré en Argentine à la fin du XIXe siècle et au début du XXe siècle. Dans leurs bagages, ils apportaient les habitudes culturelles du bassin méditerranéen. Là-bas, on attend avec bonheur la relative fraîcheur qu'apporte le coucher du soleil ; pas question que tous n'en profitent pas, quel que soit l'âge. Et puisque le même climat (en plus humide) régnait sur ces nouvelles terres… D'après Dora Barrancos, historienne et directrice de l'institut d'étude des genres, à l'université de Buenos Aires, beaucoup d'immigrants étaient célibataires à leur arrivée et pouvaient donc se permettre d'arpenter la ville à toute heure du jour et de la nuit. C'est vite devenu une façon de vivre, une tradition culturelle.

Les premiers temps, comme en Italie ou en Espagne, ils avaient la sieste pour compenser. Mais le temps, c'est de l'argent, surtout dans un pays en plein développement. Et c'est ainsi que Buenos Aires a évolué en une ville qui ne dort jamais, où les restaurants n'ouvrent leurs portes qu'à 21 ou 22 heures et où les queues ne commencent à se former, devant les boîtes de nuit, que vers 2 heures du matin. C'est leur fierté, presque leur blason, cette insomnie généralisée. Sur le site officiel de la ville, on peut lire : *À Buenos Aires, vous pourrez manger un morceau à toute heure de la nuit, alors qu'à Paris, New York ou Londres les restaurants affichent complet à 20 h 30. Chez nous, rien ne se passe vraiment avant 23 heures.*

Les nuits d'été, les rues de Palermo, notre quartier, sont bondées de familles en goguette. À 22 heures, les *parillas* s'apprêtent tout juste à accueillir leurs premiers clients, dans une odeur appétissante de steak grillé. Parmi les élégants qui attendent une table en prenant l'apéro, debout sur le trottoir, on trouve bon nombre de parents avec enfants, discutant gaiement, accoudés à des poussettes pleines de bébés rieurs. D'autres les portent dans les bras, ce qui ne les empêche pas de tenir leur coupe de champagne. Les serveurs installent les chaises hautes, mais les bambins préfèrent danser entre les tables. Jusque dans les endroits les plus branchés ou les plus chics, j'ai vu des nourrissons passer de bras en bras ou dormir paisiblement dans leurs couffins, sans souci de l'agitation ambiante.

Avant d'être mère, j'avoue que ces scènes me choquaient un peu. Surtout qu'à l'époque, je ne supportais pas vraiment les cris d'enfant. En tout cas, pas au restaurant. Je fusillais du regard les parents qui laissaient leur progéniture déranger mes tranquilles agapes. Jusqu'au jour où j'ai eu un enfant à mon tour…

À Buenos Aires, les vies sociales des grands et des petits s'entremêlent quasi sans heurts. Contrairement aux États-Unis, ici, les nounous ne coûtent pas cher, mais en général, les parents préfèrent embarquer leurs gamins avec eux, surtout quand il s'agit de réunions familiales (et il y en a beaucoup). Même ceux qui n'en ont pas ont l'air de trouver que plus il y a de marmaille autour, mieux c'est. Que partout où ils passent, ils apportent de la lumière, de l'humour et de l'espoir.

C'est ce que m'a expliqué Soledad Olaciregui, qui dirige une école de langue où les étrangers, en plus de l'espagnol, apprennent à mieux comprendre la culture argentine. Deux ans plus tôt, Soledad m'avait aidée à réaliser un guide de Buenos Aires, pour *National Geographic Traveler*. À l'époque, elle n'avait pas d'enfants, mais elle a aujourd'hui une petite fille de dix mois, ce qui est pour moi une nouvelle mine d'informations précieuses. On a beaucoup parlé des horaires du coucher en Argentine.

« Ce qui est sûr, dit-elle, c'est que les autres cultures, bien plus que la mienne, tiennent à distance l'espace/temps des enfants de celui des adultes. En Angleterre, dans certains restaurants, je n'en revenais pas de voir des panneaux avec marqué : *Interdit aux enfants*. Tu peux entrer avec ton chien, mais pas avec ton gamin ! Chez nous, un truc pareil serait inimaginable ! »

Bien sûr, il y a des limites, même en Argentine. Quand il y a école le lendemain, les enfants se couchent plus tôt, quoique à des heures impensables ailleurs. Pas question de traîner dans les restaurants ou les bars, même pour une occasion spéciale. Sauf peut-être un match de foot important… En 1995 a eu lieu le premier concert des Rolling Stones à Buenos Aires, très tard le soir. Et c'était plein d'enfants. On voit même des bébés au cinéma. Leurs pères ou leurs mères les bercent tout en piochant dans le paquet de pop-corn.

Quand on t'invite à une fête ou à un barbecue, il est rare qu'on te demande de venir sans tes enfants. Les mariages durent souvent de 7 heures du soir à 7 heures du matin, et ça fourmille de gamins.

«À notre mariage, ma nièce de cinq ans s'est éclatée à jouer et à danser toute la nuit, raconte mon amie Macarena Byrnes. Catalina a fini par tomber de sommeil sur deux chaises rapprochées et, à son réveil, elle était furax qu'on l'ait laissée dormir. Elle disait qu'à cause de nous elle avait raté la fin de la fête.»

Bauti, le fils de Macarena, est né une semaine avant Sofia; nos enfants grandissent ensemble, ça nous rapproche plus encore. Quand ils ont commencé à marcher, j'étais jalouse de voir le sien, vers 20 heures, aller se coucher tout seul sans faire d'histoires et dormir d'une traite jusqu'au lendemain, 8 heures. En plus, il faisait des siestes de deux heures, voire quatre! Le reste du temps, Baudi était une boule d'énergie, incroyablement fort et bien coordonné. Il jouait à fond. Et dormait à fond.

Pourtant, du moment qu'il n'y a pas école le lendemain, sa mère ne s'inquiète pas de briser la routine en le couchant à pas d'heure.

«Nous, les Argentins, dit-elle, on est habitué depuis notre naissance à veiller tard les jours de fête.»

Macarena, qui est mariée à un Américain, sait à quel point on dîne et on se couche tôt, chez nous. Sa première visite à ses beaux-parents, dans le Maryland, l'a prise au dépourvu :

«On passait à table à 17 heures. À Buenos Aires, c'est à peine l'heure du thé!»

Si la plupart des Argentins instaurent malgré tout une relative routine, tous jugent plus vital de faire régulièrement la fête en famille que de border leurs gamins à heure fixe.

Juana Lugano, ma *mama argentina* auto-proclamée, nous invite souvent à partager son dîner de famille hebdomadaire, le samedi soir, et même les réveillons de Noël. Chez elle, c'est comme partout ici : pas question que quoi que ce soit commence avant 21 heures – ce qui ne l'empêche pas de dire que les enfants sont des terreurs, quand on les laisse veiller trop tard.

«Mais ce serait si triste qu'ils ne partagent pas ces jolis moments en famille, non?» relativise-t-elle aussitôt.

MATEO ACOSTA a trois ans, comme ma fille, l'œil noir et humide à la Paul McCartney et des cils qui n'en finissent pas. De Marina, sa mère, il tient ses cheveux raides d'Indien; de Martin, son père, un goût prononcé pour le maté (le thé des gauchos); et de l'Argentine, son pays, une horloge interne hors norme. C'est-à-dire qu'il se couche tard et se lève tard. Avant son entrée en maternelle, ses parents, qui travaillent tous deux pour le plus grand journal du pays, n'allaient pas au bureau avant midi, afin de profiter de lui. Ce qui les obligeait à compenser en rentrant tard le soir. La nounou de Mateo avait pour consigne de l'autoriser à les attendre pour se coucher et même pour dîner, quelle que soit l'heure. Dès que Marina et Martin ouvraient la porte, c'était parti pour des câlins, des rigolades et des histoires à n'en plus finir. Mateo devait pouvoir profiter jusqu'à plus soif de «ces moments de bonheur avec papa et maman». Pas question de le mettre au lit avant qu'il ne commence à se frotter sérieusement les yeux. Et comme en Argentine les berceaux sont conçus pour que les mamans puissent s'y pelotonner avec leurs bébés, il arrivait bien souvent à Marina de rester au côté de son fils jusqu'à ce qu'il s'endorme.

«On ne s'est pas embêtés à mettre au point un rituel d'endormissement. Dormir n'est pas une chose qui devrait s'apprendre.» Jamais Marina ne s'est angoissée pour les réveils nocturnes de Mateo, ni du fait qu'il s'endorme ou non dans ses bras. S'il préfère être dans son lit, tant mieux, mais ça ne change pas grand-chose. «L'important, dit-elle, c'est que tout le monde passe une bonne nuit. Là est la clef du bonheur familial.»

Pour les Argentins, sortir le soir fait tout simplement partie de l'équation du bonheur. Eux aussi, bien sûr, apprécient d'être parfois tranquilles entre adultes. Marina et Martin, par exemple, n'ont aucun remords à faire appel à la nounou de Mateo, ou à ses grands-parents. Mais la plupart du temps, leur fils est de la partie. Qu'on dîne à la *parilla* du coin, au restaurant chinois, italien, pakistanais, ou chez eux, chez nous, chez des amis communs, Mateo passe d'un genou à l'autre pour se faire câliner et raconter des histoires. Bébé déjà, il mangeait sans sourciller la même chose que les adultes : du boudin, des sushis… L'année dernière, à mon anniversaire, Mateo, deux ans à peine, a joué presque toute la nuit avec les cure-dents et les olives qui traînaient sur la table. Ça ne dérangeait personne. On l'a ainsi vu passer du bébé potelé endormi dans son couffin au petit garçon très à l'aise en société, jouant aux billes sans faire de bruit ou regardant sagement un DVD pendant qu'on termine de dîner en discutant politique.

«L'idée, c'est de trouver un équilibre entre nos plaisirs et ceux de Mateo», m'a répondu Marina, que je félicitais d'avoir si harmonieusement intégré leur fils à leur vie sociale.

«Et ça n'est pas toujours évident», a ajouté son mari.

Comme tous les parents du monde, ils font des sacrifices. Pas de sorties si Mateo paraît fatigué, ou s'il est malade. Quand il était plus petit, il arrivait aussi que Marina et Martin ne se sentent tout simplement pas l'énergie de lui courir après toute la soirée. Car leur fils n'a pas toujours été si facile : je l'ai vu piquer des crises au restaurant, se rouler par terre en hurlant, jeter des baguettes chinoises à la tête de sa mère… La différence, c'est qu'ici on ne vous regarde pas de travers pour autant. Le serveur, le patron et même les clients viennent plutôt vous donner un coup de main, comme si ce n'étaient là que de petits dommages collatéraux sans importance, un prix dérisoire à payer pour continuer de passer du temps en famille et de fréquenter ses amis, ingrédients indispensables à la bonne santé mentale.

«Les bébés, on les trimballe partout, explique Marina. Vers deux ans, les petits anges ont tendance à se transformer en diablotins, et là, il faut freiner la cadence, mais après, on peut recommencer à vivre.»

Son grand plaisir, le soir, c'est d'aller au restaurant avec son fils, en tête à tête. Mateo s'assied bien sagement et dîne en lui racontant sa journée d'école.

«J'adore ça, dit-elle. C'est vraiment génial.»

La petite famille s'est tout de même fixé une ligne de conduite : la semaine, extinction des feux à 22 heures, car en maternelle, les retards ne passent plus aussi bien qu'à la crèche. Désormais, pour la *fiesta*, ils attendent le week-end ou les vacances.

«L'essentiel, poursuit Marina, c'est que l'enfant soit capable de s'adapter à vos horaires comme vous vous adaptez aux siens.»

L'idée est plaisante, mais plus facile à énoncer qu'à mettre en pratique. Comme la plupart des parents occidentaux, j'angoisse à l'idée que mon enfant ait bien, chaque nuit, son quota de sommeil. Il faut du temps et de l'expérience avant de réussir à ce que bébé fasse ses nuits, comme on dit. Et même quand c'est à peu près réglé, on a tendance à rester en alerte. La méthode argentine me tente, mais j'y vais doucement. J'en suis encore à me demander si tout cela, ce n'est pas davantage pour faire la fête sans complexes que pour le bien-être de l'enfant.

LES EXPERTS DU SOMMEIL et les parents américains, eux, ont clairement choisi leur camp : plus vite on est au lit, mieux on se porte, et c'est valable pour les enfants comme pour les adultes. L'habitude culturelle s'est muée en loi absolue. Les rares parents qui avouent laisser parfois leur progéniture se coucher tard culpabilisent aussitôt et s'empêtrent dans toutes sortes d'excuses qui ne tiennent pas la route.

Les spécialistes les plus éminents finissent cependant par admettre qu'il n'y a rien de si grave à laisser un bambin faire un peu la fête, du moment qu'il se rattrape avec la sieste le jour suivant.

Richard Ferber, gourou du sommeil et directeur du centre des troubles du sommeil infantile à l'hôpital pour enfants de Boston, affirme que du moment qu'ils ont leur quota de sommeil, ça ne change pas grand-chose. Mais d'autres spécialistes s'accordent à dire qu'il n'est pas bon de briser la routine – ce que les Argentins passent leur temps à faire.

En plein désarroi, j'ai appelé le Centre national du sommeil de Washington D.C. J'avais lu leurs consignes sur leur site Web : coucher tous les soirs à la même heure, et dans un environnement propice à de bonnes habitudes de sommeil. Pas de musique forte ni de lumières trop vives, etc. On m'a orientée vers Amy Wolfson, professeur au Holly Cross College et auteur du *Woman's Book of Sleep*. Elle m'a écoutée en silence lui raconter, au téléphone, l'ambiance nocturne de Buenos Aires.

Elle a commencé par me dire qu'elle n'aimait pas trop l'idée de juger une culture. Après tout, le métabolisme des Argentins était peut-être adapté à ce style de vie. Selon les scientifiques, m'a-t-elle expliqué, nos rythmes circadiens, c'est-à-dire l'horloge biologique qui régit nos fonctions vitales, sont dotés d'adaptabilité. Partant de là, des années passées à se coucher tard peuvent préserver l'individu des effets secondaires habituels. Cependant, a-t-elle ajouté, un sommeil erratique est forcément dommageable à la santé de l'enfant.

« S'endormir au restaurant, dans sa poussette, se réveiller pour se rendormir dans la voiture, se réveiller de nouveau n'est une bonne chose pour personne, m'a-t-elle dit. Ça conduit à de mauvaises habitudes et, dans certains cas, à de véritables désordres du sommeil. Pour leur développement physique et mental, les enfants, comme les adultes, ont besoin d'une dose suffisante de sommeil ininterrompu. Il est donc préférable, en ce qui concerne votre fille, madame, de vous en tenir à des horaires plus stricts. Cela ne veut pas dire que vous ne pouvez pas faire d'exceptions. Il y a un juste milieu, heureusement. Du moment que ça reste très occasionnel, tout va bien.»

Beaucoup de pédiatres argentins sont du même avis. À l'occasion d'une visite de routine avec Sofia, j'ai demandé au Dr Albanese ce qu'il pensait de l'impact de cette particularité culturelle sur la santé des enfants.

«À chaque pays ses coutumes, m'a-t-il répondu. Il se trouve que celle-ci en est une mauvaise.»

Selon lui, trop de parents laissent leurs enfants veiller après minuit. Le danger, quand ils sont si fatigués, c'est qu'ils ne peuvent plus rattraper leur quota de sommeil manqué. «Et quel cauchemar d'essayer de calmer un enfant surexcité par la fatigue, n'est-ce pas, madame Hopgood?»

En effet, j'en sais quelque chose… Et ça m'angoisse d'autant plus que les scientifiques ont démontré depuis longtemps l'impact à long terme de la privation de sommeil. Qui, chez les enfants, conduit à des troubles du comportement, des crises de colère, une hyperactivité et de mauvais résultats scolaires. Certains spécialistes affirment même que des problèmes de sommeil dans la petite enfance peuvent aboutir à une modification du terrain cérébral et altérer les fonctions cognitives.

Je suis bien d'accord, mais le sommeil doit-il forcément être régenté de façon immuable pour autant? C'est-à-dire coucher tous les soirs à la même heure, dans le même environnement et selon les mêmes rituels exactement?

Les petits Argentins se rattrapent le matin. Cela m'épate lorsque mes amis me racontent que leurs bambins dorment jusqu'à 10 heures. Et quand, par extraordinaire, bébé ouvre un œil à 7 h 30, ils s'en plaignent comme d'une chose inconcevable. Il faut dire qu'en Argentine rien ne bouge avant 8 heures du matin, alors qu'aux États-Unis, à cette heure-là, presque tout le monde a déjà fait sa gym, pris sa douche et démarré le boulot. J'ai l'impression d'être la folle du quartier quand je fais mon jogging matinal. Même l'école n'ouvre qu'à 9 heures, c'est-à-dire une heure plus tard qu'aux États-Unis et une demi-heure après la France. Ici, en maternelle, on a le droit de n'envoyer son enfant que l'après-midi, ce dont les parents ne se privent pas. Quand on emmène Sofia au parc, le samedi matin, le terrain de jeu est désert, en général.

Le Dr Albanese recommande de coucher les enfants à 21 ou 22 heures maximum et de les laisser dormir jusqu'à 7 ou 8 minimum (ouf, c'est à peu près ce que je fais). Il est néanmoins conscient qu'à Buenos Aires un tel conseil relève du vœu pieux.

«Nos habitudes de sommeil, dit-il, sont tellement liées au climat, à la luminosité, à la façon dont nous avons nous-mêmes été élevés qu'il est dur d'en changer.»

Ça me fait penser aux Bushmen et aux Pygmées aussi, dont les nuits sont faites de périodes d'éveil et de sommeil, parce qu'il faut bien allaiter les bébés, éloigner les animaux sauvages à coups de pierre, entretenir le feu… et qu'on en profite chaque fois pour discuter cinq minutes. Les scientifiques ont beau stipuler qu'il faut à l'adulte un minimum de huit heures de sommeil par nuit, dix à douze heures pour un enfant, quinze heures pour les plus petits (en comptant les siestes), ce n'est pas si simple. N'oublions pas que dans nos sociétés industrielles, le but de ce formatage est également économique : une aussi large population se révèle plus compétitive quand elle concentre ses forces sur des journées de travail calibrées. Et pour cela, il faut que tout le monde se couche et se lève à peu près à la même heure. Mais peut-on vraiment affirmer qu'un modèle est meilleur qu'un autre ?

C'est la question que s'est posée le journaliste Jeff Warren, dans son ouvrage *Head Trip : Adventures on the Wheel of Consciousness*. Après avoir interrogé de nombreux spécialistes et expérimenté lui-même différentes méthodes de sommeil, il en est venu à la conclusion, m'a-t-il dit, qu'il n'y a pas de schéma idéal. Il y autant de façons d'envisager le sommeil que de cultures, car tout dépend du rythme de vie lié aux besoins de chacune. Mais comme un être humain n'en reste pas moins un être humain, aux quatre coins du globe, celui qui manque de sommeil le ressent. Le tout, explique Jeff Warren, c'est de récupérer à un moment ou un autre, et pour ça, à chacun sa façon.

Les scientifiques ont beaucoup planché sur la question du sommeil et continuent de le faire, l'analysant, le décortiquant dans toutes sortes de labos. Ils s'efforcent de déterminer nos besoins, de fixer une norme. Quand dormir ? Combien de temps ? Et pourquoi, au bout du compte, semble-t-il qu'on n'ait jamais notre dose ? Toutes ces expériences sont très louables, mais bien peu de scientifiques ont étudié le sommeil dans un contexte non occidental, ainsi que le relèvent le professeur Wolfson et l'anthropologue Carol Worthman. Tous deux font valoir que même chez nous, le sujet reste en général confiné aux éprouvettes.

Pour combler la faille, Worthman s'est plongée dans cinquante ans de recherches scientifiques, afin de confronter les résultats à la diversité des traditions de sommeil, qu'il s'agisse des tribus hiwis, dans le sud du Venezuela, des nomades gabras, dans le désert qui borde le Kenya et le sud de l'Éthiopie, des citoyens de l'Égypte moderne, des Américains...

Elle en est arrivée à la conclusion que la plupart des peuples, pour ne pas dire tous, parviennent à accorder harmonieusement vie sociale et sommeil. Dans beaucoup de cultures, les enfants, comme les adultes, ne dorment pas seuls. Ils partagent avec leurs parents, leurs frères et sœurs, leurs grands-parents parfois, leurs animaux domestiques, souvent, des espaces exigus : huttes, tentes, dormant tous ensemble sur des nattes. Tout ce petit monde se réveille, se rendort, se réveille encore ; la nuit est émaillée de quintes de toux, de pleurs d'enfant vite apaisés, de discussions autour du feu de camp, de rituels religieux...

Tandis que chez nous, un sommeil dit de qualité va de pair avec une chambre obscure et silencieuse, un lit douillet dans lequel on s'endort aussi vite que possible, avant de se réveiller, huit heures plus tard, quand le réveil sonne. Mais ce n'est pas ainsi que le reste du monde a dormi par le passé, ni qu'il continue à le faire, explique Worthman dans un article du *New York Times*. Les Bushmen et les pygmées Efes, explique-t-elle, restent éveillés tant qu'il se passe quelque chose d'intéressant auquel ils peuvent participer ; musique, danses, conversations... Ils ne ferment les yeux que s'ils en ressentent le besoin. Pareil pour les enfants. Personne ne leur ordonne d'aller se coucher. Les Balinais, qui pratiquent bon nombre de rituels religieux nocturnes, y font participer les enfants, les laissant libres de dormir quand ça leur chante, dans leurs bras ou à même le sol (cela fait penser aux générations d'Argentins accoutumés dès l'enfance à trouver le sommeil sur deux chaises rapprochées dans les restaus bondés). Tout cela va bien sûr à l'encontre des conseils des spécialistes occidentaux, lesquels préconisent, outre un bon lit confortable, l'absence de stimulation, l'absence d'excitation nerveuse. Worthman fait remarquer que les parents américains font dormir leurs enfants dans un climat sensoriel minimal, tout en attendant plus tard de ces mêmes enfants qu'ils tirent leur épingle du jeu et puissent se concentrer dans notre monde hyper-sensoriel, qui exige une vigilance permanente.

À l'instar d'autres scientifiques, elle s'est interrogée sur la pression exercée par les sociétés industrialisées. Le formatage du sommeil ne conduit-il pas enfants et parents à des troubles du sommeil, justement? Une nuit segmentée, alternant périodes de sommeil et d'éveils spontanés, n'est-elle pas la voie naturelle, chez l'homme, puisque les bébés dorment de cette façon? D'après certaines études, on ne s'en trouve que plus alerte, le matin venu.

Le sommeil, chez l'enfant, peut être donc vu comme un comportement biologique entravé par les valeurs culturelles ambiantes, lesquelles dictent leurs principes aux parents. Il est important de noter que les problèmes de sommeil rencontrés dans l'enfance, tels des difficultés à s'endormir seul, des réveils nocturnes et la volonté, dans ces moments-là, d'accaparer l'attention des parents, sont le fruit de mécanismes et d'attentes culturels, ne s'inscrivant pas forcément dans la biologie, écrivent les Drs Oskar Jenni et Bonnie O'Connor

35

dans le magazine *Pediatrics* à propos des liens entre culture et sommeil. Ils donnent le Japon pour exemple, où l'insomnie infantile n'est pas considérée comme un problème et, de ce fait, donne rarement lieu à des consultations médicales. Cela me fait penser à une étude que j'ai lue récemment, qui rapportait que les Italiens, comme les Japonais, jugent cruel de faire dormir un bébé seul dans une chambre la nuit, alors que sa place naturelle est dans celle de ses parents.

Il est indispensable de mieux comprendre l'impact des normes culturelles sur le sommeil de l'enfant et, de là, ses interférences avec la biologie. Il faut démonter la mécanique, l'observer à la loupe, voir quand et comment surgit le problème, et qui le subit. On pourra alors trouver la meilleure approche et, peut-être, rectifier certaines habitudes culturelles et agissements parentaux à effets délétères, de façon à améliorer la qualité de vie des enfants et de leurs familles.

Puisqu'il n'y a pas vraiment de conseils biologiques à donner, le sommeil étant une fonction naturelle, sauf quand la maladie l'entrave, Jenni et O'Connor en sont venus à se poser la question suivante : *Les normes culturelles de notre société sont-elles si bonnes que ça pour le développement de nos enfants ? La diversité, de par le monde, des postulats face à la question du sommeil semble plutôt indiquer que le «schéma idéal» n'existe pas.*

En d'autres mots, on n'en sait tout simplement pas assez pour prendre position. Apprendre à dormir dans le bruit et l'agitation ambiante aurait-il, par miracle, des répercussions positives sur le développement de l'enfant ?

Je le souhaite de tout cœur, ne serait-ce que pour ma fille.

SOFIA A (PRESQUE) ÉTÉ ÉLEVÉE COMME UNE PETITE ARGENTINE, on la trimballait partout avec nous. Elle est née en septembre 2007 et, dix jours plus tard, on l'embarquait déjà au restaurant mexicain. La serveuse nous a installés dans le coin le plus calme, à l'abri des courants d'air, et on a mangé nos fajitas pendant que Sofia dormait tranquillement.

La plupart du temps, on s'en tenait tout de même au planning : coucher vers 21 ou 22 heures, et deux siestes la journée (à dix-huit mois, une sieste de moins, mais pas de variation sur l'heure du coucher). Les six premiers mois, elle a plutôt bien dormi, dans son petit lit parapluie, collé au nôtre. Elle ne couinait que pour téter et n'a pas fait de difficultés à intégrer sa propre chambre par la suite, malgré des hurlements scandalisés la première nuit.

Le seul hic, c'est qu'elle s'est mise à se réveiller souvent.

«Hé! Hé! Me voici bien vengée!» disait ma mère adoptive, que j'ai éreintée, enfant, avec mes problèmes de sommeil.

On a essayé toutes les recettes, depuis le rituel bain-histoire-dodo jusqu'aux méthodes Ferber ou Weithbluth. Les «super techniques des copains» se terminaient aussi en flops. Même quand on la faisait dormir avec nous, Sofia se réveillait la nuit. J'ai demandé à son pédiatre ce que je faisais de travers. Était-ce l'heure du coucher qui ne lui convenait pas, ou le fait de la sortir le soir, une fois de temps en temps? Ou autre chose?

«Vous êtes tombés sur une petite dormeuse, ce n'est pas plus compliqué que ça», m'a dit le Dr Albanese en souriant.

En fait, Sofia dort bien mieux dans les lieux publics. Même bébé, elle aimait le tapage ambiant, les bisous, les chatouilles, être le centre de l'attention. Les patrons de restaurant la prenaient dans leurs bras, lui faisaient faire le tour des cuisines, la présentaient aux chefs et aux commis. Dans notre restau chic préféré, avec éclairage à la chandelle, nappe en lin et maître d'hôtel aux pas feutrés, on nous réservait la meilleure alcôve, avec de grosses banquettes épaisses où Sofia finissait par s'endormir d'elle-même, du sommeil du juste, pendant qu'on se régalait en discutant avec les copains. On engageait parfois une baby-sitter, mais la plupart du temps, ce n'était pas la peine. Nos amis nous disaient:

« Venez avec la *gordita*, il y aura plein d'enfants, elle va s'amuser comme une folle. »

Comme les autres mamans de la soirée, je guettais davantage, chez Sofia, d'éventuels signes de fatigue que l'heure à ma montre. Une fois qu'elle avait sa dose de fête et de rigolade, je lui donnais un petit truc à manger, histoire de la caler, et trouvais un coin où la faire dormir : dans mes bras ou ceux d'une gentille tata d'occasion, sur un gros coussin, un lit, quand c'était possible. Il nous arrivait d'avoir à gérer une crise de révolte, mais en général, elle tombait d'elle-même. Le soir de l'investiture de Barack Obama, elle a dormi avec quatre autres gamins dans la chambre d'amis et ne s'est brièvement réveillée qu'au moment où notre Président a fait son speech. Elle ne pouvait pas rater ce grand moment historique, j'imagine.

Puis Sofia est entrée en maternelle et on s'est calmés, malgré les occasions toujours aussi nombreuses. On s'est efforcés d'être plus stricts sur l'heure du coucher comme sur la sieste. 21 h 30, 22 heures, ça restait de toute façon plus tôt que ses petits camarades (qui ont tendance à dormir une heure de plus le matin, il faut bien le dire). Aujourd'hui encore, on est presque toujours les premiers à l'école, même en débarquant cinq minutes après la sonnerie. Le gros de la troupe n'est pas là avant 9 h 30, 10 heures. Le retard semble être une manie atavique, chez les Argentins, même si les parents, sous la pression du corps enseignant, font quelques efforts à partir du primaire.

Dans ma quête d'opinions et de réassurance sur la question du sommeil, j'ai téléphoné à Jim McKenna, qui dirige, à l'université de Notre-Dame, le MBBSL, un laboratoire d'étude du lien mère-enfant. Cet expert reconnu de la parentalité et du comportement infantile, grand promoteur du co-dodo (ou *co-sleeping*), a mené des études de terrain sur les mécanismes du sommeil chez le bébé, liés au comportement maternel. Il m'a écoutée religieusement lui raconter comment les choses se passaient chez nous, et ne m'a interrompue que lorsqu'il a décelé une once d'anxiété dans ma voix.

« Il faut cesser de considérer qu'il n'y a qu'une seule et unique façon de dormir, m'a-t-il dit. On pourrait s'asseoir en cercle et décrire en long et en large la façon idéale dont on voudrait qu'ils dorment, mais les bébés ne sont pas fabriqués comme ça. Ils se débrouillent très bien tout seuls pour avoir leur content de sommeil, a-t-il poursuivi, même s'ils ne le font pas à notre idée. Je rigole quand j'entends les conseils à la dernière mode, quand je lis des articles qui expliquent, en six points, la manière de régler le problème. C'est systématiquement irréaliste et anti-biologique. Si on se détendait et qu'on laissait les bébés être des bébés, ils dormiraient mieux, et les parents aussi. »

La méthode argentine était sa bouffée d'air frais, disait-il.

«Valoriser son enfant en l'intégrant à la vie qu'on mène est de loin préférable à de strictes routines. Quand on se borne aux recommandations en vigueur, ça ne va pas sans conséquences. Je crois que le rapport beaucoup plus intime qu'entretiennent certains Européens et les Sud-Américains avec leurs enfants est plus propice à un développement harmonieux. Car ce n'est pas simplement l'organisation du sommeil qui joue sur le développement. Pour l'enfant, il ne s'agit là que d'une des composantes d'un ensemble de relations au monde, à ses parents et à lui-même, qui font de lui ce qu'il est et ce qu'il deviendra. Intégrer votre fille à vos activités nocturnes l'aidera à mieux appréhender, plus tard, sa propre vie sociale. Et puis ce n'est pas comme si vous la sortiez jusqu'à 2 heures du matin cinq soirs par semaine… Quoi qu'il en soit, cet univers a de la valeur à ses yeux, puisqu'il est le vôtre, et le fait que vous l'y intégriez parfois la flatte autant qu'il la rassure, ce qui renforce la qualité de vos relations.»

J'étais soulagée d'entendre ça, et les jeunes parents à qui j'ai répété ces paroles l'ont été tout autant.

«Je suis bien contente d'avoir pu profiter à fond de Henry quand il était bébé, tout en continuant à voir mes amis et à sortir!» m'a dit Cintra Scott, une copine new-yorkaise qui vit à Buenos Aires et dont le fils a un an de plus que Sofia. «Je pense que c'était bien pour lui comme pour moi. Il arrivait à dormir dans le brouhaha, ça n'embêtait personne. »

Comme partout, les choses se compliquent à l'âge de deux ans, quand l'enfant devient plus remuant et, surtout, qu'il entre en maternelle. Mais en Argentine, ça n'empêche pas les parents de continuer à vivre. Je revois le papa de Henry quitter le dîner à minuit, le temps de libérer la baby-sitter et de revenir avec son fils, qu'il a couché dans notre chambre. On s'est dit, ce soir-là, que si on vivait encore aux États-Unis, où les baby-sitters coûtent les yeux de la tête, où les patrons de restaurant et les gens en général ne sont pas du tout aussi consiliants avec les enfants, on serait coupés de tout, on ne sortirait plus, on finirait par vivre cloîtrés.

La vérité, c'est que la vie passe trop vite. Alors, du moment que ma fille est la bienvenue, j'aime l'avoir auprès de moi, et tant pis si cela empiète un peu sur son temps de sommeil.

EN EFFET, ON NE POURRAIT PAS VIVRE CETTE VIE-LÀ AUX ÉTATS-UNIS. Chaque fois qu'on y va, rien qu'à l'idée des regards désapprobateurs, je calme le jeu. Je ne prendrais pas le risque d'emmener Sofia dans un restaurant chic, mais n'ai aucun scrupule, dans les restaurants dits familiaux, à débarquer avec elle après 20 heures. Cela ne veut pas dire qu'on se rabat sur des endroits déprimants où l'on ne sert que des nuggets et des hamburgers. Les restaurants chinois ou mexicains sont bien plus amusants et on y tolère les enfants à des heures ailleurs considérées comme indécentes.

Heureusement, mes amis américains, avec ou sans enfants, sont bien plus tolérants que ce à quoi je m'attendais, même s'ils n'en reviennent pas qu'on soit si détendus à propos de l'heure du coucher. Je veille simplement à demander s'ils sont d'accord pour que Sofia soit de la partie, et quand je juge que c'est l'heure, je trouve un coin où l'allonger.

Un soir, quand Sofia avait seize mois, on est allés à la soirée du Super Bowl, où officiellement les familles avec enfants étaient les bienvenues. Que demander de plus ? Sofia s'en est donné à cœur joie. Elle a englouti la moitié du buffet, tout en couvrant de baisers pleins de sauce un bambin d'un an, Danny, et en poursuivant partout, d'un pas encore mal assuré, une petite Melissa de trois ans déguisée en princesse. Joignant sa petite voix à celle du public, elle a hué chaque erreur tactique et dansé comme une folle quand Bruce Springsteen a poussé la chansonnette à la mi-temps. Mais à 19 heures, la mère de Melissa a décrété qu'il fallait qu'elle file, parce que la petite se couchait à 19 h 30. Bain, histoire, coucher tous les jours à la même heure, c'était le seul moyen, disait-elle, que tout le monde, à la maison, s'en sorte avec une bonne nuit de sommeil. Pas question de déroger à la routine. Ils interdisaient même les coups de téléphone et les visites après 19 heures. Là, pour

43

que son mari puisse rester jusqu'à la fin du match, ils étaient venus à deux voitures.

Le petit Danny (que Sofia continuait à couvrir de baisers) et ses parents ont tenu jusqu'aux trois quarts du Super Bowl. Ils n'avaient rien de particulier à faire le lendemain matin, c'était le week-end, mais 20 h 30, c'est le bout du monde, selon les standards américains.

Parmi les spectateurs, il ne restait plus que Sofia, comme enfant. Toujours aussi à fond, elle a fait les yeux doux à un monsieur pour qu'il lui donne du pop-corn, puis elle a emprunté le téléphone portable d'une dame et a dit, en le tenant à l'envers : «¿*Hola? ¿Hola?*» On aurait pu partir, on devait prendre la route de bonne heure le lendemain, mais on a profité de la fête jusqu'au bout. Grâce à quoi Sofia a dormi pendant une bonne partie du trajet, presque jusqu'au Michigan !

Toujours est-il que je comprends le positionnement des parents de la petite Melissa et de leurs semblables. Chaque fois que ma fille, à 3 heures du matin, m'appelle depuis son lit à barreaux, je me demande si je n'ai pas saboté durablement son sommeil, avec mes choix de vie. Je suis prête à parier que les parents de Melissa ont mieux dormi que nous, depuis sa naissance, même si je connais plein de gens moins coincés sur la routine dont les enfants dorment comme des anges, d'un bout à l'autre de la nuit. Mon frère, qui vit à Detroit, laisse sa fille de vingt mois se coucher à l'heure qu'elle veut, sans que cela affecte sa nuit (dans leur lit, il faut bien dire). Même mes amies américaines les plus strictes laissent en de (très) rares occasions leurs enfants faire la fête. Mais à 21 ou 22 heures, max, elles les envoient au lit.

Finalement, sortir le soir de temps à autre est devenu une sorte de routine pour Sofia. Ça l'a rendue extrêmement sociable. Et s'il lui arrive d'être surexcitée, quasi hors de contrôle, on calme le jeu les jours suivants pour la remettre sur les rails.

Il faut dire que la nuit de Noël de ses quinze mois s'est chargée de nous montrer les limites de ses capacités d'endurance et des nôtres. On ne l'a plus jamais autorisée à faire la fête après 1 heure du matin.

Petits arrangements avec le sommeil

Carol Worthman et Melissa Melby ont compilé une sorte de tour du monde des différentes attitudes face au sommeil. Elles précisent en préambule que dans la grande majorité des sociétés humaines, les enfants dorment avec leurs parents, du moins quand ils sont petits, et souvent après. C'est une façon, bien sûr, de pallier le manque de place, mais le co-dodo revêt bien d'autres vertus : il facilite l'allaitement à la demande, permet de protéger les petits en cas de danger (animaux sauvages, entre autres). Il rassure l'enfant et le rapproche de ses parents, dans des sociétés où l'on ne se dit pas «je t'aime» à tout bout de champ, contrairement à chez nous.

Voici, en résumé, quelques-uns des exemples qu'elles donnent :

• Dans leurs minuscules huttes en feuillage, les Pygmées du Congo dorment en famille, parents, enfants, grands-parents, tous bien serrés les uns contre les autres, en petites cuillères. Même le visiteur de passage est invité à partager la case !

• Les femmes gebusis, de Papouasie-Nouvelle-Guinée, dorment entre femmes, serrées comme des sardines avec leurs enfants de tous âges, tandis que les hommes et les garçons plus âgés font de même, sur une sorte de mezzanine.

• Chez les Gabras du nord du Kenya et du sud de l'Éthiopie, c'est à peu près la même chose : à chaque sexe son côté de la tente.

• Les Pathans d'Afghanistan, eux, disposent chacun d'un lit, mais il n'est pas question d'avoir sa propre chambre…

• Se retrouver seul, ne serait-ce que cinq minutes, même pendant la journée, est une chose terrible pour les Balinais. Au point que veuves et veufs sont considérés comme de pauvres êtres spirituellement et socialement vulnérables !

2

Comment les petits Français apprennent à manger (et à aimer) ce qui est bon pour la santé (et bon tout court)

On voudrait retrouver le meilleur de nous-mêmes dans notre progéniture. J'ai rencontré des futures mamans rêvant que leur bébé fille hérite de leurs beaux yeux bleus, des futurs papas espérant transmettre leur peau mate et leur virilité à leur bébé garçon. Dans l'espoir d'insuffler l'esprit d'équipe à leur bébé encore en gestation, j'ai vu des fans de baseball ou de foot acheter des pyjamas et des bodies portant l'emblème de leur équipe favorite. Sans aller aussi loin, ce sont là des aspirations tout à fait naturelles. On veut que nos enfants nous ressemblent, qu'ils épousent nos valeurs et se rallient à notre façon de vivre. L'une de mes plus grandes ambitions, pour Sofia, était qu'elle partage ma passion des légumes!

Toute ma vie, j'ai été amatrice de légumes, des crucifères aux cucurbitacées, engloutissant dès ma plus tendre enfance des plâtrées d'aubergines sautées, de brocolis à la sauce d'huîtres, de choux aux carottes. Pour dire la vérité, j'adore la bonne bouffe, jusqu'à l'obsession.

Mon mari, lui, est l'archétype du gars du Midwest mangeur de steaks. Quand j'ai rencontré Monte, il ne voulait pas même entendre parler de légumes, exception faite du maïs. Il est capable d'étaler sa salade comme un gosse, de manière à faire croire qu'il en a mangé plus de deux feuilles, ou de trier artistiquement ses bouts d'oignon et de tomate sur le bord de son assiette. Après treize ans passés avec moi, son palais s'est quelque peu affiné. Il lui arrive même de se risquer sur les légumes. Une fois, parce que c'était mon anniversaire, il a promis de se mettre aux épinards. Tu parles! Dès que c'est vert, il déteste.

Je n'arrête pas d'embêter ce pauvre Monte avec cette histoire de légumes, mais son aversion semble héréditaire. Son père et ses trois frères sont aussi rebutés que lui par la verdure. Je suis un peu inquiète pour sa santé, et frustrée de devoir restreindre mon répertoire culinaire déjà assez limité, mais plus que tout, je me fais du souci sur l'impact que cela risque d'avoir sur nos enfants. Faire ingurgiter des légumes frais aux marmots est déjà assez compliqué, dans un monde où tous les restaurants proposent des menus enfants à base de frites et de nuggets, et où tout est mis en œuvre pour attirer nos pauvres petits vers la nourriture industrielle, à grand renfort de couleurs attrayantes, de cadeaux et de dessins rigolos. Je redoute le jour où Sofia découvrira que son papa non plus n'aime pas les brocolis. Ça balaiera mes derniers espoirs. Heureusement, pour l'amour et la santé de sa fille, Monte s'est dit prêt à faire des efforts.

En me renseignant à gauche et à droite sur la façon d'éduquer les jeunes palais rétifs, je suis tombée sur un article de *Today's Dietitian* traitant du rapport des petits Français à la nourriture. Un groupe de chefs gastronomiques, de professionnels de la santé et d'éducateurs, tous américains, racontait comment il avait vécu un vrai conte de fées en visitant quelques écoles de la vallée de la Loire, dans le cadre d'un forum international sur le lien entre obésité de l'enfant, choix alimentaires et environnement, organisé par le collectif Field to Plate (« Du champ à l'assiette »). Pleins d'admiration, ils ont écouté des cuisiniers de cantine raconter qu'ils préparaient aux enfants des plats aussi incroyables que de la salade verte, du canard fumé ou des asperges vinaigrette. Le tout servi dans de vraies assiettes, avec de vrais couverts (pas en plastique, comme aux États-Unis). Et les enfants buvaient de l'eau du robinet, pas du lait ou des jus de fruits sucrés. On leur a expliqué qu'en France la nourriture est considérée comme l'un des grands plaisirs de l'existence, dont doivent jouir les adultes tout autant que les enfants. Du coup, on les invite à goûter des choses qui, chez nous, seraient considérées comme trop violentes pour un palais enfantin : les fruits de mer, par exemple, ou le roquefort. Et puisqu'on attend d'eux qu'ils mangent la même chose que les adultes, pas besoin de leur concocter des menus à part, on peut se lancer dans la vraie cuisine.

Rien qu'à cette idée, je salivais d'avance, alors j'ai décidé de traverser l'Atlantique pour que les Français me révèlent leurs petits secrets.

LA CANTINE DE L'ÉCOLE MATERNELLE LA MIMARELA, à Saint-Laurent-de-la-Cabrerisse, petit village du Languedoc, a été pour moi la première révélation. Je n'arrivais pas à en croire mes yeux. En entrée, il y avait des petits pois frais légèrement poivrés et salés, avec un filet d'huile d'olive et trois gouttes de vinaigre balsamique, le tout servi sur une jolie assiette colorée. Les bambins piochaient allègrement dans le plat, et un blondinet bouclé s'écriait : «Je vais tout manger ! Je vais tout manger !»

Ses copains rigolaient, s'amusant à faire sauter les petits pois de l'assiette à leur bouche, tandis que la dame de service leur intimait gentiment d'utiliser leurs couverts (eh oui, de vrais couverts !). Kara, toute mignonne et potelée, voulait faire l'impasse sur les petits pois, mais le petit Julien lui a rappelé la règle d'or de la cantine : «On goûte de tout, et au moins deux fois.»

«Tu vas voir, c'est hyper-bon », insistait-il, tandis que le chœur enfantin reprenait à l'unisson : «Miam, c'est bon, c'est bon… »

Kara a goûté l'une des petites boules vertes d'un air rétif, a changé de tête et s'est mise à manger avec un plaisir évident. Ensuite, les enfants ont eu droit à du poulet rôti avec de la purée de pommes de terre. Ça leur a tellement plu qu'ils ont demandé du rab. Puis est arrivé le fromage : des parts de brie servies par le cuisinier lui-même, sur un chariot. Avec de la bonne baguette bien croustillante, c'est passé comme une lettre à la poste. Et comme toujours ou presque, des fruits pour le dessert. Ce lundi-là, c'était de la banane en rondelles, joliment présentée.

Bien sûr, tous les petits Français ne sont pas aussi gâtés à la cantine, surtout dans les grandes villes, mais à la campagne, on fait des efforts, on explore de nouvelles voies.

L'école maternelle La Mimarela compte parmi les précurseurs. Chaque repas y est savamment orchestré par le cuisinier, conseillé par un diététicien. Les fruits et les légumes viennent du jardin de l'école, du marché du village ou des fermes voisines. Le deuxième jour, j'ai vu les enfants avaler avec le même plaisir une soupe de légumes, un gratin de poisson, une salade de maïs et de cœurs d'artichaut, un yaourt nature et des fruits de saison. Le lendemain, c'était salade de betteraves et spaghettis à la bolognaise. Le jeudi, ils ont eu de la tarte aux légumes et aux champignons, une purée de carottes, du bœuf de terroir, un yaourt et des fruits. Et vendredi, tomate à la provençale, saumon en papillotes et haricots blancs. Au goûter, on leur sert en général un fruit et un yaourt au lait entier. La «bonne bouffe» est au cœur même de la philosophie de cette petite école, dixit la directrice, Delphine Le Douarec. Pour éduquer les jeunes palais de ses trente élèves, elle tient à leur proposer chaque jour une nourriture saine et savoureuse, «faite maison». L'expérience dépasse le simple cadre du déjeuner : les enfants entretiennent le potager de l'école, font des dessins ou des petits tableaux à partir des différentes épices... Et chaque bambin, à son anniversaire, est invité par le chef dans les cuisines, où ils préparent en duo un gâteau, pour souffler les bougies avec les copains. Le but avoué de tout ça est d'inscrire l'enfant dans la tradition du «plaisir de manger», toujours très vivace en France, en particulier dans cette contrée.

Ce petit village (685 habitants) tient son nom d'un berger qui s'est illustré, je ne sais trop comment, au XIIe siècle. Et la génération actuelle entend bien s'illustrer à son tour : les bergers de la région, tout comme les petits producteurs agricoles, se battent corps et âme pour la préservation des vignes, de la pinède, de la garrigue et des oliviers, prêts à tous les efforts, à tous les sacrifices pour sauver leur terroir méditerranéen au parfum de thym et de romarin

sauvages. Le moindre habitant cultive des légumes
et des fruits dans son jardin, fait ses courses sur les
marchés de plein air et achète sa baguette au petit
boulanger du coin. En mars, tous courent les bois
en famille à la recherche d'asperges sauvages, et en
octobre, c'est le tour des cèpes. Chaque repas est ici
l'occasion d'un débat passionné, sur la vie en général
autant que sur le contenu de l'assiette, et quels que
soient l'âge et le sexe, tout le monde y participe.
La famille et la nourriture sont les deux piliers de
la vie, m'a expliqué Marie-Bénédicte Vernal, qui
éduque trois filles et élève cinquante chèvres.

— Le repas est un moment sacré, dit-elle. On
passe notre temps à s'échanger des recettes, et on
fait les courses tous les jours, pour n'avoir que des
produits frais.

— Et quand on croise quelqu'un à l'heure du
repas, on ne dit pas bonjour, mais bon appétit, dixit
son amie et voisine Riana Lagarde, une Américaine
mariée depuis sept ans à un Français du cru. Ici,
plutôt que de te poser des questions sur ton boulot
ou ton salaire, comme dans les pays anglo-saxons,
les gens te demandent : «Alors, qu'est-ce que tu
prépares, ce soir?»

D'après Marie-Bénédicte, la plus belle preuve
d'amour qu'on puisse donner à sa famille, c'est de
lui préparer de bons petits plats, à la fois sains et
savoureux. Le petit déjeuner préféré de ses filles,
c'est de la faisselle au lait de chèvre, avec une pointe

de miel ou de confiture de fraises faite maison, le tout dégusté avec de la baguette bien croustillante. Et comme les petits Français ont deux heures pour déjeuner, du moins en maternelle et en primaire, les filles de Marie-Bénédicte rentrent tous les midis à la maison. Il leur arrive de manger de la viande, bien sûr, mais le plus souvent, leur mère prépare un plat de pâtes ou de riz, avec des légumes du jardin. Beaucoup de soupes en tous genres l'hiver et, l'été, toutes sortes de salades composées, avec des fruits de saison pour le dessert. Le goûter préféré des filles, c'est un bon sandwich au camembert!

Afin de me donner l'occasion de participer à un repas typique, les Vernal ont invité à dîner leurs voisins franco-américains, les Lagarde. Riana, qui est américaine comme moi, est arrivée tôt, vers 17 heures, pour donner un coup de main. Elle nous a trouvées dans la bergerie, où, assises dans le grenier à foin, les trois petites grignotaient un bout de fromage, sans perdre une miette de ce que faisait leur mère. La brebis Sam-Sam était en train de mettre bas des jumeaux et Marie-Bénédicte, les mains enduites d'huile d'olive, lui fouillait les entrailles en lui murmurant des mots doux. Juste après la naissance, elle a déclaré qu'il était l'heure de préparer le dîner. Chacune des filles s'est vu attribuer un poste. Esther, six ans, devait aller chercher une salade frisée au potager.

« Nourrie au caca de chèvre ! » s'est-elle exclamée triomphalement.

Au même moment, Hélène, l'aînée, ramassait des orties pour la soupe, tandis qu'Emmanuelle, huit ans, déterrait une montagne de pommes de terre. Elles ont ensuite débarrassé la laitue de ses divers parasites, pendant que leur mère râpait les patates et les mettait à frire en beignets dans une grande poêle en acier. Puis on a vu débarquer le mari français de Riana et leur fille de trois ans, porteurs d'une excellente tarte Tatin. Il ne restait plus qu'à prendre place autour de la grande table ronde et à déguster l'entrée : les beignets de pommes de terre, avec une pointe de crème fraîche, et la soupe d'orties au pesto, agrémentée de mouillettes de pain grillé frotté d'ail. Après, on a eu droit à une délicieuse truite sauvage rôtie au four. Et, pour finir, à une énorme salade, à du fromage de chèvre frais, des fruits secs et des noix. Les adultes parlaient politique, élevage et gastronomie, et les filles, riant et se donnant des petits coups de pied sous la table, se racontaient des trucs sur l'école et les garçons, tandis que sur sa chaise haute, la petite Lagarde grignotait une feuille de salade en léchant la vinaigrette qui lui coulait sur les doigts.

— On aimerait être autosuffisants, produire toute nourriture nous-mêmes, mais on n'y arrive pas encore, regrettait Marie-Bénédicte. Du coup, pour le miel, les œufs, les pommes, la farine, on s'arrange avec les autres vendeurs du marché, on fait du troc, on négocie. Quant aux produits de base, comme le sucre ou le café, je les achète une fois par mois au supermarché de la ville voisine.

— Il y a quelque chose de très excitant dans l'idée de produire sa propre nourriture, a poursuivi Riana, qui travaille comme critique gastronomique pour des guides touristiques. Ça incite les enfants à manger avec plus de plaisir, parce qu'ils se sentent propriétaires de ce qu'ils ont dans leur assiette. Quand ma fille déterre une patate, une betterave ou cueille des haricots verts, c'est à *elle*, elle *veut* les manger.

EN FRANCE, LA GASTRONOMIE EST UN ART TRÈS SÉRIEUX (mais ce n'est pas ma cuisine préférée). Julia Child, la grande prêtresse de la cuisine, y voit un véritable sport national. Qui a imprégné la façon de vivre des Français.

Nous, Américains, apprécions la bonne cuisine, bien sûr, mais c'est davantage un plaisir individuel, pour ne pas dire individualiste. Tandis que chez les Français, prendre du plaisir à manger rime avec la vie de famille et se décline au quotidien.

«Aux États-Unis, vous mangez en marchant, vous mangez en travaillant, comme si ce n'était qu'un besoin vital parmi d'autres, m'a fait remarquer Camille Labro, une amie parisienne. Alors que chez nous, même l'heure du déjeuner est un moment sacré. Au point qu'en province tous les magasins ferment entre une heure et trois ou quatre heures.»

J'ai rencontrée Camille, cuisinière, critique gastronomique et mère de deux enfants, par l'intermédiaire de blogs spécialisés. Ayant vécu à New York, elle était bien placée pour m'aider à comparer la façon dont les parents nourrissent leurs enfants de chaque côté de l'Atlantique.

«Ici, les gens prennent leur temps, m'a-t-elle expliqué. On s'assied tranquillement à table et, tout en se concentrant sur ce qu'on mange, on discute, on rit, on oublie les soucis. Il y a toujours un moment où on parle nourriture, mais pas forcément de celle qu'on a dans son assiette. Prendre son temps, c'est plus qu'une simple préoccupation de santé, c'est aussi une question d'hygiène mentale. Pour être capable d'apprécier la vie, il ne faut pas trop se précipiter. Aux États-Unis, vous avalez un sandwich ou une salade sur le pouce et vous prenez votre café à emporter, tandis qu'ici les gens le sirotent tranquillement au bistrot du coin. C'est indispensable, car pour établir une bonne relation avec la nourriture, il faut savoir se poser.»

Une *bonne* relation avec la nourriture. Elle venait de mettre le doigt sur le problème : les Américains aiment manger, mais en même temps, ça leur fait peur.

«Vous n'êtes pas dans un rapport de confiance ni de détente, a poursuivi Camille. Peut-on parler d'une relation saine à la nourriture quand on entend passer des commandes du genre : "Je voudrais une omelette de blancs d'œufs, avec une salade verte sans sauce et un toast de pain de seigle"?»

L'industrie alimentaire nourrit avant tout nos peurs, avec ces histoires de bio ou pas bio, d'avec ou sans additifs, de présence ou non de cholestérol. Pendant qu'on s'angoisse, les Français, eux, dégustent une entrée, un plat et un dessert, dans lesquels le beurre et la crème tiennent une place non négligeable. Et ceux qui en ont envie boivent du vin presque tous les jours, même si les femmes enceintes se limitent à un verre. D'après le best-seller de Mireille Guiliano, *Ces Françaises qui ne grossissent pas : Comment font-elles?*, le secret, c'est de prendre son temps pour manger et de rester raisonnable dans les portions.

Bien sûr, tout n'est pas si rose : comme partout ailleurs, la France est aujourd'hui confrontée à un problème de surpoids croissant, dû au développement de la restauration rapide et à un mode de vie de plus en plus sédentaire. En 2009, une étude conduite par la Sofres et la société pharmaceutique Roche a établi le pourcentage d'obèses dans la population française à 15 %. 26 % des femmes et presque 39 % des hommes ont, quant à eux, été déclarés en surpoids. Le Centre national de surveillance de la santé rapportait de son côté que, de 2001 à 2007, le nombre d'enfants obèses était resté stable, avoisinant les 18 %. Le pays tout entier a paniqué, le gouvernement a lancé des campagnes de sensibilisation pour promouvoir les fruits et les légumes, et déconseiller l'abus de gras et de sucre. Du jour au lendemain, les distributeurs de sodas ont disparu des établissements scolaires et les menus de la cantine ont été entièrement revus. Il n'en reste pas moins que les Français sont loin d'être aussi gros que nous. Aux États-Unis, deux tiers de la population sont en surpoids, et un tiers des enfants sont obèses, à en croire l'OMS.

Les Américains ne se sont pas toujours aussi mal nourris. Il y a encore une génération, notre régime alimentaire était similaire à celui de la France rurale d'aujourd'hui, m'a expliqué Ann Cooper. Chef professionnelle, experte en nutrition, elle interpelle sans relâche les médias américains dans le but de révolutionner les menus de la cantine et, partant de là, les habitudes alimentaires.

Qu'est-ce qui cloche, chez nous ? lui ai-je demandé.

Tout a dérapé à partir de la fin des années 1970, dit-elle, quand les mères de famille sont allées travailler en masse, réduisant du même coup le temps passé derrière les fourneaux. Les plats industriels ont alors envahi les rayons des supermarchés. Désormais, c'était «dîners micro-ondes», chips, pizzas et McDo... Le marketing s'est emparé de nos assiettes. On a vu apparaître les «menus enfants», comme si leur nourriture se devait d'être différente de celle des adultes (et encore moins saine). Notre monde s'est mis à tourner plus vite et les gens ont viré anxieux, pressés. Cuisiner, manger est devenu une affaire compliquée; il *fallait* se faciliter la vie. On a pris l'habitude d'avaler hamburgers, café et Coca d'une main, tout en conduisant de l'autre. La télévision, le téléphone portable et, plus récemment, l'iPad se sont invités à table, avec pour autre effet de réduire la communication entre les gens. Étranglés par des difficultés budgétaires, beaucoup d'établissements scolaires ont réduit le temps imparti aux repas et la qualité de ceux-ci, allant jusqu'à installer des distributeurs automatiques de sandwichs et de boissons dans les couloirs et les cours de récréation. Avec pour mot d'ordre implicite : laissons les gamins manger ce qu'ils aiment, même si ce n'est pas bon pour eux. Quelques vitamines, c'est toujours mieux que zéro.

Voici comment nos enfants, qui pour la plupart détestent les légumes, se sont mis à ingurgiter des Happy Meals, ont peu à peu grossi et vu leur santé se dégrader.

Aujourd'hui, on commence à se battre pour inverser la tendance. Quelques cantines virent au tout biologique, et un nombre grandissant de parents se mettent eux aussi au bio, réduisent le sucre et proposent des goûters plus sains et plus légers à leurs enfants. Il n'en reste pas moins que la nourriture est considérée, chez nous, comme une simple question de santé (fortifier les os, par exemple), une contrainte incontournable, plutôt que comme un plaisir. Au même rang que sortir le chien, payer les factures, aider son gamin à faire ses devoirs…

Kindy Peaslee, l'une des diététiciennes du collectif Du champ à l'assiette, m'a résumé les choses ainsi : « Aux États-Unis, on se met une telle pression, on a tant d'impératifs et de distractions à la fois que prendre le temps de cuisiner et jouir de la nourriture arrive en dernier dans la liste des priorités. Pareil à la cantine : difficile de proposer une nourriture saine, savoureuse et équilibrée quand le budget de l'Éducation marche sur un fil. »

MES PARENTS ADOPTIFS VEILLAIENT à ce qu'on se nourrisse sainement, mes frères et moi : bébés, ils nous ont donné des petits pots, mais ensuite, les bonbons, les biscuits industriels et la *junk food* étaient interdits. Tout devait être « fait maison », même si cuisiner était loin d'être la passion de ma mère.

« La question n'était pas de savoir si ça m'amusait ou pas, dit-elle. C'était tout simplement une chose qu'il *fallait* faire. »

Mon père, plus fin gourmet qu'elle, nous a fait découvrir toutes sortes de cuisines ethniques. Dans son wok électrique, il était capable de faire sauter un riz pilaf à la viande et aux légumes en moins de deux, mais la plupart du temps, il rentrait tard du travail et c'était ma mère qui se chargeait du dîner, pour un résultat moins heureux.

Enfants, nous dînions en famille à 18 heures pétantes autour de la table ronde mais, à l'adolescence, c'est devenu compliqué à cause des devoirs, du lycée et des diverses activités de chacun. Nos parents se sont peu à peu tournés vers les plats à emporter et le congelé, mais même là, notre préférence allait vers l'ethnique (chinois, libanais, mexicain…). C'était le règne du micro-ondes. On avalait notre assiette, affalés sur le canapé, sans quitter la télé des yeux. Ou en vitesse, debout dans la cuisine, pressés de courir retrouver nos amis.

Ces mauvaises habitudes m'ont suivie à l'âge adulte, même si j'aime davantage manger et faire la cuisine que mes parents. Déjà à la fac, je m'achetais des livres de recettes, faisais à dîner aux copains et adorais sortir au restaurant. Quand j'ai rencontré Monte, je cuisinais une ou deux fois par semaine, même si cela consistait, le plus souvent, à balancer un truc dans le four puis à arroser le tout de sauce soja. Et comme nous n'avions pas de table à manger, ça finissait devant la télé, l'assiette sur les genoux.

L'arrivée de Sofia a tout bouleversé. Sa nounou, qui a vingt ans de métier et qui en plus a suivi des cours de cuisine, nous a mis sur les bons rails. Avec elle, ça ne rigolait pas : il fallait tout cuire à la vapeur, avant d'écraser à la fourchette. Sofia adorait nous regarder faire en mâchouillant un épis de maïs, un bout de banane ou de fines tranches de pomme. En Argentine, les petits pots pour bébés ne sont pas chose commune, si bien que je n'ai pas été tentée. La première fois qu'on est allés aux États-Unis avec Sofia, j'ai été soufflée de voir des rangées et des rangées de nourriture pour bébés dans les rayons des supermarchés. Il y en avait pour tous les goûts, bio, pas bio, avec ou sans gluten, etc. Par curiosité, on en a essayé quelques-uns au hasard. Sofia a aimé ceux aux fruits et recraché les autres (j'ai eu la même réaction). La nourriture industrielle pour bébés fait depuis longtemps partie des produits de base, dans les foyers américains. J'ai moi-même été un «bébé Nestlé» et j'imagine que Sofia en aurait été un aussi, si je l'avais élevée aux États-Unis. Il n'y a rien de mal à cela. Même le Centre de la science au service de l'intérêt public, coriace chien de garde de la nutrition, a conclu, après une étude comparative avec le «fait maison», que les petits pots pour bébés ne présentent aucun danger. Et qu'en plus d'être parfaitement dosés ils sont d'un usage très pratique, d'autant qu'ils empêchent les différents ingrédients entrant dans la composition d'avoir le moindre contact avec des surfaces souillées. Seul bémol, disent-ils : les petits pots contiennent moins de nutriments que la «vraie» nourriture, car ils sont dilués à l'eau puis émulsionnés aux épaississants. J'ajouterai qu'en plus ça revient deux fois plus cher !

Les campagnes de pub propagent le mythe de l'aliment idéal, qui fera de bébé un être en parfaite santé, promis à un développement tout aussi parfait. La firme Gerber est ainsi parvenue à sacraliser ses produits aux yeux des parents, donnant l'image d'une perfection impossible à égaler. C'est faux : avec un peu de patience, des produits frais, un mixeur ou même un simple presse-purée, n'importe quel parent peut en faire autant.

Mais pour la grande majorité d'entre eux, les petits pots industriels sont incontournables, au même titre que le régime alimentaire spécifique que leur enfant est censé suivre à la lettre, à chaque étape de son développement. Il suffit de se rendre sur les forums spécialisés pour voir à quel point tout cela est formaté, sans souplesse : Commencez les céréales à six mois. Puis introduisez, progressivement et dans l'ordre, les légumes, les fruits, et enfin les pâtes et la viande.

Les épices et autres ingrédients un peu ethniques ou exotiques ne sont pas même mentionnés. On peut comprendre que les pédiatres déconseillent l'arachide, le miel et les fruits de mer la première année, à cause des risques d'allergie, mais « sans risque » ne devrait pas rimer avec « fade » ! Les études ont prouvé qu'au sein des familles sans terrain allergique connu les petits enfants pouvaient consommer sans problème la même nourriture que les adultes – ce qu'ils font avec plaisir, si on les laisse faire. Les petits Mexicains, par exemple, sont friands de piment, et leurs homologues japonais d'algues en tous genres et de poisson séché. À Taïwan, j'ai vu avec horreur ma nièce de quatre ans marcher droit vers un plat sur lequel gisait un énorme poisson encore fumant, lui enlever l'un de ses gros yeux à l'aide de ses baguettes chinoises et le mettre en bouche. Son visage resplendissait de joie et de fierté parce qu'elle avait eu la meilleure part du «gâteau». Je n'irai pas jusqu'à servir des yeux de poisson à Sofia, mais ma nièce m'a appris quelque chose, ce jour-là. Chaque enfant a ses blocages (épinards, foie, betteraves...) et s'il faut faire avec, le temps que ça passe, ce n'est pas une raison pour les limiter d'office à certains aliments dits «pour enfants», tels que les pâtes et le steak haché, pour ne citer que ces deux-là. C'est en grande partie la culture qui façonne notre palais, et l'influence des habitudes alimentaires des parents sur celles de leur enfant commence avant même sa naissance. Si, par exemple, une future maman boit du jus de carotte ou mange des pêches pas mûres et des petits pois pendant la grossesse ou l'allaitement, son bébé aura tendance à apprécier ces aliments.

J'ai toujours fait goûter à Sofia ce qu'il y avait dans mon assiette. Quand elle était bébé, je trempais mon doigt dans le plat et le lui faisais suçoter. Dès qu'elle a été assez dégourdie pour le faire elle-même, elle s'est mise à se servir dans mon assiette du bout de ses petits doigts, ce que ma mère, très à cheval sur les bonnes manières, trouvait choquant. Je lui ai expliqué que je tenais à ce que ma fille explore une large palette de saveurs dès son plus jeune âge. Les bonnes manières viendraient plus tard. Et ça a marché! Elle a maintenant trois ans et aime les hamburgers et les frites tout autant que le houmous, les pousses de soja sautées et les beignets chinois à la vapeur.

Ça ne m'a pas empêchée de boucler plus d'une fois ma fille sur son trotteur Fisher-Price, avec un bol de pâtes au beurre sur le plateau, et de la laisser suçoter ses nouilles devant la télé du salon. Quand elle était plus petite, c'était ma seule manière de concilier mes devoirs de mère avec les milliards d'autres tâches que j'avais à faire, surtout quand mon mari partait en reportage. Mais après mon voyage en France, tout a changé. Là-bas, j'ai appris qu'il était primordial de valoriser la nourriture et le temps dévolu au repas, et que si je continuais à considérer le fait de manger comme une simple fonction biologique, à caser entre deux autres activités, cela conduirait Sofia à des habitudes alimentaires désastreuses, plus tard.

Depuis, nous éteignons la télé, les ordinateurs et les téléphones portables pendant les repas. Et quand nous sortons dîner sans elle, Sofia mange au calme dans la cuisine, avec sa baby-sitter. C'est devenu un plaisir de rester en famille, autour d'un bon plat. Monte a même inventé la chanson du poulet et la chanson du riz, qu'il chante à Sofia pendant qu'elle mange. Je suis convaincue que récompenses et punitions n'ont pas leur place à table, mais le jeu et les encouragements, pourquoi pas ? D'autant que notre fille a un appétit d'oiseau. Je ne la pousse pas plus loin que sa faim, mais je suis bien obligée de faire attention à ce qu'elle absorbe les différentes vitamines indispensables à sa santé et à son développement.

Question nourriture, mes mentors sont les chefs Alessandra et Jean-Francis Quaglia, des Français installés à Vancouver, qui y ont ouvert deux restaurants très bien notés. Je les ai contactés après avoir lu leur excellent livre de recettes provençales. Comment s'en tiraient-ils avec leurs propres enfants ? leur ai-je demandé.

— Pas compliqué, m'ont-ils répondu d'une seule voix. La règle d'or, à la maison, c'est : tu n'es pas obligé d'aimer, mais tu es obligé de goûter.

Le palais évolue au fil des années, m'ont-ils expliqué.

— Ce n'est pas parce que nos fils n'ont pas aimé un plat une fois qu'on ne va plus jamais le refaire. Il y a plein de choses qui les ont quasi fait vomir et qu'ils ont adorées six mois ou un an plus tard !

— Les enfants sont de petites créatures bornées, a ajouté Jean-Francis en riant, et on a trop tendance à céder à tous leurs caprices. C'est avant tout pour moi que je cuisine ! Ils doivent manger de la vraie nourriture, pas ces sales trucs dits pour enfants. Sinon, comment voulez-vous que leur palais se développe?

– Quand, dans l'un de nos restaurants, je vois un ado commander des pâtes au beurre, ça me rend malade! s'est exclamée Alessandra. Dimanche, mes fils nous ont demandé d'aller bruncher. On a mangé des œufs Bénédicte sublimes, avec un sauté de champignons Portobello et des courgettes, le tout accompagné d'une salade au bleu parsemée de canneberges. Ils n'en ont pas laissé une miette! C'était un bonheur de partager ce plaisir avec eux.

Impliquer les enfants en dehors de l'heure des repas est une bonne habitude aussi. Camille Labro, pour ne citer qu'elle, m'a raconté que son fils adore écaler les œufs durs. Et que sa fille aime beaucoup mélanger des ingrédients (le côté potion magique). Plutôt que chasser ses deux enfants de la cuisine, de peur qu'ils le dérangent ou se brûlent, le chef Frédéric Texier, quant à lui, apprécie de les avoir dans les pattes, pour qu'ils voient, hument et goûtent ses préparations.

«La curiosité, ça se travaille dès le berceau. Ils n'arrêtent pas de me demander: "Papa, c'est quoi, ce légume? Et cette épice?"»

Kindy Peaslee, la diététicienne du collectif Du champ à l'assiette, trouve cet exemple à la fois idéal et simple à suivre: «Toute famille désirant améliorer sa relation à la nourriture devrait faire pareil. Ça peut même changer la donne avec des gamins déjà bloqués sur ce qu'ils aiment ou pas. Vous pouvez aussi faire pousser un plant de tomates sur votre balcon, dont votre enfant aurait la responsabilité. C'est lui qui l'arrosera chaque jour, et lui qui cueillera les tomates, une fois mûres. Vous l'aiderez à préparer une bonne salade avec. Et au printemps, en été et en hiver, emmenez-le donc visiter un marché paysan, afin qu'il se familiarise avec les fruits et les légumes de saison. Et une fois par mois, laissez-le vous aider à établir la liste des courses, à les faire avec vous puis à cuisiner ce que vous aurez acheté ensemble. Le fait d'être impliqué dans son alimentation, en dégustant, par exemple, un légume qu'il a fait pousser, sur lequel il a veillé avec soin, modifiera sa façon de penser la nourriture. Ça en fait une aventure. Les légumes, on y vient plus facilement quand on aide à les préparer que quand maman rabâche du matin au soir qu'il faut en manger parce que c'est bon pour la santé. »

Malgré le désordre qu'elle mettait dans la cuisine, j'ai donc pris l'habitude d'installer Sofia sur sa chaise, à hauteur du plan de travail, avec toutes sortes d'ustensiles à sa disposition, afin qu'elle puisse « m'aider ». Elle n'avait que deux ans à l'époque, et l'air de rien, je lui tendais de petits bouts de concombre, un petit pois, un haricot vert, histoire qu'elle y goûte. Ma cuisine est si petite que Sofia pouvait observer à loisir ce que je faisais.

Elle adorait les tomates cerises. Je la laissais donc les laver avant de préparer la salade, c'est-à-dire qu'elle en secouait une ou deux sous l'eau, si fort que la tomate éclatait, puis elle se léchait la main et mettait la peau tout écrasée dans le saladier. Autre ruse : quand je l'emmenais au marché, je lui proposais toujours de choisir un fruit pour son goûter.

TOUT CELA ÉTAIT PLUTÔT AMUSANT, pour elle comme pour moi, mais là où ça se corsait, et où ça se corse toujours, c'est que j'ai du mal à me renouveler tous les jours, sur le plan culinaire. J'aime cuisiner, mais seulement quand j'ai du temps. On pourrait croire que c'est moins difficile pour moi que pour les autres parents, vu que je travaille à la maison, mais ce n'est pas le cas. Parfois, la journée se termine, le soir tombe, et je me rends compte que non seulement je n'ai rien préparé pour le dîner, mais que je n'y ai même pas pensé. Et j'ai tellement le cerveau en compote, à force d'avoir écrit mes articles, que je ne me sens pas la force de foncer à l'épicerie ou à la boucherie du coin. J'imagine que c'est encore pire pour les parents qui vivent à dix kilomètres de la première épicerie. Entre le boulot, mes papiers à rendre le jour même, Sofia à chercher à l'école, ses activités extrascolaires et le reste, je ne sais plus où donner de la tête, parfois, et ça revoit à la baisse mes ambitions culinaires. Dans ces moments-là, cuisiner me semble juste une corvée de plus.

J'ai interrogé plusieurs parents, avec toujours cette même question : comment vous en sortez-vous ? La plupart ont des journées bien plus compliquées que les miennes, avec des horaires contraignants, souvent un patron sur le dos, ou une entreprise à faire tourner. Marie-Bénédicte Vernal doit s'occuper de ses trois filles et de cinquante chèvres ; la famille Quaglia, de deux garçons et de deux restaurants ; Camille Labro est non seulement mère célibataire, mais elle a un travail à plein temps ; quant à Frédéric Texier, il est chef dans un hôtel et donne en plus des cours de cuisine à l'école hôtelière. Pourtant, tous m'ont sorti la même chose : bien nourir ses enfants, ce n'est pas si compliqué qu'il y paraît.

« Ça ne prend pas plus de temps de faire cuire des légumes frais qu'autre chose, m'a dit Texier. C'est prêt en cinq minutes. Il n'y a qu'à les rincer sous l'eau, et hop ! à la casserole, ou dans la poêle ! Il n'y a rien de tel que le frais ! N'allez pas me raconter qu'il est plus rapide de décongeler un repas tout fait que de faire cuire un poisson ou de la viande ! Le goût des bonnes choses, ça se transmet : mettez des plats appétissants sur la table, laissez les bonnes odeurs chatouiller les narines de vos enfants. Et surtout, ne les forcez jamais à terminer leur assiette ! »

Débordés, Alessandra Quaglia et son mari ne jouent pas les grands chefs à la maison tous les jours.

Comme tous les parents, eux aussi réfléchissent à la façon de minimiser le temps passé en cuisine, tout en l'optimisant. La devise de Jean-Francis, c'est qu'il faut que ce soit frais et simple. C'est le genre à enduire un demi-poulet d'huile d'olive, de sel et de poivre, à le coller au four et à le servir avec le riz de la veille. « Du moment que ce sont de bons produits, dit-il, c'est forcément bon ! »

Ça me semblait faisable.

Bien sûr, il m'arrive encore d'ouvrir un paquet de raviolis au fromage (temps de cuisson : une minute), mais dans ce cas, j'agrémente au moins le plat d'une courgette fraîche (ou congelée) coupée en rondelles. Que ce soit moi qui cuisine ou Monte, qu'on commande un plat par téléphone ou sorte au restaurant, on fait de notre mieux pour partager chaque soir, en famille, un repas digne de ce nom.

Hier, malgré un travail énorme que je n'avais pas terminé, j'ai même pris le temps de préparer un vrai déjeuner. J'aurais pu faire plus léger, du point de vue calories, mais au moins, tous les ingrédients étaient frais. Au menu : blancs de poulet panés à la milanaise et sautés à l'huile d'olive, purée de pommes de terre et betteraves au four. Et pour le dessert, de délicieux brownies faits de mes blanches mains, avec le moins de gras et de sucre possible. Chez moi, pas de préparation industrielle en sachet ! Une partie de mon cerveau me criait que j'avais du travail en retard et que je ferais mieux de me mettre à mon bureau ; l'autre me rappelait à quel point il est important de consacrer du temps à la nourriture.

Quand Sofia avait deux ans et demi, la liste de ses aliments préférés comprenait les champignons, les carottes, les brocolis, toutes les sortes de pâtes, la soupe de légumes (de préférence avec de la patate douce et de la courge), le guacamole et le porc aux légumes sautés à la chinoise. Elle grignotait des olives italiennes (en crachant le noyau comme une pro), mangeait des haricots, du poulet, et en vraie petite Argentine, commençait à adorer le steak. Pas mal, non ? Comme c'est aussi une grande toquée de glaces, de chocolat, de beurre de cacahuète et de confiture, de temps à autre, j'autorise un petit écart. Tant qu'elle mange bien, je me dis qu'elle a droit à une friandise. L'autre jour, Monte lui a fait manger son premier hamburger, et, à chaque bouchée, elle s'est exclamée : « C'est bon, papa ! » Quand par hasard elle n'aime pas quelque chose, je me dis qu'il ne faut pas se tourmenter pour rien, que son goût évoluera avec les années. Mais pour l'instant, ce n'est pas gagné : je dirais même que plus elle grandit, plus c'est dur. Elle refuse désormais de goûter certaines choses. Et j'angoisse chaque fois qu'on se retrouve au milieu d'enfants difficiles pour la nourriture. J'ai peur qu'ils la contaminent. Les enfants de mes frères, par exemple, font des grimaces pas possibles en la voyant manger de la pizza aux champignons ou des brocolis. Récemment, lors d'un barbecue, je me suis retrouvée à tanner ma fille pour qu'elle mange quelques patates, en complément des morceaux de betterave rôtie qu'elle engloutissait à la chaîne. Monte m'a fait remarquer qu'on devait se féliciter, au contraire, de la voir manger un truc que presque tous les enfants détestent, et ça m'a calmée. «Encore de la betterave», suppliait-elle, tandis que je me faisais un plaisir de la resservir. De toute façon, je n'ai pas d'autre choix que de croiser les doigts en espérant qu'elle finisse par presque tout aimer. D'ici là, je vais continuer à appliquer la règle des Français : on goûte au moins deux fois avant de dire qu'on n'aime pas. Il faut lui mettre dans la tête que la nourriture n'est pas seulement quelque chose qu'il *faut* manger, mais une valeur ajoutée à la vie.

Petit tour du monde
de ce que les enfants mangent

ARGENTINE : dans ce paradis de la viande, un enfant de deux ans pourrait engloutir un bœuf, dévorer des kilomètres de boudin et des kilos de gésiers. Une passion qui commence au berceau, car on donne à mâchouiller aux bébés de petits bouts de pain trempé dans du jus de viande.

ITALIE : pour les préparer à la sophistication culinaire qui les attend plus tard, les bébés sont initiés très tôt à l'huile d'olive, à toutes sortes de poissons, à la viande de cheval, de lapin… On y vend même des petits pots à la viande d'autruche !

TAÏWAN (ma ville natale) : je me suis amusée à demander à ma famille biologique et à mes amis locaux quel était leur plat préféré quand ils étaient enfants. Réponses : yeux de poisson, graines de pastèque grillées, seiche séchée, anchois frits, petits pois au wasabi, pop-corn de haricots, graines de lotus, concombre de mer, anguille.

AUSTRALIE : la Vegemite, sorte de confiture concoctée à partir de bouillie de levure récupérée dans les usines de bière, est l'équivalent du beurre de cacahuète des Américains. C'est marron, râpeux et salé, mais c'est bourré de vitamine B. Les gamins qui ont grandi avec adorent tellement ça que les chansonnettes de la pub Vegemite sont dans toutes les têtes.

CAMBODGE : les tabloïds ont fait les gros titres sur Angelina Jolie en visite à Phnom Penh, faisant manger des criquets et autres insectes à Maddox, son fils adoptif. « Ce que je préfère, ce sont les cafards », crânait-elle. Criquets frits, tarentules, cafards et autres petites bêtes grouillantes sont considérés comme des friandises, en Asie du Sud. Par les adultes comme par les enfants.

GRÈCE : l'un de mes amis grecs se souvient que sa grand-mère lui faisait manger de la cervelle d'agneau rôtie à la broche. Ça le rendrait plus malin, affirmait-elle. Et manger les yeux lui donnerait une meilleure vue. Là-bas, on fait cuire à la broche des agneaux entiers, des cochons, des chèvres, avec la tête et tout ça, sur des grands brasiers de plein air. « Enfants, dit-il, on adorait arracher des bouts de peau croustillante, pendant que mon père tournait la manivelle. »

BRÉSIL : en 2005, l'industrie locale du café a fièrement lancé une campagne de subvention, offrant à un million d'écoliers un petit déjeuner quotidien. Servi avec une tasse de café, bien sûr. Dans toutes les régions productrices de café, de par le monde, les enfants sont initiés très tôt à la caféine.

CORÉE : dès l'âge d'un an, parfois même avant, on donne à mâchouiller aux bambins de petits bouts de kimchi, l'ingrédient de base de la cuisine coréenne, constitué d'un mélange de légumes fermentés baignant dans une sauce au piment. Au début, on rince pour que ce soit moins fort, mais à mesure que le palais de l'enfant s'habitue, on laisse davantage de sauce. Très vite, les gamins attaquent direct dans le plat avec leurs baguettes d'entraînement, plus simples à manier que les baguettes des adultes, car spécialement conçues pour leurs petits doigts.

Russie : dès leur première dent, les petits Eskimos de Sibérie sont mis au régime viande crue et sang de caribou (la viande crue comporte davantage de vitamines, et de toute façon, le bois manque pour la faire cuire). Leur alimentation varie en fonction de la chasse du jour : phoque, lapin, poisson... De nos jours, leurs parents vont à l'épicerie au moins aussi souvent qu'à la chasse, mais l'anthropologue Nelson Graburn a été témoin de leurs efforts pour préserver autant que possible leur régime alimentaire ancestral, le *nitqituinak*. Leurs enfants se voient régulièrement proposer du *maktak*, une bouillie de peau et de graisse de baleine, du *qisaruaq,* sorte de chewing-gum d'estomac de caribou, et autres viandes ou poissons fermentés dans l'huile de baleine ou servis crus. Les Inuits disent que si un enfant n'est pas initié à la viande crue avant l'âge de trois ans, il n'apprendra jamais à aimer ça.

3

Comment les Kényans s'en sortent sans poussettes

Ombrelle ou non? Option jogging? Grandes roues, petites roues? Et pour le siège-auto? Face ou dos à la route? Harnais à trois ou à six points?

Mon ventre pointait à peine que je passais déjà ma vie sur Internet, à lire des rapports de sécurité, à éplucher les forums «spécial bébé», à comparer les milliards d'avis sur les milliards de poussettes proposées sur le marché. Des parents ont gentiment répondu à mes questions angoissées, chacun faisant l'éloge de sa poussette préférée et un tableau apocalyptique de toutes celles essayées avant de trouver le Graal, les pères se montrant aussi concernés et professionnels que les mères, probablement à cause du côté vroum vroum. Monte comparait l'expérience à celle de l'achat d'une voiture. Lui aussi avait plein de questions : Combien de temps tiennent les suspensions? Peut-on incliner entièrement le siège? Fermer la poussette d'une main? La rentrer dans l'ascenseur (même si on n'a pas d'ascenseur)? Comprend-elle l'option porte-gobelet? Bulle anti-pluie?...

En plus d'être un casse-tête à trouver, une bonne poussette, ça coûte une fortune. Même si, à en croire tout le monde, c'était l'outil incontournable pour nous aider à survivre les trois premières années, j'avais dans l'idée de m'en tenir le plus longtemps possible à ma chère écharpe porte-bébé.

J'ai été dans plein d'endroits où les parents n'avaient pas de poussette, soit par manque de moyens, soit parce qu'ils n'en voyaient pas l'utilité, soit les deux. Lors d'un trek au Pérou, dans la vallée d'Urubamba, j'ai eu la peur de ma vie, collée comme une mouche à la paroi du ravin auquel s'accrochait un étroit chemin de mules. Une maman quechua, jupe ample et sandales éclatées, son bébé accroché dans le dos, a doublé notre petit groupe suréquipé et terrifié, passant sans sourciller à quelques centi-mètres du vide abyssal.

Dans des villages du Lesotho, de Thaïlande, du Brésil, toutes les mères que j'ai rencontrées por-taient leur enfant sur le dos, sur le ventre ou sur le côté, sanglé dans des bouts d'étoffes chatoyantes. Même à Taipei, la capitale ultramoderne de Taïwan, où vit une grande partie de ma famille biologique, je ne me souviens pas avoir jamais vu mes sœurs ou mes cousines mettre leurs bébés dans une poussette, alors même que toutes en possèdent une. Si les poussettes ne sont pas la norme partout, il y a des raisons concrètes à cela. Qui vont du prix, prohibitif pour la majeure partie de la population mondiale, à l'impraticabilité des routes sur les trois quarts du globe terrestre, en passant par la croyance, fermement ancrée chez la plupart des peuples, que le bébé a besoin d'être en contact permanent avec sa mère, physiquement attaché à elle jusqu'à ce qu'il sache marcher. J'ai vu avec admiration ces mamans, bébé au dos, traire les vaches, faire leurs courses sur les marchés ou arpenter les montagnes. Le portage me semble l'illustration parfaite de la manière dont les parents s'adaptent à leur environnement et à leurs ressources. Et nous prouvent au passage qu'on peut très bien se débrouiller sans des milliards de gadgets. Vu mes tendances écolo, l'idée de faire comme eux est tentante, mais de là à avoir le courage de renoncer à toutes ces béquilles…

LES RUES DE NAIROBI se traversent en priant le Ciel. Elles vibrent sous un trafic monstrueux et, à cause des fréquentes inondations, sont criblées de creux et de bosses. Lorsqu'il pleut, c'est-à-dire souvent, les routes sont quasiment impraticables, faute de système de drainage (et quand il fait beau, on ne le voit pas, car l'air est saturé de poussière et de pollution). Dans un vacarme automobile assourdissant, piétons, voitures, bus, cyclomoteurs

et animaux en tous genres se disputent le bitume
sans souci des lois, sécuritaires ou juridiques. Des
conducteurs agressifs forcent le passage sur des
avenues à deux voies comme si elles en comptaient
quatre. Et quand par hasard ils existent, les trottoirs
sont si étroits que les piétons se voient contraints
de zigzaguer entre les véhicules ou d'emprunter
l'espèce de ligne de démarcation herbeuse qui sépare
les avenues les plus larges. À Nairobi, la densité
(sous toutes ses formes) est si étouffante que même
dans les endroits où l'on pourrait *a priori* utiliser
une poussette, ce serait impossible. Pareil dans les
bidonvilles sans début ni fin, véritables labyrinthes
de ruelles défoncées et poussiéreuses, où vivent les
Kényans les plus pauvres.

«Le Kenya n'est tout simplement pas un pays
à poussettes», m'a dit la journaliste Marianne
W. Waweru, journaliste au sein du principal magazine
de puériculture du pays. «J'ai passé mes trente premières années à Nairobi, dans un quartier *middle
class*, raconte-t-elle, et je n'ai jamais vu personne avec
une poussette. Je vis aujourd'hui dans un quartier
plus bourgeois, mais même là, toujours pas de poussettes.»

Les seules fois où elle en croise, c'est dans le
centre commercial le plus chic de la ville, et la
plupart du temps, leurs propriétaires débarquent de
l'étranger.

Est-ce si dur que cela de trimballer un enfant

sur son dos? me demandais-je. Pour le vérifier, j'ai accompagné Patricia Munene, une amie de Marianne, jusqu'au moulin à grains. C'est un trajet d'un kilomètre et demi, qu'elle fait une fois par semaine en portant son fils de deux ans pour acheter la farine nécessaire au porridge du petit déjeuner. D'un mouvement de bras souple et bien rodé, elle a fait passer le petit Mwangi sur son dos et l'a sanglé dans un pagne de coton léger.

— As-tu déjà pensé acheter une poussette? lui ai-je demandé.

— C'est quoi, une poussette? a répondu Patricia.

J'ai passé deux minutes à lui expliquer ce que c'était, et elle s'est exclamée :

— Ah, oui, c'est le machin qu'utilisent les *wazungu*? À quoi ça me servirait? Dès qu'on sort de la ville, il n'y a que des collines. Et dans les rues, c'est bourré de monde. Les automobilistes n'ont aucun respect pour les vélos et les piétons, alors pourquoi veux-tu qu'ils fassent meilleur cas des poussettes? Ils leur rentreraient plutôt dedans, oui!

Elle marchait si vite qu'il me fallait presque galoper pour rester à sa hauteur. Le petit Mwangi, lui, avait la joue appuyée au dos de sa maman, et un grand sourire illuminait son visage.

— Avec ce truc, continuait sa mère, je devrais garder les yeux baissés en permanence pour éviter les trous et les bosses. Ça me ferait perdre un temps fou. Tandis qu'avec mon bébé sur mon dos, bien emballé dans son *lesso*, je peux marcher vite sans avoir à me préoccuper de quoi que ce soit. Pourquoi gâcher mon argent dans un achat pareil? s'est-elle récriée. Je préfère mille fois acheter des vêtements et de la nourriture pour mon fils!

En effet, comme me l'a ensuite expliqué Marianne, la journaliste, les poussettes sont hors de prix, au Kenya. Cela monte vite à 200 dollars, dans un pays où le salaire annuel de base stagne à 400 dollars.

— Ça ne t'épuise pas de le porter? ai-je demandé, déjà transpirante et sur les rotules.

— Tu parles, je suis habituée à trimballer des charges beaucoup plus lourdes que ça! J'ai grandi à la campagne, et direct après l'école, je passais à la cueillette du thé. À dix ans, je portais déjà des sacs de vingt kilos!

Pendant son temps libre, la petite Patricia ramassait d'énormes fagots d'herbes, pour nourrir les vaches, ou allait chercher l'eau au puits, et il lui fallait ensuite grimper les collines et les redescendre jusqu'au village, avec sa charge sur la tête ou sur le dos. Porter son fils de quinze kilos lui semblait donc de la rigolade.

Quand nous avons enfin atteint le moulin, Patricia ne s'est pas assise en attendant que la farine soit prête. Elle est restée debout, à babiller avec son bébé et à se balancer d'un pied sur l'autre pour le bercer.

Il était en pleine sieste lorsque nous avons quitté

le moulin. Sur le chemin du retour, Patricia a tenu à faire un stop à l'épicerie, où elle a acheté des tomates, des patates et du chou, qu'elle a insisté pour porter alors que je lui proposais mon aide. Quand on a finalement atteint sa maison, je suis tombée comme une masse dans un fauteuil. Patricia a transféré son fils endormi en douceur sur le canapé, puis, toujours aussi alerte, est allée nous préparer du thé. Je n'en revenais pas.

En buvant notre thé, on a reparlé du portage et voici ce qu'elle m'en a dit :

« Porter mon enfant bien blotti sur mon dos me permet d'être en lien permanent avec lui. Quand je vois quelque chose d'intéressant, je peux le partager avec lui, on a le même angle de vision, on est à la même hauteur. Peu importe qu'il comprenne ce que je lui raconte, l'essentiel, c'est qu'on communique. J'entends ses petits cris de joie ou de surprise, et ça me rend heureuse de sentir qu'il est heureux. »

D'instinct, Patricia savait les immenses bénéfices du portage, que recommandent aujourd'hui de nombreux spécialistes et que plébiscite un nombre croissant de parents occidentaux – merci au Dr Sears, le gourou des familles, et à ses conseils sur l'attachement parent-enfant ! L'une des études les plus importantes, menée par le Dr Urs Hunziker et le Dr Ronald Barr, à Montréal, a établi que les nourrissons portés en écharpe ou en kangourou deux heures par jour pleuraient et s'agitaient moitié moins que les autres bébés, à la tombée de la nuit. Les mères qui portent leurs tout-petits contre elles répondent mieux et plus vite à leurs besoins, produisent davantage de lait et sont moins exposées à la dépression postnatale. Avant d'avoir Sofia, j'avais vu avec perplexité ma belle-sœur coréenne trimballer du matin au soir ses bébés successifs dans une écharpe de portage ou dans les bras, jusqu'à ce qu'ils aient deux ans révolus. Et quand ils n'étaient pas collés à elle ou à mon frère, c'est qu'ils étaient dans d'autres bras. Après chaque naissance, les parents de ma belle-sœur venaient tout exprès de Corée s'installer chez eux pour les aider les premiers mois. Tout ce temps passé dans les bras des adultes peut sembler excessif, mais pour les Coréens, l'attachement physique est essentiel au bon développement du bébé, tout comme l'attention portée au moindre de ses besoins. Un bébé américain d'un mois est « laissé seul » à peu près seize heures par jour, passant du berceau au transat et de la poussette au siège-auto, contre deux heures en moyenne pour un bébé coréen. En pourcentages, cela fait 67 % du temps pour le premier, et 8,3 % pour le second. Tous les parents américains que j'ai interrogés m'ont répondu doctement que la séparation des corps était indispensable au bon développement de l'enfant, car c'était un premier pas vers son autonomisation. Résultat, le bébé américain remporte la palme mondiale des pleurs, quand son homologue coréen, lui, ne passe que trente-quatre à cinquante-quatre minutes par jour à s'époumoner. C'est ce que démontre un sondage du Ewha Womans University of Seoul, portant sur un panel de quatre cent trente-six nourrissons âgés de un à six mois. On a ensuite comparé ces bébés à d'autres placés en orphelinat, qui, pour des raisons d'effectifs, passent deux fois moins de temps dans les bras… et qui, du coup, pleurent deux fois plus que les premiers (mais tout de même beaucoup moins qu'un bébé américain!).

LES ANIMAUX ONT EUX AUSSI MILLE FAÇONS de trimballer leurs petits. Le kangourou et l'hippocampe, par exemple, possèdent une poche; la grenouille de Darwin cache son bébé dans sa grande bouche; l'araignée-loup, elle, se balade avec une douzaine de rejetons cramponnés sur son dos. Chez l'humain, l'invention du portage remonte à cinquante mille ans et constitue une véritable révolution technologique, à en croire l'anthropologue Sarah Hrdy. À partir du moment, dit-elle, où les humains ont été en mesure de transporter leurs bébés, leurs maigres biens et leur nourriture, ils se sont trouvés en mesure de mieux protéger leurs petits, de se déplacer plus loin, vers de meilleurs territoires de chasse, bref, d'améliorer leurs conditions de vie. Ils ont pu quitter le continent africain et se disperser sur la planète tout entière.

Les moyens de portage varient en fonction du climat et des matières premières à disposition. Le plus souvent, il s'agit d'une réplique revue et corrigée de l'accessoire qui leur sert à convoyer les charges les plus lourdes. En Papouasie-Nouvelle-Guinée, les mères utilisent une espèce de filet retenu par le front, ce qui fait que leur bébé est doucement bercé dans leur dos, au rythme de leurs pas, comme dans un hamac. Les Chinois, eux, se servent d'un *meitai*, et les Japonais d'un *onbuhimo*, types de porte-bébés kangourou, version dorsale. Les mamans du pays de Galles restent fidèles au « châle d'allaitement », qui permet de donner le sein en toute discrétion, et aussi de porter les bébés ; les mères néo-zélandaises, en tout cas les maories, attachent leurs nouveau-nés très haut dans leur dos à l'aide de bandes de tissu entrelacées, puis enveloppent le tout d'une sorte de châle. Les bébés iroquois et shoshones sont encore portés au dos, dans certaines réserves, mais le système s'est modernisé. Autrefois, on les fourrait dans une espèce de sac en mousse, avant de les emmailloter sur une planche capitonnée que la mère attachait sur son dos ou à la selle de son cheval – l'idée de la planche, c'était à la fois de protéger l'enfant, sur une face au moins, jusqu'à ce qu'il sache marcher, mais aussi de fortifier son dos, pour qu'il se tienne bien droit plus tard. Non seulement la planche était ornée de perles et de tissages raffinés, mais on veillait à la faire bénir par le chaman.

Chez les Eskimos avataqs, le sac de portage traditionnel, l'*amauti*, est en général taillé dans une peau de caribou bien confortable et s'utilise jusqu'aux deux ans de l'enfant. Il s'installe devant ou derrière, un peu comme un sac à dos, et peut se balancer facilement d'un côté à l'autre, ce qui facilite l'allaitement et le reste. Car si bébé grogne ou gémit d'une certaine façon (que sa mère a appris à identifier), c'est qu'il s'apprête à faire pipi, et elle bascule aussitôt l'*amauti* en position frontale et sort le bambin pour qu'il puisse faire ses besoins par terre. Mais quand il fait trop froid, les bébés sont installés à même la peau de leur mère, contre son dos nu, dans une sorte de grande capuche en fourrure, ce qui permet de ressentir la moindre détresse, respiratoire ou autre. Pour Robyn Bryant, de l'institut culturel Avataq, c'est un excellent moyen de maintenir le contact émotionnel et, de ce fait, de répondre rapidement aux besoins physiologiques du bébé, ce qui est vital, sous ces latitudes. Sur la planète, les terres arctiques comptent en effet parmi les moins propices aux enfants. Le Groenland, le nord de l'Alaska, du Canada, de la Russie ne sont que vastes étendues de neige et de glace. Les températures peuvent descendre à − 100 °C. Le froid est si vif qu'il vous coupe le souffle et qu'un outil en métal laissé dehors vous brûlerait la peau comme du feu, si vous le saisissiez à mains nues. Les villages inuits se retrouvent régulièrement ensevelis sous deux mètres trente de neige, qu'il faut déblayer à la pelle.

En Occident, le landau n'a pas été inventé pour soulager les pauvres mamans, mais pour donner une meilleure contenance aux altesses royales, quand la fantaisie les prenait de promener leurs bébés. Tout a commencé en 1730, le jour où le duc du Devonshire a demandé à William Kent, son meilleur architecte et paysagiste, de construire un jouet digne de leur rang pour ses enfants. Ce dernier a alors conçu une sorte de petit carrosse à armature métallique, doté de quatre roues et tiré par une chèvre, avec un habitacle douillet où pouvait prendre place un petit passager. Cette espèce de landau, qu'on peut encore admirer à Chatsworth House et qui ressemble au carrosse-potiron de Cendrillon, a tellement emballé la noblesse anglaise que toutes les couches sociales ont fini par baver devant l'incroyable invention qui, du coup, a perduré jusqu'à nous, se perfectionnant sans cesse. Mais au XVIIIᵉ siècle, ce n'était encore qu'un gadget inconfortable, fait de bois ou d'osier et plutôt dangereux, car les chèvres ou les chiens qu'on y attelait avaient parfois des réactions imprévisibles, voire incontrôlables.

Si bien qu'en 1848 l'Américain Charles Burton y a ajouté des poignées, afin qu'un humain puisse les pousser. Et en 1889, William Richardson inventait l'habitacle rotatif, de manière à ce que l'enfant puisse faire face à ses parents ou à la route. Les choses s'accélèrent en 1965 : Owen Maclaren, ingénieur aéronautique de son état, a mis au point une poussette ultra-compacte et légère, au cadre d'aluminium, car sa fille aînée se plaignait du cauchemar que cela avait été de charger à bord de l'avion l'énorme landau de son bébé. La révolution était en marche ! Elle galopait, même ! En 1984, Phil Baechler, un journaliste fou de jogging, crée la Baby Jogger Company, pour que papa et maman puissent entretenir leur corps de rêve tout en promenant bébé. Depuis, les grandes firmes de puériculture rivalisent d'imagination pour sortir de leurs usines des poussettes non seulement adaptées aux bébés, mais aussi à leurs parents, c'est-à-dire à tous les caprices et les modes de vie possibles et imaginables.

Désarçonnés et un peu agacés, je l'avoue, par cette surabondance de choix, Monte et moi avons porté Sofia en écharpe pendant cinq mois, avant de faire l'acquisition d'une poussette. On a fini par se décider pour une Maclaren Triumph, réputée pour ses qualités citadines. L'ironie de tout ça, c'est que le jour où on a voulu faire notre première grande promenade, on a dû foncer dare-dare acheter une autre poussette, car la Maclaren ne convient qu'à des bébés de six mois et plus, et que la pauvre Sofia était affaissée comme un chiffon sur le siège. On s'est retrouvés avec un engin de marque inconnue (soldé – 40 %, comment résister ?) qui, au moins, pouvait s'incliner complètement pour dormir.

Le plus souvent, j'utilisais néanmoins un simple hamac porte-bébé, une écharpe de portage ou mon BabyBjörn. C'était un vrai bonheur de sentir mon bébé bien blotti contre mon ventre, et arpenter Buenos Aires s'est révélé une partie de plaisir, la première année, d'autant que Sofia se classe dans la catégorie « poids plume ». La poussette était quand même très pratique, les jours où j'avais plein de choses à trimballer. Et aussi quand je n'étais tout simplement pas d'humeur à jouer la maman kangourou.

Le problème, c'est que bien des parents sont coincés dans une véritable dépendance à la poussette. Certains spécialistes s'en alarment. En 2009, l'Association nationale pour le sport et l'activité physique s'est inquiétée du fait que les bébés et les petits enfants passaient trop de temps dans leurs poussettes, transats et autres. Ils ont pointé du doigt les grandes enseignes de puériculture, qui mettent au point des poussettes pour les enfants – non handicapés – de vingt-cinq kilos et plus. La poussette, passe encore jusqu'à deux ans, deux ans et demi, mais ensuite, bonjour les dégâts ! Non seulement cela favorise le surpoids, disent-ils, mais cela peut carrément engendrer un retard moteur et cognitif. Alors, même si ça fatigue les parents de courir après leur enfant, le mieux serait qu'il aille à pied, à partir du moment où il sait marcher. Ou à trottinette, à vélo à quatre roues, puis à deux roues…

Comment a-t-on pu se retrouver coincé dans une telle dépendance ? Pour en savoir plus, j'ai appelé Jane Clark, directrice du département de kinésiologie de l'université du Maryland. Tout d'abord, m'a-t-elle dit, il faut savoir que ce n'est généralement pas le fait que l'enfant donne des signes de fatigue qui pousse les parents à le coller dans sa poussette. C'est avant tout pour ne pas se fatiguer, eux, avec des problèmes de surveillance : non seulement leur bambin se tient-il bien tranquille, sanglé sur son siège, mais personne ne risque de l'enlever. Il est vrai que toutes ces histoires de pédophiles et de voleurs d'enfants, abondamment relayées par les médias, terrorisent jusqu'aux plus flegmatiques des parents. En 2008, un sondage de BabyCenter.com, portant sur deux mille quatre cents familles, l'établissait comme leur deuxième plus grande peur, après la mort par accident ou par maladie. Pourtant, les violences psychiques et physiques sur enfants sont passées de 22 % en 2003 à 15 % en 2008, et les agressions sexuelles, de 3,3 % à 2 %. C'est là le constat d'une autre étude, publiée en 2009 par le CCRC, un centre de recherche sur les crimes commis contre les enfants, basé à l'université du New Hampshire. En d'autres termes, nos bambins ont plus de risques de glisser sur une peau de banane que de se faire enlever, mais on ne les boucle pas moins à double tour dans leurs poussettes.

Première conséquence de cette sédentarité : ils se dépensent moins. La deuxième conséquence, dixit la kiné Jane Clark, repose sur la loi de Newton : un corps inerte reste inerte. C'est-à-dire qu'un bambin qui passe la majeure partie de sa petite enfance couché dans son lit, ou assis dans sa poussette ou son siège-auto, avec des parents qui se chargent de l'allonger, de l'asseoir, de le sangler d'un truc à l'autre, a un risque accru de devenir une personne passive et dépendante.

Jane Clark exhorte les parents à laisser plus d'autonomie à leur enfant, et ce dès la naissance. Pour tout ce qui concerne le développement psychomoteur et la coordination, son mot d'ordre est : stimuler le vestibulaire.

— Stimuler le vesti-quoi ? ai-je demandé.

— Au fond de l'oreille interne, m'a-t-elle répondu, niché contre le limaçon, petit organe en forme de coquillage qui nous permet d'entendre, il y a tout un enchevêtrement de conduits et de canaux appelé le système vestibulaire. C'est grâce à lui que nous parvenons à maintenir notre corps en équilibre, à nous tenir droit, à fixer notre regard et à nous mouvoir de façon coordonnée. La stimulation de ce système, par des balancements, des étirements et autres exercices, a prouvé son efficacité sur le niveau d'éveil des enfants, leur acuité visuelle, leurs réflexes, leurs compétences cognitives, bref, sur tout leur développement psychomoteur. En résumé, si les parents bercent régulièrement leur bébé, le trimballent le plus possible avec eux, au corps à corps, et s'amusent régulièrement à chahuter avec lui, sa stimulation vestibulaire sera optimale. Quand une maman africaine bouge, la tête de son nourrisson bouge aussi. Et quand elle va cultiver son champ et se penche en avant pour bêcher ou semer des graines, là aussi, le corps du bébé suit ses mouvements. C'est idéal pour la stimulation vestibulaire.

L'équation est simple : un enfant au système vestibulaire bien stimulé verra son développement postural se poursuivre d'autant mieux, et en tirera des bénéfices toute sa vie. D'abord pour des choses aussi basiques qu'apprendre à s'asseoir, à marcher à quatre pattes, puis debout. Ensuite pour des activités allant des gestes du quotidien à des sports aussi sophistiqués que le ski, la danse, le tennis... Qui tous exigent une bonne coordination œil/main et un excellent contrôle postural.

Et pour ça, il faut de l'entraînement, explique Jane Clark. Dans certaines cultures, les enfants développent leurs compétences motrices plus tôt qu'ailleurs. Les petits Africains, par exemple, ont tendance à se tenir debout et à marcher bien avant les petits Occidentaux. Jusque-là, les spécialistes mettaient leur précocité sur le compte de la génétique, de la latitude, de l'ensoleillement, mais Charles Super a voulu aller plus loin. Dans les années 1970, il a étudié à la loupe, pendant trois ans, le développement des bébés d'une tribu rurale de l'ouest du Kenya, les Kipsigis. Là-bas, les bambins tiennent assis, puis debout, et font leurs premiers pas un mois plus tôt que la moyenne des nôtres. Raison numéro 1, dixit Charles Super, c'est que les mères kipsigis coachent leurs bébés à fond. Dès leur premier mois de vie, elles les mettent en position assise 60 % de leur temps d'éveil. Et l'entraînement à la marche commence à huit mois! Tandis que chez nous, au même âge, la plupart des bébés en sont à peine au « quatre pattes ». À un an, le jeu préféré des petits Kipsigis, c'est le *kitwalse* : bébé se tient debout sur les genoux de papa ou de maman, qui le font sauter comme sur un trampoline en tenant – de moins en moins – ses petites mains. Idéal pour l'équilibre! Mais c'est avant tout une question de survie : qu'il s'agisse des collines kényanes, de la forêt amazonienne ou du bush australien, les serpents et les insectes venimeux grouillent. Mieux vaut marcher le plus tôt possible, et pouvoir s'enfuir en courant s'il le faut.

LA POUSSETTE RESTE BIEN PRATIQUE pour se déplacer dans l'univers occidental, où rôdent d'autres dangers, fantasmés ou non. Même à la maison, j'avoue qu'il m'arrivait de boucler Sofia dans sa poussette, parce que ça me laissait la tête et les bras libres. Toujours est-il que dans le cadre de ce livre, il me fallait entreprendre un vrai grand déplacement à la dure, histoire d'écrire ce chapitre en connaissance de cause et de tester au passage les capacités d'adaptation de ma fille et les miennes. Sofia n'avait pas tout à fait deux ans et ne pesait pas grand-chose, alors qu'une amie à moi, Vita Thorpe, venait de passer dix jours à arpenter les sentiers escarpés du Machu Picchu avec Jude, son bon gros garçon de trois ans, sanglé sur son dos.

Ma copine Vita est du genre svelte, pour ne pas dire délicate, et au départ, c'était loin d'être gagné ; jusque-là, pas un pas sans poussette. La première année, elle avait utilisé un « filet à bébé », mais fiston n'était pas une demi-portion, si bien qu'en bonne New-Yorkaise Vita avait opté pour une Bugaboo, si facile et rapide à manœuvrer que le Jude pouvait même manger et dormir dedans, le rêve ! Un mini-monarque confortablement vissé sur son trône ! Pour le Machu Picchu, c'était mal embringué, mais Vita a appris sur YouTube à utiliser une écharpe de portage, et pendant deux semaines, elle s'est entraînée à trimballer son fils non-stop sur son dos. « Qui aurait pu penser que j'étais si forte, si résis-tante ? » s'est-elle exclamée à son retour du Pérou.

J'ai décidé plus modestement de faire Buenos Aires-Chicago. En avion, certes, mais sans pous-sette. L'idée, c'était de la jouer à la kényane, et j'ai commencé par faire l'acquisition d'un joli coupon de tissu à tendance ethnique. Mais j'ai mal calculé mon coup : le coupon était trop court d'un bon demi-mètre, impossible d'attacher Sofia assez étroitement sur mon dos. En plus, elle n'arrêtait pas de gigoter quand j'essayais de l'installer, glissait et se débrouillait pour s'enfuir avec de petits cris aigus. Il fallait que je la poursuive dans toute la maison. Pourquoi diable ne l'avais-je habituée plus tôt à ce mode de portage ?

Je me suis rabattue sur le bon vieux « filet à bébé ». Il allait me servir en quelque sorte de « troisième bras », aide non négligeable lorsqu'il s'agit de trimballer une bonne douzaine de kilos.

Une semaine avant le départ, je me suis entraînée à porter Sofia de chez nous à l'arrêt de bus, et du terminus à chez sa nourrice. Ça, j'y arrivais à peu près, mais impossible de tenir plus de dix minutes d'affilée sans être à bout de forces et de souffle. En plus, Sofia voulait être portée plus haut – donc dans les bras –, parce que le filet lui « coupait » les jambes, disait-elle. Ça revenait au même que si je n'avais pas eu de filet. Au bout de cinq cents mètres à peine, je croyais voir des mamans kényanes et péruviennes passer devant mes yeux, leurs bébés sur le dos. Espèce de mauviette, me disaient-elles en rigolant.

Le jour du départ est arrivé. J'ai fourré Sofia dans son filet à bébé, direction le comptoir d'American Airlines. Le type du guichet, un Américain, a dû nous prendre pour de dangereuses terroristes car il a passé un temps dingue à examiner nos passeports et nos billets d'avion. J'avais l'impression que ma fille pesait de plus en plus lourd. Il a fallu que je le rappelle à l'ordre : ne voyait-il pas que j'avais un bébé de quinze kilos suspendu au cou ? Il m'a toisée comme s'il ne m'avait pas remarquée jusque-là et m'a fait signe de circuler. Ensuite, aucun problème pour remonter la file jusqu'au portique de sécurité : les Argentins, qui adorent les enfants, sont encore plus empressés de céder leur place à des petites mamans frêles et sans poussette comme moi – ce qui n'est pas le cas aux États-Unis, où la plupart des passagers préféreraient que les familles avec enfants voyagent à pied, à cheval ou en ballon si c'était possible. Une gentille dame mexicaine nous a même regardées avec ravissement en disant que ma fille avait l'air «tellement confortable». Tu parles! Je n'avais qu'une idée, c'était d'arriver en zone d'embarquement pour sortir Sofia de son filet et respirer un grand coup. Puis on ferait les boutiques main dans la main, me disais-je, et quand l'hôtesse appellerait notre vol, je la remettrais dans son filet.

C'est alors que les vrais problèmes ont commencé. J'avais à peine tendu notre carte d'embarquement à l'agent de sécurité que mon petit ange a viré revêche. Elle s'est mise à me taper, à crier, à essayer de s'échapper du filet, tandis que je tentais, tout en la retenant, d'expliquer que les liquides contenus dans mon sac de voyage n'étaient destinés à rien d'autre qu'à nourrir l'espèce de petit monstre colérique qui me servait de fille. Mais, par chance, l'agent de sécurité (un Argentin, bien sûr) s'est montré compréhensif. Très compréhensif même, car dans mon court périple du comptoir d'American Airlines à la porte d'embarquement, j'avais réussi à perdre mon billet d'avion. Sur ce point aussi, il a fermé les yeux.

On était à peine installées sur nos sièges que Sofia s'est sifflé en douce ma mignonnette de vin rouge. Et hop, dodo jusqu'à l'escale de Miami – où le filet à bébé s'est révélé idéal, il faut bien le dire. Je n'avais qu'une petite valise à roulettes et pas de poussette à attendre sans fin sur le tapis à bagages, contrairement aux autres fois. Sans poussette, il est plus facile aussi de passer les contrôles de douane et d'immigration, ce qui est plutôt cool, quand on est juste en transit et qu'on sait qu'il va falloir tout recommencer une fois arrivé à destination finale. Pareil pour la sécurité. J'ai juste eu à glisser la petite bouteille de Yop de Sofia dans le sachet prévu à cet effet, à sortir ma fille de son filet, à mettre mon ordinateur portable, nos manteaux et nos chaussures dans le bac, et, main dans la main, nous avons passé le portique en chaussettes. Ensuite, moins de trois minutes au chrono pour se rhabiller et tout remettre dans la valisette. J'étais fière de moi : vive la vie sans poussette! D'ailleurs, on allait marcher un peu, pour fêter ça. Mais Sofia a fait sa tortue jusqu'à la porte d'embarquement, genre un centimètre par seconde, parce qu'elle ne voulait rien rater des beaux grands dessins sur le sol en marbre. Une fois en zone d'embarquement, j'ai voulu lui acheter un beignet au sucre, et là, catastrophe, elle s'est enfuie pendant que je payais. Laissant en plan la valisette, je me suis retrouvée à poursuivre ma gamine en tous sens en hurlant son prénom. Elle était morte de rire, mais moi, je ne pensais qu'à une chose : à notre chère petite poussette qui me manquait énormément. Et encore plus quand l'hôtesse a annoncé que notre vol partirait avec une heure de retard, et qu'il a finalement fallu changer d'avion, donc de porte d'embarquement. Où nous avons poireauté une heure de plus. J'en suis venue à maudire mon filet à bébé. Au bout de dix minutes dans ce machin-là, Sofia devenait folle. Si seulement j'avais pu la boucler dans sa Maclaren !

Quand on a finalement atterri à Chicago (avec trois heures de retard), Sofia était si épuisée qu'elle a docilement accepté son triste sort, quand je l'ai installée dans son filet. Monte nous a accueillies avec un petit chat en peluche pour la fillette et une rose en chocolat pour moi. Je lui ai tendu *son enfant* dans un silence de mort, ai ôté le filet de mon épaule meurtrie et l'ai rangé dans la valise. Je ne l'ai ni sorti ni même regardé des vacances.

AU XXe SIÈCLE, LA POUSSETTE A CONNU UN ESSOR INCROYABLE et ce dans toutes les couches de la société industrielle. Même dans les pays les plus pauvres, où presque personne n'en utilise, elle symbolise aisance matérielle et modernisation du mode de vie. Ce qui n'empêche pas un article du *Washington Post* de 2002, donnant la parole à des Kényans angoissés à l'idée que l'usage de la poussette finisse par s'étendre, entraînant la disparition du portage traditionnel et même de l'allaitement maternel. Voici ce que Carol Mendi, rédactrice en chef du journal féminin est-africain *ÈVE*, écrit sur le sujet : *Certaines coutumes ancestrales ne sont certes plus appropriées, pour les Africains d'aujourd'hui. Il n'empêche que le portage au dos est une tradition magnifique, qui maintient le bébé tout autant que sa mère dans un bain émotionnel stable, tendre et rassurant. Nous ne pouvons pas cesser d'être des femmes africaines juste parce qu'on a été projetées dans le monde moderne, si? Et quelle sera l'étape suivante? On va nous interdire d'allaiter en public? Pas question!*

Même en Occident, il existe un nombre encore restreint, mais croissant, d'opposants à la poussette. Pour l'heure, il s'agit principalement d'individus grincheux et sans enfants, qui n'en peuvent plus de se faire bousculer sur les trottoirs par de gros machins à roulettes. Mais les temps changent. Le portage n'est plus seulement l'apanage de quelques farfelus babas cool mangeurs de graines. De plus en plus de parents s'y mettent. À en croire la Juvenile Products Manufacturers Association, rien qu'entre 2006 et 2008, la vente d'accessoires de portage a bondi de 43 %, pour un montant global de 21 millions de dollars. Le choix est aujourd'hui aussi varié que pour les poussettes. Toutes les formes, tous les styles, toutes les couleurs sont disponibles à l'achat : à la mode péruvienne, africaine, eskimo… Coton tissé main, toile imperméable, lin imprimé panthère, zèbre, ou même cachemire bordé de fourrure rose. Cette course au profit n'est pas sans conséquence : suite au décès de trois nourrissons en 2009, morts étouffés dans des hamacs bandoulière de la marque Infantino, la Consumer Product Safety Commission a fait rappeler le million d'exemplaires déjà en circulation. Selon la CPSC, les systèmes de portage, quels qu'ils soient, peuvent se révéler fatals si l'enfant a moins de quatre ans.

Mais qui porte encore un enfant de quatre ans ? Ça me paraît confus et contradictoire. Je trouve abusif que certains organismes, médias et parents fustigent une pratique millénaire, par la seule faute d'un produit défectueux, ou plutôt de l'usage inapproprié qui en a été fait. Je reste une grande inconditionnelle du portage. Après notre retour à Buenos Aires, une fois oubliées mes souffrances, je me suis même réconciliée avec mon bon vieux filet. Je n'en encourageais pas moins Sofia à marcher le plus possible ; il fallait continuer à l'entraîner, en vue de nos voyages futurs.

«Tu vas jusqu'au coin de la rue, lui disais-je, ensuite je te porte. »

Puis au coin de la deuxième rue, de la troisième rue, etc. Malgré l'enfer du vol Buenos Aires-Chicago, la poussette, pour nous, c'était (quasi) fini. J'étais néanmoins rassurée d'en avoir une. J'y pensais comme à une branche à laquelle il est toujours possible de se raccrocher, ce qui m'aidait à tenir le coup, tout au long du kilomètre qui sépare notre maison de l'école maternelle et que, désormais, nous parcourions à pied, ma fille et moi. Buenos Aires est une ville moderne, mais les trottoirs sont par endroits dans un état épouvantable, avec des trous qu'on dirait faits par des obus. Au point que je me suis souvent retrouvée à porter la poussette! Sofia, quant à elle, semblait parfaitement indifférente à mon parcours du combattant, même quand elle m'entendait grogner en essayant d'extirper les roues de la Maclaren d'un des nombreux pièges qui jalonnent les trottoirs. Le système de suspension est à deux doigts de rendre l'âme, et les poignées en mousse partent en lambeaux, à force de subir ma crispation. Mais cette bonne vieille poussette nous a quand même rendu de grands services.

Gadgets Astucieux

Au rayon enfant des grands magasins japonais, on trouve une infinité de produits, allant de l'indispensable au grotesque, genre visière en mousse rose fluo anti-shampoing dans les yeux, ou Coton-Tige à bout collant pour attraper les crottes de nez sèches dans les narines des bébés. Les petits Japonais disposent presque tous d'un réducteur de siège pour toilettes et, là aussi, le choix est invraisemblable. Avec, le plus souvent, une poignée de chaque côté où se cramponner pour mieux pousser. Au rayon anneaux de dentition, ce n'est pas mal non plus. Il y en a même qui font brosse à dents. Pareil pour les tétines : j'en ai trouvé une qui fait thermomètre. Et si bébé a de la température, il existe de très mignonnes petites poches de gel « spécial » congélo à lui placer sous les aisselles. Le soir, pas besoin de se fatiguer à lui fredonner des berceuses : les doudous Mickey et Minnie ont dans le ventre un transistor qui reproduit les bruits utérins, battements de cœur maternel et flux sanguin compris.

Avec son aspirateur nasal, la Pigeon Corporation, leader suprême des produits de puériculture nippons, a changé la vie des parents du monde entier (via Amazon, on peut être livré dès le lendemain). Grâce au clapet anti-retours, pas de reflux de morve dans la bouche de papa ou maman. La Pigeon Inc. commercialise également des biberons dits de sevrage, où une cuillère en silicone remplace la tétine. Il n'y a plus qu'à piocher dans la purée en priant pour que bébé n'y voie que du feu. Ah! j'allais oublier deux de leurs produits-cultes : le talc pour les fesses, version compacte, dans un joli poudrier comme celui de maman, et, en tête des ventes, leur incontournable thermomètre phoque à moustache pour le bain. Au Japon, on trouve aussi plein d'ustensiles pour rendre les repas plus amusants, comme des moules à riz pour sushis en forme de Hello Kitty, ou des «découpe-algues» en forme de superhéros. Tout est fait pour combattre soit la déprime, soit le stress (un problème national chez eux). Quand son fils ou sa fille rentre avec ses petits copains de l'école, pas d'angoisse non plus : vive le GPS et la sirène d'alarme portative glissés dans le cartable! Le grand méchant loup n'a qu'à bien se tenir!

4

Comment les petits Chinois sont propres avant tout le monde

Ma fille avait un an et huit mois, et portait toujours des couches. Je trouvais qu'il était temps de passer à la propreté, même si mes copines disaient que j'étais folle, que Sofia était encore un bébé, et qu'en plus on était en plein hiver.

«Attends au moins l'été, c'est seulement dans cinq mois.»

Mais j'étais déterminée. J'ai acheté un joli pot en plastique rose à trimballer partout dans la maison sous le derrière de Sofia, et un adaptateur pour toilettes assorti, histoire qu'elle puisse s'amuser à faire comme les grands. J'ai même réussi à me procurer des petits pantalons d'entraînement chinois, fendus entre les jambes. Et on s'est préparés psychologiquement, Monte et moi, à passer nos journées à lessiver le plancher.

«Les Chinois arrivent à ce que leurs bébés soient propres à un an, pourquoi pas nous?» lui répétais-je avec une assurance feinte.

Jusque-là, nous utilisions des couches jetables. C'était la routine. On aurait pu changer Sofia les yeux fermés dans le noir, même en pleine nuit, même à moitié endormis, même à l'arrière d'une voiture ou dans les toilettes d'un restaurant. Mais quand par exemple la couche de Sofia explosait dans son pyjama en plein vol intercontinental, et qu'il ne restait plus une seule lingette dans le paquet, alors l'image des petits Chinois aux pantalons fendus se mettait à clignoter tel un Graal devant mes yeux. En 1999, alors que je venais de faire la connaissance de Monte, j'ai sillonné l'empire du Milieu, de Hong Kong à Pékin, en passant par Xishuangbanna. Le deuxième jour, quelque part dans le centre du pays, notre petit groupe a croisé un tout jeune garçon en train de jouer accroupi dans une flaque. Avec ses joues rouges striées de crasse, que faisait briller son sourire, il avait la bouille typique des campagnes chinoises. Mais ce qui a attiré notre attention, c'est avant tout ses petites fesses blanches comme la lune, qui saillaient hors de son épais pantalon à l'entre-jambe fendue. Certains d'entre nous se sont mis à rire et à se pousser du coude, comme pour dire : mon Dieu que les Chinois sont bizarres! J'ai moi-même laissé échapper un petit rire gêné, je l'avoue – ce qui m'est arrivé plusieurs fois, au cours de ce voyage dans le pays de mes ancêtres, car je ressentais souvent un mélange de fascination et d'embarras. Notre guide nous a expliqué que le port du *kaidangku* était une tradition rurale, mais qu'on voyait cela dans les villes aussi.

«L'avantage, avec ces pantalons, a-t-il dit, c'est que les petits enfants peuvent se soulager seuls et rapidement, à l'endroit même où ils se trouvent.»

Le mignon bambin continuait de sautiller comme une grenouille dans la flaque d'eau, sans se soucier de nos mines stupéfaites. L'un de nous a demandé à sa mère s'il était possible de le photographier, et elle a accepté, amusée par notre étonnement devant une scène aussi banale.

Cette femme m'apparaît aujourd'hui comme un bon génie flottant sur son tapis magique, loin, très loin de nos poubelles débordantes de couches puantes. Quand la question de la propreté s'est posée pour Sofia, je me suis mise à interviewer toutes les mamans chinoises que je croisais. Elles ont été unanimes : le pot, c'est à dix-huit mois au plus tard. Voire dès que l'enfant commence à marcher. Ou même qu'il est capable de s'asseoir seul. Avec un bébé d'un an, il est possible de régler la chose en trois jours, m'ont-elles assuré. À les entendre, contrôler la vessie de sa progéniture est un jeu d'enfant. Il suffit d'imiter le bruit du pipi en faisant «*psitt, psitt*», et ça vient tout seul. Dans les écoles maternelles chinoises, les maîtresses arrivent même à faire aller quinze petits de trois ans aux toilettes en même temps, comme ça, sur commande.

J'étais abasourdie. Les experts ne martèlent-ils pas que rien n'est envisageable avant l'âge de deux ans ? Et dans mon entourage, la plupart des parents n'attendaient-ils pas que leur petit ange soit « émotionnellement prêt », quitte à ce que ce soit lui qui finisse par annoncer un beau matin : « Moi, veux plus la couche » ? Je voyais moi aussi les choses comme ça, jusqu'à ce que je me mette à faire le compte. À sa naissance, Sofia « consommait » entre douze et quatorze couches par jour. À dix-huit mois, on est tombés à six changes. Ce qui faisait quand même une moyenne de neuf couches par jour. Au secours, on en était à quatre mille neuf cent vingt-trois couches ! Mon cœur d'écocitoyenne s'est crispé de honte, et c'est alors que je me suis tournée vers l'empire du Milieu et sa sagesse millénaire.

LA PREMIÈRE À M'AVOIR GUIDÉE SUR LE SENTIER LUMINEUX DE LA PROPRETÉ, c'est Ivy Wang. Je l'avais repérée sur le Net. Elle avait élevé ses deux enfants à Pékin et, forte de cette expérience, intervenait brillamment sur un blog de parents californiens. On a commencé par échanger de longs e-mails, et très vite, j'ai eu l'impression de la connaître depuis toujours.

Elle venait d'un village du nord-est de la Chine, à la frontière de la Russie. Ses parents étaient pauvres.

Ils taillaient les couches de leurs bébés dans de vieux vêtements. Dès que Ivy a su s'asseoir, sa mère a pris l'habitude de la réveiller, en pleine nuit ou au milieu de la sieste, pour la mettre sur le pot. «*Psitt, psitt*», et hop, elle faisait pipi, voire plus. Ça se passait comme ça chez tous les Chinois, à l'époque, citadins comme paysans. Même les adultes en étaient réduits à se cacher derrière un buisson, ou à se rendre aux toilettes collectives. J'en ai visité, quand j'étais en Chine. Au mieux, elles sont «à la turque», avec une dizaine de trous séparés les uns des autres par un petit muret haut d'une quarantaine de centimètres. Au pire, on se retrouve assis au-dessus d'une simple rigole en pente, une sorte de ruisseau caniveau où chacun fait ce qu'il a à faire, avec les déjections du voisin qui vous passent sous les fesses. Mais ces dix dernières années, la vie s'est mise à tourner beaucoup plus vite, en tout cas dans les villes. En milieu urbain, c'est toilettes à l'occidentale pour les parents, couches jetables pour les bébés, et ce jusqu'aux premiers pas de l'enfant. Mais à la campagne, les gens n'ont pas les mêmes moyens. Au maximum, les couches jetables sont utilisées les cinq ou six premiers mois.

Allons voir comment ça se passe dans le district de Shun Yi, dans le nord-est de Pékin. C'est un bon exemple, car c'est là qu'entre villages traditionnels, champs et forêts se trouve l'aéroport international et les résidences secondaires des riches Pékinois qui, le dimanche, fuient la pollution de la ville. Certains habitants du cru travaillent en usine ou tiennent de petits commerces, mais la plupart sont paysans ou éleveurs, produisant, entre autres, 80 % des canards consommés à Pékin, ce qui ne fait pas rien. Plusieurs générations vivent en général sous le même toit, dans des maisonnettes en béton avec jardinet, et les grands-parents sont très impliqués dans l'éducation de leurs petits-enfants, comme partout en Chine. Pendant que les parents sont au boulot, ils prennent soin des petits, leur transmettant les traditions ancestrales. Avec eux, c'est la bonne vieille méthode : O.K. pour les couches faites maison jusqu'à six mois, mais ensuite, c'est dans le jardin que ça se passe. Toutes les deux ou trois heures, selon ce que l'enfant a bu ou mangé, ou simplement s'il se manifeste par une grimace ou un cri spécifique, on le tient au-dessus d'un réceptacle quelconque, et c'est parti pour la stridulation rituelle : *psitt*, *psitt*! Comme avec le chien de Pavlov, ça fonctionne à tous les coups.

Mais ça ne plaît pas à Ying-Huan Huang, une infirmière de l'hôpital local, qui conseille aux familles d'attendre que l'enfant ait un an, voire un an et demi, histoire que sa vessie soit plus mature et qu'il comprenne à peu près ce qu'il est en train de faire. Le plus souvent, les beaux conseils de Huang entrent par une oreille et ressortent par l'autre.

«Pas facile, dit-elle, de faire le poids contre des grands-parents certes expérimentés, mais englués dans la tradition.» Non seulement considèrent-ils les couches jetables comme un produit de luxe hors de prix, m'a-t-elle expliqué, mais ils les jugent inconfortables et malsaines, par-dessus le marché. En Chine, le salaire mensuel moyen représente environ 300 dollars. Dépenser l'équivalent de 8 dollars par semaine pour un paquet de quarante couches serait inimaginable. Ça fait plus de 10 % du budget familial! Tel est le cri du cœur des cinquante parents et grands-parents que Kelly Dombroski, une jeune maman néo-zélandaise, a interviewés à Xining, l'une de ces mégalopoles chinoises dont personne n'a jamais entendu parler. Bâtie le long de la rivière Hongshui, au creux d'une vallée nichée sur les hauts plateaux qui séparent la Chine du Tibet, elle est hérissée de milliers de tours et d'immeubles surpeuplés, et d'un conglomérat de bicoques disparates construites à la va-vite dans des rues sales et poussiéreuses. Xining est la ville idéale où étudier les mœurs éducatives chinoises, car on y trouve un panel quasi complet des différentes ethnies du pays. Dans le cadre de sa thèse de fin d'études, Kelly Dombroski y a passé neuf mois, testant au quotidien, sur son bébé, les enseignements relatifs à la propreté et au co-dodo qu'elle récoltait auprès des familles. La plupart sont des immigrants ayant lâché la campagne pour les mirages de la ville, qui cultivent du chou chinois sur leurs balcons et dans les cours d'immeuble, au milieu des chèvres et des poulets. Leurs bébés portent encore le pantalon fendu, avec à l'entrejambe, jusqu'à l'âge de trois mois, une espèce de couche en tissu de récup coincée dans la ceinture élastique. Ensuite, on passe direct au pot. En cas d'accident, personne ne s'angoisse. On rince le petit pantalon, et on le met à sécher. La maisonnée au complet est impliquée, y compris les frères et sœurs, même très jeunes. Quand bébé a l'air d'avoir envie, le premier qui s'en rend compte s'y colle. C'est facile, il y a juste à tenir les petites fesses au-dessus du récipient. *Psitt, psitt.* L'entraînement ne commence pas au même âge pour tous : c'est au feeling, il s'agit de communication plus que de dressage. Mais, de même que les parents occidentaux pensent qu'il n'est pas bon de s'y prendre trop tôt, les Chinois, eux, trouvent malsain de traîner de longs mois en couches, car ils craignent l'humidité et la surchauffe. Comme le dit Kelly Dombroski : « Les Chinois sont persuadés que les parties génitales doivent respirer. Voilà aussi pourquoi ils fendent les pantalons de leurs enfants à cet endroit-là. »

IVY WANG, L'AMIE QUE JE ME SUIS FAITE SUR LE NET, balançait entre les deux extrêmes. Le choix était cornélien : reproduire avec ses deux enfants ce qu'elle avait elle-même vécu en Chine, dans son village d'origine, ou faire comme aux États-Unis, où elle avait émigré à l'âge de douze ans, car son père travaillait pour le FMI ? Elle a fait toutes ses études en Amérique, s'est mariée avec un Américain, et ils ont eu leur première fille, Kylie, alors que Ivy terminait son master de business. Le symbole même d'une parfaite intégration ! Fallait-il pour autant qu'elle laisse son bébé porter des couches indéfiniment ? Les blogs, les livres de puériculture, et même les parents rencontrés au parc Menlo de Palo Alto lui serinaient que sa fille ne serait ni prête ni réceptive à la propreté avant l'âge de deux ans, plutôt trois, ce qui fait que Ivy a remis le projet aux calendes grecques, assez soulagée en vérité, la conscience apaisée.

Le réveil a été dur, quand elle s'est installée à Pékin en 2006 avec son mari, la petite Kylie et leur nouveau bébé. Ivy avait fini ses études et souhaitait vivre près de ses parents, rentrés au pays.

J'ai pris un job de consultante en management, et comme ma fille avait vingt-deux mois, j'ai voulu l'inscrire à l'école maternelle du coin.

— Comment ça se passe, pour les couches et l'entraînement au pot ? ai-je demandé à la directrice.

Qui m'a regardée avec de grands yeux avant de s'exclamer :

— Mais enfin, tous les enfants sont propres, à l'entrée en maternelle !

Ce n'était pas une revendication, juste un simple constat. Aussi indiscutable que de dire que le président

Mao est le Grand Timonier! m'écrivait Ivy dans l'un de ses mails pleins d'humour.

Et, deux lignes plus bas :

Je peux t'assurer que je riais moins, ce matin-là, en rentrant chez moi, déprimée et piteuse. Je passais mentalement en revue les acquis de ma fille, selon la check-list en vigueur sur les sites spécialisés :

Sait se déshabiller seule ? Non.

Sait s'habiller seule ? Non.

Couche sèche après la sieste ? Non.

S'intéresse à l'idée de s'asseoir sur le pot ? Non.

Ne supporte pas d'avoir les fesses mouillées ? Pas vraiment.

Et dire qu'il nous restait à peine un mois avant la rentrée des classes !

Guidés par leur nounou chinoise, Ivy et son mari ont commencé par laisser Kylie trottiner dans la maison les fesses à l'air, ou en pantalon fendu. En Chine, même chez les plus nantis, le sol est habituellement carrelé.

Alors quand Kylie faisait pipi par terre, pas de problème. Il suffisait de passer la serpillière et de lui désigner son pot, pour la fois suivante.

Lorsque la petite famille partait en promenade, Kylie revêtait son plus joli pantalon fendu et se soulageait quand ça lui chantait, où ça lui chantait, comme tous les petits Chinois. Au parc, sur une route de campagne, ou même dans les beaux quartiers, cela ne dérangeait personne.

Il n'y a que les touristes, dit-elle dans un mail, *pour ouvrir des yeux ronds quand, en pleine rue ou dans un magasin, une maman tient son enfant au-dessus d'une poubelle pour qu'il y fasse ses besoins.*

Elle en a vu faire dans de simples sacs en plastique, dans la rue et même dans un train de banlieue archibondé.

Moi aussi j'emportais toujours trois ou quatre sacs en plastique, quand on allait se balader. Et en moins d'un mois, c'était plié ; fini, les couches.

Du coup, un an plus tard, Ivy s'est aventurée à laisser son fils, Kealin, alors âgé de quinze mois, suivre l'exemple de sa sœur. Au bout de huit semaines, il était propre de jour comme de nuit.

Suite d'un des mails de Ivy :

Tout ce que tu peux lire ou entendre en Occident t'exhorte à ne pas t'y prendre trop tôt, sous prétexte, entre autres, que les muscles du sphincter et de la vessie ne sont pas matures. Comment expliquer, dans ce cas, que non seulement mes enfants étaient capables de ressentir et d'exprimer leurs besoins, mais aussi de les retenir, s'il le fallait ? Ils sont malins, d'accord, mais pas plus que les autres gosses. Et côté propreté, pas vraiment en avance, comparés à la plupart des petits Chinois. Et ici, on ne publie pas trois bouquins par an sur le sujet ! Je crois que les Chinois sont tout simplement plus cool pour tout ce qui est des fonctions biologiques de l'enfant.

Le secret, selon Ivy, c'est d'être relax par rapport à la nudité, aux fluides corporels et aux «petits accidents». Hum, hum, me disais-je. Moi, détendue à l'idée d'une grosse commission sur mon beau parquet? Ça allait être un sacré défi.

JUSQUE-LÀ, J'AVAIS ENTENDU PARLER, UNE OU DEUX FOIS, DE PARENTS AMÉRICAINS entraînant leurs bébés à la propreté dès la naissance, et je m'étais dit qu'ils étaient cinglés. Je me souviens d'un article lu dans le magazine *Brain, Child*, où une maman racontait son expérience horrible et déprimante de ce qu'elle appelait «l'élimination via la communication» (il ne s'agit pas de tuer qui que ce soit : c'est tout simplement le nom que certains donnent à l'apprentissage précoce de la propreté). Perpétuellement à l'écoute de signes avant-coureurs, elle se ruait dans les premières toilettes venues avec son bébé, le tenant sous les pattes le temps qu'il fallait (et parfois en pure perte) au-dessus de la cuvette. *Ta vie tout entière tourne autour des déjections de ton bébé, c'est l'enfer, ça rend dingue*, confessait-elle. Même si ça avait fini par marcher (l'happy end de l'article), je trouvais que le jeu n'en valait pas la chandelle et qu'il fallait vraiment avoir du temps à perdre pour se lancer des défis pareils. C'était trop de pression, pour le bébé comme pour ses parents.

J'ai commencé à voir les choses sous un autre angle après avoir discuté avec Ivy Wang et d'autres mamans chinoises, ainsi qu'avec divers défenseurs de la propreté précoce. À les écouter, ces traditions millénaires et exotiques étaient une chose parfaitement naturelle et tout à fait adaptable à ma vie d'Américaine moderne et débordée. Je suis aussi tombée sur le livre de Laurie Boucke, *Propreté précoce : la méthode de nos ancêtres adaptée au monde moderne*. Une amie indienne avait montré à l'auteur comment faire (le *psitt, psitt* n'est pas exclusivement chinois) et elle avait testé avec succès la formule magique sur son fils de trois mois. Voici les conseils qu'elle m'a donnés à son tour pour m'aider à bien démarrer :

« Du moment que vous ne lâchez jamais l'affaire, pas de problème, vous pouvez n'appliquer la méthode qu'à la maison, et remettre des couches à votre enfant quand vous sortez. »

Il était exclu, en effet, que je laisse ma fille faire pipi sur le paillasson du voisin, lui ai-je dit.

Mais je commençais à intégrer que la possibilité de rendre Sofia propre avant deux ans n'était peut-être pas un rêve impossible de mère psychopathe. Il suffisait juste de revisiter un peu la méthode chinoise.

Ma fille avait dix-neuf mois, et j'ai annoncé à sa nounou que les couches, c'était fini. Elle m'a regardée bizarrement. Très bizarrement. En vingt ans de carrière, jamais elle n'avait entendu parler de parents enquiquinant des enfants de moins de deux ans avec des histoires de propreté.

« Vous ne pensez pas qu'il faudrait en discuter avec le pédiatre, avant ? » m'a-t-elle demandé avec une politesse glacée par la désapprobation.

Je ne m'y suis pas risquée. Le Dr Albanese est un médecin formidable, mais du genre vieux jeu. Je croyais l'entendre d'ici : « Oh, non, ne faites surtout pas une chose pareille, madame Hopgood ! Non seulement vous risquez fortement d'échouer, mais cela pourrait se révéler désastreux pour l'estime que votre fille a d'elle-même. Un peu comme si on forçait un bébé à marcher avant l'heure. »

J'ai tenu bon.

« Sofia est tout à fait prête », ai-je dit à la nounou.

Qui a eu un petit sourire plein de sous-entendus, mais qu'importe : non seulement ma fille était prête, puisqu'elle allait parfois s'asseoir d'elle-même sur le pot, mais elle était en retard, selon les standards chinois. Il lui arrivait de plus en plus souvent d'avoir ce grand regard noyé qui veut dire : « Ouh là là ! ça vient ! dépêchez-vous de me mettre sur les toilettes ! » À part la flemme, je ne me voyais pas d'excuses. L'heure était venue de prendre les choses en main.

Premier objectif : trouver des petits pantalons fendus. J'ai écumé le mini-quartier chinois de Buenos Aires, fouillé parmi les autocuiseurs à riz, la porcelaine et les jouets non homologués. En vain. Les Sino-Argentins à qui j'ai parlé m'ont dit que plus personne n'utilisait ces trucs-là. Quelques-uns m'ont tout de même avoué qu'ils en faisaient venir de Chine, mais il n'était pas question, disaient-ils, que leurs enfants sortent de la maison avec. J'ai brièvement caressé l'idée d'en coudre quelques-uns moi-même. Il y avait toutes les infos sur le Net, il suffisait de suivre les instructions.

Après deux semaines à procrastiner, j'ai rayé la mention *coudre un petit pantalon fendu* de ma liste de choses à faire. Je n'avais pas de machine à coudre, et c'était tout juste si je parvenais à remettre un bouton ou à repriser un accroc. Si j'attendais d'être capable de lui fabriquer un pantalon fendu, Sofia porterait toujours des couches à cinq ans.

J'ai fini par dégotter sur le Net la merveilleuse Ann Anderson, une maman de l'Ohio qui fabrique et vend en ligne de ravissants petits pantalons fendus. Elle en a équipé le plus jeune de ses trois fils dès l'âge de trois mois.

J'étais dans tous mes états quand le colis est arrivé. Le pantalon était adorable, bleu à rayures blanches, comme les braies d'Obélix, version bébé. Je l'ai montré à Monte, qui a hoché la tête, et à la nounou, qui a froncé les sourcils. Tant pis pour eux, il n'était pas question de reculer. Le temps pressait. Début août, je devais rejoindre Monte aux États-Unis avec Sofia (le fameux voyage infernal sans poussette). Je refusais qu'elle porte des couches dans l'avion. J'ai regardé le calendrier : on était le 4 juillet, jour de l'Indépendance. Un signe du destin. J'ai dit : « Pas besoin de faire cette tête. La propreté, ça commence aujourd'hui même ! »

121

Samedi 4 juillet 2009, journal de bord

8 h 20 : on a roulé les tapis. J'ai enfilé son petit pantalon à Sofia. Elle regarde entre ses jambes, puis m'observe en grimaçant.

8 h 26 : gros pipi dans le salon, à moins de vingt centimètre du pot. J'explique à Sofia le pourquoi du comment, et elle me scrute comme si j'étais folle. Je passe la serpillère.

8 h 29 : Monte pointe du doigt une seconde flaque, près du canapé. «Pipi, c'est dans le pot», dis-je à Sofia (phrase que je n'ai cessé de répéter toute la semaine suivante).

8 h 40 : en pleine forme, Sofia passe et repasse en trombe sur son camion Fisher-Price, sa poupée Mimi glissée dans son T-shirt. Ses petites fesses saillent du pantalon. Elle a l'air ravie, sans couche.

O.K., mais comment va-t-on se débrouiller, cette nuit?

9 h 9 : Sofia regarde de nouveau entre ses jambes, avec curiosité, puis retourne jouer avec son puzzle en comptant les pièces : « *Uno, dos, cuatro, cinco, seis.* » Je lui rappelle l'existence de son pot.

9 h 15 : je farfouille dans un tiroir à la recherche d'une pièce de puzzle manquante et tombe sur huit paquets de lingettes, achetés en promo à la pharmacie du coin. Ce gâchis me soulève le cœur.

9 h 19 : mon petit ange joue trop sagement pour que ce ne soit pas louche. Je lui touche les fesses

et, comme je m'y attendais, c'est trempé. «Non, Sofia! Pipi, c'est dans le pot!» Je la déplace d'un bon mètre pour passer la serpillière, mais c'est la crise de larmes.

Il fait un temps splendide dehors, et vu l'ambiance à l'intérieur, autant qu'on aille se promener. «Un temps splendide, peut-être, mais 20 °C, c'est trop froid pour se balader les fesses à l'air», objecte Monte. Surtout que Sofia n'a pas encore le réflexe de s'accroupir pour faire pipi. Son pantalon risque d'être vite trempé.

Quelques minutes plus tard, je demande à Sofia : «Tu as envie de faire pipi?» «Nan, maman.»

Si je continue à la harceler comme ça, j'ai peur qu'elle prenne son pot en grippe. Je comprends que je dépasse les bornes quand je me retrouve assise dessus, avec mes fesses qui débordent, pour lui montrer l'exemple.

10 h 23 : j'ai réussi *in extremis* à la mettre sur les toilettes quand elle a crié : «Popo!» Mais rien, alors à la place, je l'ai envoyée se brosser les dents. J'ai à peine tourné le dos qu'elle crie de nouveau : «Popo! Popo!» en désignant notre chambre à coucher. Mon cœur se serre, mais une fois de plus, la chance est avec moi : c'est juste un pipi. Sauf qu'une manche de ma veste en cuir trempe dans la flaque. Je note mentalement : ne plus laisser traîner mes habits préférés par terre.

11 h 45 : gros bâillements. On est déjà sur les rotules, Monte et moi. Est-ce dû à cette première journée sans couches ou simplement au fait que notre fille se lève toujours trop tôt ? Sofia n'est pas allée une seule fois sur le pot. C'est encore pire que d'habitude. Notre seule gloire ? Elle sait maintenant ce qu'elle doit faire et ne pas faire, on le lui a assez répété depuis ce matin. Et elle a bien vu ce qui se passait, sans couche. J'imagine que c'est un progrès, parce que je n'ai rien d'autre à quoi me raccrocher.

LES PARENTS AMÉRICAINS N'ONT PAS TOUJOURS ATTENDU que leurs enfants aient deux ou trois ans pour les entraîner à la propreté. À la fin des années 1940, la moyenne, c'était plutôt dix-huit mois, selon une étude menée par le pédiatre T. Berry Brazelton. Depuis, dit-il, le mode de vie a bien évolué. Les tout-petits ne passent plus leurs journées avec leur maman, leur mamie ou leur nounou. Le plus souvent, les deux parents travaillent, et la crèche a remplacé les grands-parents.

Mais ce qui a vraiment changé la donne, c'est l'invention de la couche jetable, en 1956.

En 1946 déjà, Marian Donovan, une maman ingénieuse du Connecticut, avait eu l'idée d'une surcouche en tissu imperméable. L'année suivante, George Schroder, qui travaillait pour une compagnie textile du Tennessee, s'est vu confier la tâche

124

de créer une couche jetable en tissu non tissé. Au même moment, Valerie Hunter Gordon, jeune mère britannique agacée par les langes traditionnels, inventait elle aussi la couche jetable. On lui doit également l'invention des boutons-pression, en remplacement des épingles de nourrice. Mais les couches jetables n'ont vraiment pris leur essor que dans les années 1970, quand des compagnies comme Johnson & Johnson, Procter & Gamble, ou Kimberly-Clark, ont réussi à développer des produits plus absorbants, plus ergonomiques aussi, donc plus confortables. Sans oublier les fameuses languettes adhésives. Leurs campagnes de pub n'hésitaient pas à présenter les couches jetables comme les grandes sauveuses des familles. Le slogan de Pampers, c'était : « Bébé au sec = parents heureux. » Et la marque Huggies allait jusqu'à vous garantir un « *happy baby* » – sous entendu : en échange de votre petit monstre grincheux. Les parents débordés ont très vite plébiscité les couches jetables, une industrie qui pèse aujourd'hui plus de 27 milliards de dollars.

Comme le serinent les esprits critiques, tout cela a un autre prix, d'abord pour l'environnement. Avant d'être propre, un bébé remplit les poubelles avec cinq à dix mille couches. Le Clean Air Council et l'Agence de protection de l'environnement estiment que 49 millions de couches sont jetées quotidiennement, rien qu'aux États-Unis. Et chacune de ces couches «traînera» plus de quatre siècles dans la nature avant de se décomposer.

Il n'empêche que pour beaucoup de parents (je fais partie du lot), ce qui compte par-dessus tout, c'est que bébé ait les fesses au sec. À croire qu'on ne pourrait pas vivre sans ces petits machins super absorbants. Mentalement et physiquement, on est au moins aussi dépendants des couches que nos bébés, ce qui ne pousse pas vraiment à anticiper l'apprentissage de la propreté. Voici ce qu'en dit le Dr Barton Schmitt, dans le magazine *Contemporary Pediatrics* : *Grâce au tailles XL, ne pas être propre à quatre ans n'est plus un problème. C'est du moins le message que véhiculent les fabricants de couches. Leurs publicités montrent de grands bambins apparemment heureux et parfaitement bien dans leur peau, mais cette légitimation est avant tout propice à leurs comptes en banque.*

Ce médecin est le chef du service d'encoprésie et d'énurésie du Children's Hospital de Denver, et selon lui, propreté précoce ou propreté tardive sont avant tout une affaire de choix de vie, sans véritable rapport avec les réalités biologiques.

Suite de l'article : *De nombreux pédiatres, spécialistes et parents américains optent pour une approche «enfant-centrée», laquelle implique d'attendre la maturation physique et émotionnelle de ce dernier. À les écouter, il ne faut rien tenter avant que bébé ait dix-huit mois, et démarrer l'apprentissage quelque part entre les âges de deux et quatre ans. J'ai quand*

*même une question : garde-t-on l'enfant si longtemps
dans ses couches pour lui, ou pour nous ?*

Le Dr T. Berry Brazelton, qui a mené l'enquête sur
l'industrie de la couche jetable dont il a été question
plus haut, pense au contraire qu'il est préférable d'attendre que l'enfant soit prêt, c'est-à-dire capable de
coopérer et aussi de se retenir un peu s'il le faut. Cette
maîtrise, dit-il, le préservera d'éventuels problèmes
d'énurésie, de constipation, voire d'un trouble du
comportement plus fréquent qu'on ne le pense, qui
consiste à jouer avec ses excréments. L'impliquer
dans son apprentissage lui donnera le sentiment « d'y
être arrivé tout seul », source majeure d'estime de soi.

Une étude publiée en 2010 par l'hôpital pour
enfants Bristol-Myers Squibb conseille de commencer l'apprentissage de la propreté entre les âges
de deux et deux ans et demi. Si l'on s'y prend plus
tardivement, disent-ils, l'enfant risque de souffrir
d'énurésie nocturne et de petits accidents pendant
la journée.

Il n'empêche que certains se positionnent fermement en faveur de l'apprentissage précoce et
qu'ils ont des arguments, eux aussi. Linda Sonna,
psychologue et auteur de nombreux ouvrages de
pédagogie, trouve qu'il faut démarrer la propreté
entre six et douze mois.

« N'est-ce pas forcer bébé à faire quelque chose
dont il n'a pas envie, ni même conscience ? » lui ai-je
demandé.

Elle m'a alors donné cet exemple : il fait froid dehors et l'enfant ne veut pas mettre son manteau. Sa mère l'y oblige. A-t-elle tort ?

« C'est pareil pour la propreté, a-t-elle conclu. Il ne faut pas avoir peur d'insister, mais sans verser dans le harcèlement, bien sûr. Sinon, on risque de créer une psychose, avec des retombées terribles, pour toute la vie. Et pas question de gronder ou de punir l'enfant en cas d'accident. Pas question non plus de le forcer à rester assis sur son pot. En s'y prenant en douceur, comme le font les Chinois depuis des générations, tout ira bien. »

Le Dr T. Berry Brazelton, à qui j'ai posé les mêmes questions, porte un regard moins positif sur les méthodes chinoises. « En Chine comme en Inde, fait-il remarquer, la pression exercée sur les bébés est énorme. Mais la mondialisation fera sûrement changer les choses, de ce côté-là aussi. Tous les peuples de la planète finiront un jour par comprendre à quel point il est important pour l'enfant d'être consciemment impliqué dans l'apprentissage de la propreté, que cela infléchit positivement l'estime qu'il a de lui-même, et de là sa réussite scolaire. »

Je faillis lui objecter que les petits Indiens et les petits Chinois se révélaient pourtant bien meilleurs à l'école que les petits Américains, mais je suis restée concentrée sur mon sujet, parce que j'étais venue entendre ce qu'il avait à dire, pas polémiquer. Il m'a expliqué qu'à cause de la mondialisation les Chinois aussi se mettaient en masse à la couche jetable, en tout cas les citadins. Et m'a montré un article du *China Daily*, qui disait : *On ne trouve quasiment plus de pantalons fendus dans les magasins. À la place, des rayons entiers de couches jetables. Il faut dire que dans les revues spécialisées, tous les bébés en portent, et ça influence forcément les parents.*

Uma Chu, la journaliste, trouvait sale et archaïque, voire honteux, que les enfants fassent leurs besoins en pleine rue, alors qu'à Pékin et à Shanghai il n'était même plus permis de cracher sur le trottoir. *Heureusement, les mentalités évoluent. Dans mon entourage, j'aurais du mal à trouver un bébé propre avant deux ans*, concluait-elle.

Apparemment, la couche jetable est perçue à la fois comme un progrès et un symbole du progrès, dans la Chine d'aujourd'hui. Une simple petite couche et hop, les familles assez riches pour se permettre ce luxe ont l'impression de sauter de l'époque Ming au monde moderne.

J'ADMETS QUE, POUR MOI, L'ÉPOQUE MING, ÇA S'EST RÉVÉLÉ PLUTÔT ROCK'N'ROLL. Je n'imaginais pas que ce serait si dur, la vie sans Pampers. Je passais mes journées à utiliser la serpillière, à faire tourner le lave-linge et à suivre Sofia partout en lui demandant si elle avait envie «d'y aller». Quand son petit pantalon fendu était en train de sécher, je lui mettais ses jambières BabyLegs. On doit cette belle invention à une maman qui voulait que son bébé puisse garder tout à la fois les jambes au chaud et les fesses à l'air. Au début, avec Sofia, c'était petits accidents sur petits accidents, et on hésitait entre le rire et les larmes quand elle marchait pieds nus ou en chaussettes dans une flaque de pipi, voire pire. Dieu merci, le pire n'est arrivé que deux fois. Mais j'angoissais quand même. J'avais du mal à digérer, c'est le cas de le dire, la leçon chinoise numéro 1 : pas de fixette sur le fonctionnement intestinal de bébé. En tout cas, on progressait, et c'était encourageant. Tant qu'elle portait des couches, Sofia ne s'apercevait de rien, mais là, dès qu'elle faisait pipi, elle s'exclamait : «Oh! oh!» N'empêche, c'était crevant et je n'avais qu'une hâte, que tout ça soit derrière nous. *Ce qui n'est pas une raison pour confondre vitesse et précipitation*, m'a expliqué Ivy Wang, ma copine du Web. *Le mantra à se répéter, c'est patience et persévérance, sans quoi on se crispe. Il faut gérer l'apprentissage, plutôt que le diriger. Apprendre à lire en son enfant, à voir où il en est dans ses besoins, et lui montrer la manière de les exprimer, au sens figuré comme au sens propre… ou plutôt sale, si je peux me permettre ce jeu de mots.* Plus le bébé est petit, fait-elle remarquer, plus il lui faudra de temps pour être au point, question propreté. Pour les parents chinois, ce n'est pas un problème. Avec sa fille, Kylie, Ivy Wang était dans l'urgence, plus qu'un mois avant l'entrée en maternelle, mais sinon, personne ne se met la pression. Pas question de se fixer une *deadline*. L'apprentissage de la propreté se doit d'être graduel, car il est indissociable du processus général de la croissance de l'enfant.

C'est probablement là que se situe la différence entre les cultures asiatique et occidentale, m'a-t-elle écrit dans l'un de ses nombreux mails. *Les premiers ne forcent pas les choses, là où, dans l'Ouest, on les régente au point d'écrire des tonnes de livres sur le moindre sujet. Cette approche de la vie en grande partie scientifique a pour conséquence, entre autres, que les parents attendent des réponses précises à leurs questions, ainsi qu'une liste de règles à appliquer. Pour la propreté par exemple, ils se fixent une date butoir, décident par avance que tout doit être réglé en trois mois, ou en deux semaines. Même une semaine peut suffire à « apprendre le pot » à un bambin de trois ans, mais ne vaut-il pas mieux commencer plus tôt, en prenant son temps, sans stress inutile ? C'est ce que j'ai fait avec mon fils. On a étalé nos efforts sur deux mois, sans en faire une affaire d'État, et du coup, Kealin a été propre à dix-sept mois. Plus besoin de lui tartiner le derrière de cette affreuse pommade anti-rougeurs qui sent le poisson. Je peux te dire que c'était un bonheur de jeter tout ça à la poubelle ! Mais pour que les parents puissent changer leur fusil d'épaule, il faudrait d'abord que les sociétés occidentales se détendent sur la question. La dernière fois, à Boston, ma fille a fait pipi dans le caniveau, entre deux voitures, et les passants l'ont regardée avec de gros yeux.*

Bon, d'accord, j'avais compris le message, il fallait que je sois plus cool. Résultat, au bout de quatre jours, ça allait nettement mieux. À croire que «ça» avait toujours fait partie de notre quotidien. Même la nounou avait adoubé le petit pantalon fendu. «Sofia ne supporte pas d'avoir les fesses mouillées», disait-elle, presque sur un ton d'excuses, en lui enfilant son *kaidangku*. Les couches jetables étaient désormais réservées aux endroits compliqués (avion, bus, train). Je ne lui ai jamais fait faire pipi dans un sac en plastique, mais n'hésitais pas à l'emmener derrière un arbre, quand il m'apparaissait évident que nous n'aurions pas le temps d'atteindre des toilettes. On essayait quand même d'être discrètes.

En moins de deux semaines, notre fille était «propre», même si pour la nuit, on a dû s'accrocher encore un moment. Il y avait toujours quelques accidents, bien sûr, mais pour ça, il fallait vraiment que Sofia, son père ou moi ayons la tête complètement ailleurs.

Beaucoup de mes amis ont aujourd'hui des enfants en âge d'être propres (deux ans et demi, trois ans), et la seule question qui les agite est de savoir si leurs bambins ont envie ou non d'arrêter les couches. J'entends des phrases comme : «Matt refuse tout simplement de se trimballer sans couches, pour l'instant.» Oh! je ne juge personne! Chaque famille doit aller à son rythme. Cependant, je vois bien que si la plupart de mes amis trouvent que je suis allée trop vite avec ma fille, le résultat les impressionne quand même. Il n'y a pas non plus de quoi s'extasier : sans les conseils et les encouragements de Ivy Wang et des autres, j'aurais attendu six mois de plus et Sofia aurait peut-être été propre du jour au lendemain. Fixer avec angoisse son petit derrière nu, du matin au soir, en me demandant ce qui allait en sortir, s'est révélé plus stressant que de voir son enfant gambader en couche-culotte. Mais quel soulagement, une fois l'épreuve passée! Non seulement cela faisait au moins mille couches de moins larguées dans la nature, mais on pouvait enfin se concentrer, Sofia, Monte, la nounou et moi, sur des choses plus passionnantes.

Avec notre prochain bébé, je crois même que je démarrerai la propreté encore plus tôt. Doucement, mais sûrement. On apprendra d'abord à «lire en lui», comme dit mon amie Ivy. À interpréter les signes, à y répondre, bref, à communiquer, tout simplement. Et je souris déjà en imaginant le petit bout de chou, en été, jouant les fesses à l'air sur la terrasse.

Gérer les petites fesses de bébé

Avant l'Argentine, avant ma fille, j'avais changé des kilos et des kilos de couches sales, en tant que baby-sitter. Je me croyais une vraie pro. Tout ce qu'il me fallait, c'était une couche propre et un stock suffisant de lingettes.

Mais à la maternité, l'infirmière m'a regardée comme si j'étais une débutante, commençant par me tendre, d'un air compatissant, une bouteille de liniment oléo-calcaire, mélange d'huile d'olive et de chaux que les Argentins utilisent depuis plus d'un siècle.

«Vous n'avez besoin de rien d'autre, m'a-t-elle dit. Pas de lingettes. C'est trop tôt.»

Il me semblait que dix paquets de coton et une bouteille entière de ce truc ne viendraient jamais à bout d'un seul petit popo de ma fille. Pas question de me taper ça quinze fois par jour! ai-je songé. Trois mois plus tard, j'étais devenue une inconditionnelle de l'*oleo calcáreo*. Jamais une rougeur, jamais le moindre petit bouton. Cette recette de grand-mère préserve mieux que tout la peau fragile des nourrissons. Grâce à cette chère bouteille, ma fille et moi avons échappé aux horreurs dont j'ai été témoin aux États-Unis, pendant mes années de fac et de baby-sitting. L'usage de ce produit n'y est toujours pas répandu, il est même quasi impossible de se le procurer, mais j'ai refilé

la formule magique à toutes mes copines, là-bas :
1 cuillerée de lait de chaux, 1 tasse d'eau, 1 demi-
tasse d'huile de sésame, de lin, de tournesol ou
d'huile d'olive. Mélanger le lait de chaux à l'eau.
Laisser reposer vingt-quatre heures. Filtrer la
mixture. Puis ajouter l'huile. N.B. : pour qu'elle
se mélange à l'eau, il suffit de secouer la bouteille
avant usage.

Petite mise en garde : il est préférable de
consulter son pédiatre avant de jouer les apprentis
sorciers, car certains bébés souffrent de problèmes
de peau nécessitant des onguents spécifiques.

5

Comment les Pygmées Akas
sont les meilleurs pères du monde

Pendant que j'étais enceinte de Sofia, on s'est préparés à former une vraie belle équipe, son père et moi. On avait lu et entendu mille conseils, sur l'art d'être papa notamment. Monte avait crânement déclaré que les biberons de nuit, ça serait son rayon. Notre vie de parents s'annonçait comme un rêve.

Le retour de manivelle n'en a été que plus violent. Une semaine après mon départ de la maternité, on était déjà deux zombies aux yeux rouges et aux nerfs à fleur de peau. Une existence en pilote automatique, faite de couches sales, de pleurs et de réveils en sursaut. Le pédiatre et les infirmières m'avaient fortement incitée à allaiter, j'étais donc de toutes les corvées. La nuit, c'était Monte qui changeait Sofia après chaque tétée, mais j'ai fini par me dire que c'était idiot : il fallait au moins que l'un de nous deux dorme, histoire d'être à peu près frais le matin... Et vu que ce ne pouvait être moi... Quand Sofia pleurait, Monte continuait d'ouvrir un œil mou et de demander d'une voix pâteuse s'il pouvait m'être utile à quelque chose, mais dès la troisième semaine, un obus ne l'aurait pas réveillé. Alors que moi... au moindre gazouillis de ma fille...

D'une certaine façon, on peut dire que cet arrangement me convenait. J'adorais ces moments de tendresse nocturne avec Sofia pour moi toute seule. Mais certaines nuits, épuisée, de mauvaise humeur, je me transformais en une boule de ressentiment, ambiance mère martyre. Du coup, Monte avait l'impression que je le traitais insidieusement de mauvais père, que je niais ses efforts et ses contributions, et c'était la guerre. On finissait par se réconcilier, parce qu'il le fallait bien, mais au fond, chacun campait sur ses positions.

Mes copines, elles, me comprenaient au moins. On s'énervait contre nos mecs, on dressait la liste de tout ce qui n'allait pas, ce qui donnait lieu à des discussions sans fin, mais au bout du compte, on reconnaissait toujours que nos hommes étaient les meilleurs papas du monde. Qui passaient du temps avec leurs enfants, les câlinaient, changeaient les couches sans râler... Des sortes de perfections, comparés aux générations précédentes. On n'en revenait pas moins au fait que les traditions ont la vie dure et que, même si, au départ, la plupart d'entre nous n'en savaient pas plus que leurs maris sur l'art d'être parents, on se retrouvait en fin de compte avec 80 % du boulot. Qu'il était inscrit, dans notre héritage familial, dans la société, donc dans nos têtes, que les choses se devaient d'être ainsi et pas autrement.

J'ai demandé à Monte ce qu'il en pensait.

L'idée d'un partage égal du temps passé avec bébé est une belle et noble idée, m'a-t-il dit en substance, mais elle est irréalisable, en tout cas les six premiers mois, ne serait-ce que parce que ce n'est pas le papa qui va donner le sein toutes les deux heures (j'aurais dû lui rétorquer que son raisonnement ne tenait pas la route, car beaucoup de bébés sont nourris au biberon).

Selon lui, les pères modernes essayent de compenser autrement, en rangeant la maison, en faisant les courses, en s'occupant des enfants plus grands, s'il y en a, et en travaillant pour continuer de faire vivre leur famille, car dans beaucoup de pays, il n'y a pas de congés maternité.

Mais Monte comprenait tout à fait que la femme occidentale, habituée à se battre pour ses droits sans forcément toujours obtenir gain de cause, ait envie de parité sur ce terrain aussi, au moins par principe.

— La moindre justification de la part des hommes doit sonner comme une fausse excuse, pénible à entendre.

— Effectivement! ai-je répondu d'un ton crispé.

Je n'aurais jamais imaginé devenir cette mère sur-investie et revendicatrice. Question fibre parentale, Monte avait été prêt bien avant moi, pourtant. Dans sa vie, dans sa tête, il y avait de la place pour un bébé, tandis que je reculais indéfiniment le moment de sauter le pas, presque jusqu'à la date limite, pré-férant me consacrer à ma carrière, aux voyages et à mon couple. Une fois enceinte, cependant, je me suis donnée à fond. Pour ce qui était de dégotter un bon cours d'haptonomie prénatal ou les meilleurs produits pour bébés, Monte était bien content que je mène la danse – dirait-il qu'il n'avait tout simple-ment pas le choix? N'empêche qu'il faisait tout ce que je lui demandais, voire plus, allant jusqu'à assister au cours d'allaitement – à mon grand étonnement, presque toutes les femmes étaient accompagnées de leurs maris. C'était touchant, mais à part dégrafer ma chemise de nuit et me coller un oreiller dans le dos, je ne voyais pas trop en quoi mon homme pourrait participer, quand j'allaiterais mon bébé pour de vrai.

À MOINS QUE…

Le titre de l'article m'a sauté aux yeux : « Les Pyg-mées Akas sont-ils les meilleurs pères du monde? » Et la suite m'a quasi fait pousser un grand cri de victoire féministe : *Tandis que les femmes partent à la chasse, les hommes gardent les bébés, les laissant même téter leurs mamelons.* Avec un humour typi-quement britannique, le journaliste du *Guardian* poursuivait : *Tout d'abord, pourquoi les hommes ont-ils des mamelons? La question a agité Aristote, Darwin, et jusqu'à mon fils, âgé de trois ans. La bonne réponse, c'est mon bébé qui l'a trouvée (et aussi Darwin, ne soyons pas injustes) : « C'est pour quand maman n'est pas là », m'a-t-il répondu.*

L'allaitement paternel? Waouh!, me suis-je dit, ça, c'est ce qu'on appelle des pères ultra-engagés! Intriguée, j'ai mené ma petite enquête sur cette tribu aka, méconnue du grand public. Et j'ai fini par tomber sur les travaux de Barry Hewlett, un anthropologue qui a passé plus de trente-cinq ans parmi eux, à les étudier. L'un de ses livres, *Pères intimes*, est cité en long et en large sur les blogs de papas.

Les Akas, écrit-il, ne diffèrent pourtant pas, à première vue, des autres tribus pygmées. La leur compte trente mille individus, répartis dans les forêts bordant le Congo et la Centrafrique. Ils sont un peu plus petits que les autres Pygmées, un mètre cinquante-trois en moyenne, contre un mètre cinquante-cinq. Ils comptent parmi des derniers véritables chasseurs-cueilleurs de la planète. Hommes et femmes glanent des baies, des fruits, des noix, et l'éléphant se chasse encore à la sagaie. Ils vénèrent les esprits de la forêt et, pour des maux aussi divers qu'une crise de palu ou d'amour, consultent le nganda (guérisseur traditionnel). Malheureusement, comme tout peuple dit primitif, il leur faut lutter pour leur survie, non seulement physique mais psychique, car la mondialisation menace leur culture.

Ce qui a rendu les Akas célèbres, c'est leur fabuleuse dévotion paternelle. Lorsque Barry Hewlett a commencé à les étudier, en 1973, il n'avait pas encore saisi l'ampleur du phénomène. Au bout de quelques années, il notait simplement que les pères étaient *formidablement proches* de leurs enfants, ce qui détonnait à peine, chez ce peuple pour qui tendresse et solidarité sont à la base de tout rapport humain. Hewlett n'a tilté qu'après avoir lu des publications faisant état des relations pères-enfants dans le monde occidental. On était loin, très loin, de ce qui se passait chez les Akas… Dès la naissance, fait-il remarquer, les petits Akas passent autant de temps avec leurs pères qu'avec leurs mères. Soit 47 %, contre 53 %. Si ce n'est pas de la parité, ça! D'après l'association Fathers Direct, seuls les Suédois flirtent avec le même résultat (45 %).

Époustouflée, je me suis prise à rêver à ce que ça donnerait dans mon propre foyer : deux heures de sommeil en plus, du temps pour écrire, pour aller à la gym… Déménager dans la jungle n'était pas forcément une mauvaise idée…

J'ai contacté le fameux Hewlett, aujourd'hui professeur à l'université de Washington. Il a commencé par calmer mes ardeurs en m'expliquant que les mères akas n'en restaient pas moins au premier plan, pour ce qui relevait des enfants. Sauf qu'il existait chez eux une flexibilité inconnue de nos sociétés. Les pères akas se glissaient sans problème dans des rôles habituellement réservés aux femmes. Prenaient soin des bébés quand les mères étaient à la chasse, cuisinaient tandis qu'elles montaient le camp. Mais l'inverse était tout aussi vrai. Et personne ne se sentait dénigré dans son identité sexuelle pour autant.

«Dans nos sociétés, m'a-t-il dit, on part du principe que les pères ne peuvent pas consacrer beaucoup de temps à leur progéniture, mais que tout va bien du moment qu'ils en font des instants de qualité. Après ma rencontre avec les Akas, je me suis mis à douter de la sagesse de cet adage. À me dire que les pères occidentaux devraient être dans une plus grande proximité physique avec leurs enfants. Ne pas sous-estimer l'importance des moments de tendresse pour leur développement affectif, et partager leur quotidien autant que possible. On a tendance à ériger une sorte de figure paternelle universelle, mais les Akas brisent le cliché. Ils sont la preuve vivante que les pères ont un rôle à la fois plus vaste et plus souple à jouer, dans la mesure, bien sûr, où la société serait prête à les y encourager.»

KAKAO ROUCOULE DE BONHEUR, sa petite Bambiti sur les genoux. Il est heureux de jouer avec son bébé, avant de partir chasser. Les yeux pleins d'amour, il fait boire la fillette à la gourde, l'encourageant avec des bisous et de petits bruits de gorge. Bambiti sourit et attrape l'oreille de son papa. Il est temps d'y aller. Kakao passe un filet de portage en liane tressée, glisse avec précaution sa petite dedans, ramasse sa sagaie et s'avance vers la forêt épaisse. La maman suit, une hotte en osier sur le dos. La seule fois où Kakao lui demandera son aide, ce sera pour tenir sa sagaie le temps qu'il essuie le nez du bébé.

Autre scène tirée du livre de Hewlett : leurs enfants sur les genoux, un petit groupe d'hommes, en rond autour d'un feu de camp, se racontent des trucs de garçons en sirotant du vin de palme. L'un des bébés, dont la mère est partie chasser, pleurniche. Pour le calmer, son père le met au sein. Cela ne fait ciller personne.

En plus d'être attendrissantes, je trouve que ces deux tranchettes de vie donnent aussi du fil à retordre à notre conception des rapports pères-enfants.

Ne soyons pas naïfs pour autant, tempèrent les scientifiques. Pour eux, le « miracle » aka est étroitement lié au contexte biologique et environnemental. Le clan se résume en général à quelques dizaines d'individus et la chasse s'y pratique souvent en couple, dans un esprit de stratégie, donc de collaboration. L'homme installe le piège, un filet le plus souvent, puis aiguillonne l'animal en direction du traquenard. Sa femme se cache près du piège, et surgit au moment opportun pour rabattre la proie dans le filet et la mettre à mort. Le plus souvent, ils emmènent leurs enfants à la chasse, ne les laissant au village que lorsqu'il s'agit de gros gibier. Et vu que les bébés akas ont la même corpulence que les nôtres, cela fait lourd à porter, pour une maman pygmée. Un peu moins pour un papa pygmée...

«Ces données pratiques tissent le lien de l'interdépendance père-enfant. Les bébés tendent les bras vers leurs pères aussi souvent que vers leurs mères, non par préférence, mais parce qu'ils sont habitués à être portés, choyés et consolés par les deux sexes», explique Adrienne Burgess, auteur du livre *Fatherhood Reclaimed* et chercheuse au sein du Fatherhood Institute. Qui, en 2005, a sacré les Akas «meilleurs pères du monde».

PARMI LE GENRE HUMAIN, on trouve toutes sortes de schémas paternels. Les Ngandus, par exemple, pourtant voisins des Akas, sont des pères spécialement absents. Leurs femmes s'occupent de tout. En Occident aussi, le panel est large : du père fouettard à celui qui ne voit ses gosses qu'un week-end sur deux, en passant par le papa poule, qui reste à la maison pendant que maman travaille.

Michael Lamb, professeur de psychologie à l'université de Cambridge et grand expert de la paternité, dit que ces vingt dernières années, un peu partout dans le monde, on a vu un nombre croissant de pères s'impliquer dans l'éducation de leurs enfants, passer du temps avec eux, s'intéresser à leurs activités... En parallèle, on a observé une autre tendance, tout aussi exponentielle : celle des enfants privés de leurs pères à cause du travail migratoire, de conflits inter-familiaux, de divorces.

Aucun autre primate ne montre autant de variations sur la parentalité, à en croire l'anthropologue et primatologue Sarah Hrdy, auteur de deux ouvrages sur le rôle du père, de la mère et de leurs substituts, nourrices ou autres. Les bébés singes titis, dit-elle, passent 90 % de leur temps dans les bras de leurs pères. Idem chez le singe-lion doré. Le singe hurleur à ventre rouge, lui, se passerait bien de jouer les baby-sitters, mais c'est la seule façon de préserver ses rejetons des dents acérées des autres mâles, qui n'attendent qu'une occasion pour les mettre à mort. Bref, chez tous les primates, sauf l'homme, le comportement paternel diffère selon les races, certes, mais reste constant au sein d'une même espèce.

Pourquoi nos mâles font-ils exception à la règle ? me suis-je demandé.

Là encore, de nombreux spécialistes ont disséqué la chose sous toutes ses coutures, essayant de caractériser la parentalité masculine humaine et d'en déterminer les facteurs d'influence, depuis le contexte économique jusqu'à la qualité de la relation de couple. La sociologue Margaret Mead, par exemple, pense que les peuples ou tribus susceptibles d'entrer en guerre sont moins enclins à laisser les hommes tisser des liens forts avec les enfants (les leurs comme ceux des autres). Sans quoi ils seraient rétifs à l'idée de les abandonner pour aller combattre.

« Les Pygmées Akas, dit-elle, sont un parfait exemple de peuple non belliqueux. Leurs territoires sont bordés de tribus assez méprisantes à leur égard, voire insultantes, mais les Akas ne cherchent pas la bagarre et n'ont aucune volonté d'expansion, ce qui rend les pères disponibles à l'attachement. Si bien qu'au final on se retrouve avec un peuple dont les membres masculins sont même fiers de se sentir si proches de leurs enfants. »

Voyons maintenant ce qu'en dit le psychologue Michael Lamb, dans son livre *Le Rôle du père dans le développement de l'enfant* : *C'est parmi les sociétés où l'on observe le moins de clivages hommes et femmes, riches et pauvres, etc., que les pères passent le plus de temps en compagnie de leurs enfants. Mais aujourd'hui, des facteurs économiques menacent cet équilibre. Particulièrement en Afrique et en Asie, où une part croissante de la population masculine se voit dans la nécessité d'aller travailler au loin, parfois à des centaines de kilomètres de chez elle, pour subvenir aux besoins de ses familles. D'autres enchaînent des journées de labeur sans fin, ou doivent cumuler deux emplois. Dans un tel contexte, difficile, voire impossible de mettre la main à la pâte, question éducation. En Occident, où le taux de femmes ayant un emploi a explosé ces trente dernières années, le marché du travail a produit l'effet inverse : les hommes se sont davantage impliqués dans l'éducation. C'est ce qu'on appelle « le partage des tâches », une expression que l'on entend de plus en plus, même si on est encore loin du compte.*

Pour tenter de répondre à la question de la diversité des modèles paternels, Sarah Hrdy, quant à elle, s'est d'abord interrogée sur notre évolution. Dans son livre, *Mothers and Others*, elle explique que c'est l'invention des systèmes de garde coopératifs qui a permis le luxe de tous ces contrastes. Pour survivre, le fragile bébé préhistorique avait non seulement besoin du lait de sa mère, mais aussi de la protection de son géniteur, de sa famille directe et, au-delà, de tous les membres de la tribu. Grâce à cette profusion de substituts potentiels, le rôle du père pouvait se permettre de varier en fonction des conjonctures et, plus largement, de ses aspirations personnelles.

« Si nos ancêtres avaient évolué dans un contexte social où la survie de l'enfant eût été impossible sans une implication totale et permanente du père, nos hommes seraient tous devenus des Mrs. Doubtfire, mais ce n'était pas le cas », m'a dit Sarah Hrdy. Selon elle, cette diversité concerne aussi les mères. Dans *Mother Nature*, un autre de ses livres, elle s'élève contre le diktat de l'instinct maternel. Lequel n'est pas si naturel et automatique qu'on voudrait nous le faire croire. Les mères, explique-t-elle, sont certes un peu plus réceptives aux bruits et mimiques de

leurs nourrissons, grâce aux modifications hormonales qui s'opèrent pendant la grossesse et après
la naissance, mais les hommes n'échappent pas
au phénomène pour autant. Eux aussi voient leur
système hormonal varier pendant cette période dite
« de survie menacée » (naissance et premiers mois).
Dès la fin de la grossesse, le taux de prolactine,
une hormone qu'on trouve en abondance chez la
femme qui allaite, grimpe en flèche chez l'homme
aussi. Tout comme les mères, il est indispensable
qu'ils sentent et manipulent leurs nourrissons pour
activer la production de cette hormone. C'est seulement alors qu'ils pourront saisir les ficelles de
l'interaction père-enfant et commencer à les nouer.
C'est d'une importance capitale. Au point qu'un
grand frère qui aura passé du temps à s'occuper
de ses cadets dès le berceau deviendra presque à
coup sûr un papa responsable, à l'aise avec son
nourrisson. Plutôt qu'un père angoissé à l'idée de
prendre un bébé dans les bras, de peur de le laisser
tomber par terre.

« La vérité, c'est qu'hommes et femmes ont un
grand potentiel éducatif, a-t-elle poursuivi. Mais
chez l'homme, le contexte autant que la culture ne
l'y poussent pas toujours. »

Autrement dit, c'est la biologie qui met le bébé
dans les bras de sa mère, puis la culture et l'habitude qui l'y laisse. Sur cent cinquante-six cultures
passées au crible, rapporte le Fatherhood Institute,

seules 20 % encouragent le père à être proche de son nourrisson. Parmi lesquelles 5 % s'organisent de manière à favoriser le temps que celui-ci passe auprès de ses enfants d'âge préscolaire (en France, c'est un des effets bénéfiques de la loi des trente-cinq heures). Les études sont pourtant formelles, depuis des décennies, sur l'importance capitale de la bonne relation au père pour le développement psychique de l'enfant. Plus de la moitié de la planète est au courant, mais les habitudes sont tenaces. On a beau répéter que les gamins qui passent le plus de temps avec leurs pères sont aussi les plus sociables, les plus adaptables, et ce de façon durable ; qu'ils ont de meilleurs résultats scolaires, sont plus disciplinés (moins de problèmes de comportement chez les garçons, psychiques chez les filles), cela ne change malheureusement pas grand-chose à notre positionnement (peut-être ai-je moi-même bridé l'instinct paternel de Monte, en bondissant chaque nuit pour aller nourrir et câliner notre nouveau-née).

Le fait est qu'en Occident on n'encourage pas les hommes à s'attendrir sur les enfants, au sens large. Sauf dans les cultures méditerranéennes. En Argentine, j'ai eu la surprise de voir de parfaits étrangers, des hommes de tous âges, babiller avec Sofia, se pencher pour lui caresser la tête ou la joue. Je n'ai pas mis longtemps à m'habituer à ces effusions. Le malaise inquiet que je ressentais a vite laissé place à la détente et aux sourires. Ce qui m'a amenée à m'interroger sur ma vision préconçue du rapport des hommes aux enfants.

Pour moi, l'équation est simple : les attentes déterminent le comportement. Si l'on attend des hommes que les enfants ne les émeuvent guère, on arrive à ce résultat. Si l'on projette comme un fait accompli que le père sera moins présent que la mère, cela se révélera vrai aussi. D'après le psychologue Michael Lamb, on met d'emblée le père dans le mauvais rôle, et les mères sur un piédestal. Traditionnellement, presque partout dans le monde, l'interaction père-enfant se limite aux réprimandes, et aux blagues et aux chatouilles quand papa a le temps. Pour Adrienne Burgess, les mères ont leur part de responsabilité. Elles ont beau se plaindre de se retrouver seules avec tout le boulot, le message, subliminal ou non, qu'elles envoient aux pères de leurs enfants, c'est bien souvent : laisse, je sais le faire mieux que toi !

Les spécialistes observent cependant l'émergence d'une nouvelle tendance, en Occident tout au moins, des jeunes pères à se moderniser en se « maternisant » (biberons, bains, couches, soins divers). Et à se révéler tout à fait efficaces.

« Il n'en reste pas moins qu'en général, à la maison, seules les femmes sont multitâches. »

Et Burgess de me donner l'exemple du barman qui, tout en se rappelant les trois dernières commandes, prend celle d'un client, rend la monnaie à un autre, pense à ce qu'il va faire après le boulot, puis, la seconde d'après, passe un coup d'éponge sur une table, ramasse un verre brisé… Pareil informaticiens, qui parviennent à travailler sur quatre programmes à la fois, sur différents écrans, tout en surveillant les résultats de plusieurs matchs de foot. «Ce qui prouve bien que les hommes sont tout aussi capables que les femmes d'être multi-tâches!» a-t-elle souligné en souriant.

Mais le plus souvent, dit-elle, les mères de famille, formatées par la société et la tradition, se positionnent d'elles-mêmes en manager du foyer. L'homme n'est là que pour donner un coup de main, à l'occasion.

«C'est pernicieux. L'amalgame est vite fait entre l'incapacité supposée des pères à être multitâches et leur incapacité à être de bons pères tout court. Par un effet boomerang, le fait d'attribuer aux mères cette sorte de toute-puissance se révèle dommageable aux deux sexes et freine l'égalité hommes-femmes.»

Mais comme on l'a expliqué, les temps changent. Sans comparer avec les papas scandinaves, qui battent tous les records, les pères français, anglais, espagnols, américains, et même tunisiens, sénégalais, pour ne citer qu'eux, passent de plus en plus de temps à s'occuper de leurs enfants. Et en sont donc plus proches, dixit Burgess.

Mon mari est *vraiment* un papa formidable. Ses frères également, tout comme les deux miens. Et aussi la majorité des pères que nous fréquentons. Qui assistent aux cours d'accouchement, restent au côté de leurs femmes pendant l'accouchement (chose rare, il y a encore quelques années). En cas de divorce, ils sont de plus en plus nombreux à se battre pour obtenir la garde alternée et la moitié des vacances. Ils veulent voir leurs gamins grandir, en prendre soin au quotidien. Je ne peux m'empêcher de sourire avec attendrissement quand je croise un papa avec son bébé en bandoulière, en poussette, ou marchant main dans la main avec ses enfants. C'est de plus en plus fréquent, surtout dans les grandes villes, et pas forcément parce qu'il y a un divorce derrière.

Hewlett, l'ethnologue, m'a dit en substance : O.K., c'est vrai et c'est une bonne chose, les pères occidentaux s'occupent de plus en plus de leurs enfants, mais on est encore loin des Pygmées Akas. Eux, ils se partagent le boulot à égalité avec les mamans, de *a* à *z*. Ils portent leurs bambins, les éduquent, les nourrissent, les protègent, sans se contenter d'être présents aux moments stratégiques. De tout ce temps passé ensemble, de façon consistante et constante, de cette proximité de corps et de cœur découle une confiance et une entente indéfectibles, entre le père aka et ses enfants.

J'ai demandé à Hewlett, lui-même père de sept enfants, si la fréquentation des Akas avait influé sur sa façon d'être père. « Bien sûr, m'a-t-il répondu.

Entre autres choses, j'ai appris à prendre le temps de leur donner du temps. »

Aussi aimants et concernés soient-ils, les papas occidentaux, qui vivent à deux cents à l'heure, tendent à remplacer la quantité par la qualité (et c'est valable pour les mères aussi).

« Cette relation exceptionnelle du père aka à ses enfants n'est pas seulement due à sa façon d'interagir et de jouer avec eux, a poursuivi Hewlett. Elle résulte aussi de la parfaite connaissance qu'ils ont les uns des autres, à force de passer presque tout leur temps ensemble, de façon naturelle et sereine. »

Alors que nous, dit-il, nos existences trop remplies ont tendance à déborder. Le plus souvent, les deux parents travaillent et les enfants vont à l'école, avec plein d'activités à côté, ce qui laisse en fin de compte peu de temps à partager. Il faudrait selon Hewlett s'ouvrir à l'idée de mêler plus étroitement nos enfants à notre quotidien, donc à notre vie professionnelle et sociale. Si cela devenait une chose normale et allant de soi, croit-il, nos enfants, tout comme les petits Akas, n'auraient pas besoin de crier et de courir partout pour avoir un peu d'attention.

« Je pense que nous avons une vision trop rigide du travail. Du coup, c'est un univers où l'enfant n'a aucune place, dont il n'a pas la moindre idée, alors même que c'est un monde qu'il devra rejoindre, une fois adulte. Il arrive qu'un de mes étudiants me demande la permission d'amener son gamin en cours, parce qu'il n'a personne pour le garder ce jour-là, et je ne dis jamais non.»

Hewlett déplore que le monde des adultes et celui des enfants soient ainsi tenus à l'écart l'un de l'autre, telles deux bulles hermétiques. «À force de mêler si peu notre existence à la leur, on finit par ne pas si bien connaître nos enfants», regrette-t-il. Dès lors, dit-il, comment parvenir à interagir avec eux de manière vraiment sensible et ciblée?

Quand Sofia était bébé, chaque journée s'ouvrait sur des négociations la concernant, pour savoir qui, de son père ou moi, se chargerait de ci ou de ça, afin que l'autre puisse avancer dans ses propres activités (nous avons la chance de travailler tous deux à la maison). Un Aka dirait qu'on aurait mieux fait de se disputer le temps passé à la dorloter, mais c'est plus facile à dire qu'à faire, quand on a mille dossiers à traiter dans la journée.

«On a trop tendance à voir les enfants comme des fardeaux, explique Hewlett. On s'en veut de ressentir un sentiment pareil et on se raccroche à l'idée de passer des moments de qualité avec eux. Il faudrait plutôt qu'on apprenne à poser un autre regard sur eux. Et pour cela, il nous faut mieux les connaître, donc leur consacrer plus de temps.»

J'ADORAIS L'IDÉE QUE LES BÉBÉS PASSENT AUTANT DE TEMPS avec leurs pères qu'avec leurs mères, mais cela me semblait impossible, voire déraisonnable, parce que, aussi ouvert d'esprit soit-on, on reste le produit de sa culture. J'ai ainsi tout mis en œuvre pour donner raison aux principes dans lesquels j'ai moi-même été éduquée. Vers la fin de ma grossesse, j'ai offert à Monte un livre d'initiation à la paternité, avec plein de bons conseils, tel que : «préparer la maison pour l'arrivée de bébé», «comment manipuler un prématuré». Mais bizarrement, c'était comme si avec ce bouquin, que je tenais pourtant en haute estime, Monte me dépossédait à l'avance du bébé que je sentais bouger dans *mon* ventre. Et ça me donnait envie de porter un T-shirt avec *C'est mon bébé!* écrit en énorme.

Et en effet, du jour où Sofia est née, j'ai pris le contrôle de sa vie. Avec douceur et tendresse, mais avec fermeté. C'était moi qui discutais avec la nounou, moi qui coupais ses petits ongles mous et fragiles, moi qui, moi qui… C'est plus simple pour tout le monde, me disais-je. Jusqu'à ce que ma fille ait deux ans, j'ai tout régenté. Oh! il y avait plein de bonnes raisons à ça! Pour commencer, mon reporter de mari partait au moins une fois par mois couvrir une élection, un tremblement de terre (avant d'être enceinte, je prenais l'avion aussi souvent que lui, et une fois maman, j'ai restreint mes déplacements aux visites familiales). Monte détestait nous quitter, ça lui brisait le cœur, mais il fallait bien payer les factures.

L'autre bonne raison, c'est que j'ai toujours été plus sociable que lui, qui n'aime rien tant que pantoufler à la maison, ou faire des balades avec sa femme et sa fille ou ses plus proches amis. Tandis que moi, il faut que je bouge, que je voie du monde, des gens différents, que j'organise des dîners, des sorties. J'emmenais Sofia partout et on passait aussi pas mal de temps avec d'autres mamans et d'autres bébés. Du moment qu'il y avait un coin où incliner la poussette, j'allais même boire l'apéro avec mes copines, et à défaut d'espace et de poussette, il y avait toujours une paire de cuisses confortables pour accueillir sa petite tête endormie. Dès qu'elle a fêté son premier anniversaire, je nous ai inscrites une fois par semaine, elle et moi, à un atelier mère-enfant, plein de jouets, d'écoute et de bons conseils. C'était ouvert aux papas aussi, et s'il arrivait que l'un d'eux soit présent (surtout le premier jour), je n'en ai vu qu'un seul venir sans sa femme, et encore, cela ne s'est produit qu'une fois.

Je cherchais à comprendre pourquoi l'idée de se réunir autour des bébés ne venait qu'aux mères, comme si c'était un truc de filles, au même titre que le shopping ou les séances de manucure entre copines. En général, on me répondait que c'était à cause du boulot. Parce qu'à Buenos Aires, même parmi nos amis, c'est avant tout le mari qui gagne l'argent de la famille. De temps à autre, il leur arrive d'organiser une sortie entre hommes, mais l'idée d'y mêler les enfants ne leur viendrait pas. À moi, oui. Je me disais que ce serait génial, je les voyais bien en papas akas, en rond autour d'un feu de camp avec leurs bébés sur les genoux. Ou plus simplement au parc du coin de la rue. J'en ai discuté avec d'autres mamans, qui étaient à fond pour, elles aussi.

«Ils se débrouilleront seuls de *a* à *z*. Pas question qu'ils nous demandent de préparer les couches, le doudou, la tenue, le goûter!» s'est exclamée je ne sais plus laquelle d'entre nous.

On les voyait d'ici nous supplier d'habiller bébé, de préparer le pique-nique, de leur suggérer des activités; bref, de leur mâcher le boulot. Et on se sentait d'emblée coupables. Non seulement parce qu'on savait qu'on s'empresserait de faire toutes les choses susmentionnées, mais aussi parce que notre motivation première, on en était bien conscientes, serait notre manque de confiance en nos maris. L'idée de lâcher prise nous tentait quand même. Peut-être nos hommes comprendraient-ils enfin ce que nous vivions. Et, éventuellement, trouveraient l'expérience si formidable qu'ils en redemanderaient. Pourquoi ne pas rêver?

Bien que Monte et les autres papas de notre clique aient approuvé l'idée (sans grand enthousiasme), la chose n'a jamais eu lieu. La seule fois où j'ai mis mon mari au pied du mur, il m'a avoué qu'il ne le sentait vraiment pas.

— Les hommes se réunissent rarement entre eux, s'est-il justifié, et lorsqu'ils le font, c'est plutôt pour aller boire une bière, et les bars ne sont pas vraiment des endroits pour les enfants.

Comme je fronçais les sourcils et croisais les bras, il a cru bon d'ajouter :

— Et puis tu sais, les papas préfèrent être en tête à tête avec leurs gosses…

— Et plus encore quand maman est dans les parages ! ai-je rétorqué.

Qu'est-ce qu'il croyait ? Les après-midi au parc ne faisaient pas non plus partie de nos gènes. Bien souvent, dans ces réunions mamans-enfants, on n'avait pas grand-chose en commun, si ce n'est le fait d'être mères.

— C'est juste qu'on ne se laisse pas le choix. Il faut bien que nos gamins aient des petits copains pour jouer, non ?

— Bien sûr, a-t-il hasardé, mais il me semble plus naturel de faire ça en tout petit comité. Juste Sofia, moi, un copain et son gosse.

J'ai dit O.K. Après tout, ça m'allait, du moment que je pouvais grappiller quelques heures à moi, de temps à autre, le samedi ou le dimanche. La semaine suivante, avec son copain passionné d'oiseaux, Monte a emmené Sofia voir voler des aigles à la campagne. Quinze jours plus tard, avec Matias et son papa, ils sont allés en train visiter une ville qui s'appelle Tigre.

On allait vers une vie de parents plus équilibrée. Moi, dans le lâcher-prise ; Monte, dans l'initiative.

Peu importait qu'il ne change pas autant de couches, n'organise pas de gigantesques réunions papas-bébés. Il avait, et il a toujours, sa façon bien à lui d'interagir avec notre fille, complémentaire de la mienne ; une relation spéciale, unique, qui me remplit de bonheur.

Il est aussi devenu plus angoissé, ce qui l'a surpris autant que moi. À force de passer des moments seul avec Sofia, sans personne d'autre que lui pour la surveiller, la protéger, Monte, l'homme le plus détendu du monde, a réalisé qu'au fond de lui il était quelqu'un d'inquiet et que ce n'était pas forcément une mauvaise chose. La plupart des pères actuels, dit-il, se donnent l'image du papa cool et marrant qui, pour faire pendant à la mère angoissée, laisse ses gamins découvrir le monde et la vie par eux-mêmes, chaque fois que ce n'est pas trop risqué (car ce « papa parfait » a quand même un minimum le sens du danger). Eh bien Monte a appris à connaître ses capacités, mais aussi ses limites, en tant que père, et sa relation avec sa fille ne s'en est trouvée que renforcée. Et continue de s'approfondir jour après jour.

Au point que la nuit, quand elle fait un cauchemar ou qu'elle se réveille sans raison – son rapport au sommeil reste assez problématique –, la présence de son père semble la rassurer plus que la mienne, désormais. Et j'avoue que ça me fait tout drôle quand je l'entends crier : « Papa, papa, viens ! »

Congé paternité

Doucement, mais sûrement, de plus en plus de pays, à travers la planète, introduisent un congé paternel. La Suède a initié le mouvement en 1993, demandant que l'un des treize mois de congé accordés pour chaque naissance soit exclusivement réservé aux pères. En résumé : si papa n'est pas preneur, c'est perdu pour tout le monde. Aujourd'hui, en Suède, le congé paternité est passé à deux mois. De Stockholm au dernier village perdu dans les forêts jouxtant le cercle polaire, 85 % des pères suédois profitent de leur congé paternel, écrit la journaliste Katrin Bennhold, dans le *New York Times*. En d'autres mots, sur dix papas, huit saisissent l'occasion de dorloter leurs nouveau-nés aux frais de la princesse. Et ils n'ont pas même à faire face aux sarcasmes de leur famille, de leurs amis, de leurs collègues. La Suède apparaît comme une lucarne sur le futur, à une époque où la plupart des pays en sont encore à s'interroger sur le congé maternité et le droit des femmes. Le Portugal, l'Islande et l'Allemagne font aujourd'hui partie des rares pays à avoir instauré le congé paternel. Mais au Japon, par exemple, où la loi a également été votée, l'idée bute encore sur les mœurs. Si le mâle nippon a l'habitude de s'enquiller d'énormes journées de boulot, les enfants, ce n'est pas vraiment son rayon. En 2008, seul 1,2 % d'entre eux a profité de l'aubaine. Pourtant les pères japonais ont droit à six mois de congé paternité, et ce n'est pas tout : depuis peu, les salariés ayant un ou plusieurs enfants de moins de trois ans peuvent limiter leurs journées à six heures de travail, tout en conservant le même salaire. Le but avoué de cette nouvelle mesure est de booster la natalité. Car, si rien ne bouge, le Japon pourrait perdre 20 % de sa population, d'ici à 2050.

Pour ce qui est du congé parental en général, les États-Unis comptent parmi les pays riches les plus radins. C'est ce qu'a prouvé le Center for Economic and Policy Research, après avoir passé au crible vingt et un pays, en 2008. Verdict sans surprise : la Suède et l'Allemagne se posent en grands vainqueurs, avec quarante-sept semaines de congés payés alloués aux parents. Les États-Unis, eux, arrivent derniers, avec zéro semaine cadeau… mais la possibilité tout de même, pour ceux et celles qui travaillent dans des entreprises de moins de cinquante employés, de prendre jusqu'à douze semaines de congé sans solde…

6

Comment les Libano-Américains se débrouillent pour que leurs immenses familles restent soudées

Élever notre fille à l'étranger ne présente presque que des avantages. Ici, par exemple, on peut se permettre le luxe d'une nounou ET d'une femme de ménage, chose impensable avec un salaire de journaliste dans une grande ville américaine. Idem pour ce qui est de l'assurance santé. En Argentine, c'est la moitié du prix. En plus, pendant la grossesse, les frais médicaux sont pris en charge à 100 %, et vu que Sofia a la double nationalité, on y a eu droit. Les vaccins de bébé aussi sont cadeaux, la première année. Comme je l'ai déjà dit, chez les Latinos, les enfants sont traités aux petits oignons.

La seule ombre au tableau, c'est qu'on vit loin de nos familles. Sofia ne voit ses grands-parents, oncles, tantes et cousins que deux ou trois fois par an, quand on rentre pour les vacances. Elle leur parle au téléphone, mais ce n'est pas pareil.

Chaque fois que je culpabilise à ce sujet, je me déculpabilise en me disant qu'on ne voyait pas tellement plus nos familles, quand on vivait aux États-Unis. Et même si on retournait vivre là-bas, ce ne serait sûrement pas pour nous installer dans l'une ou l'autre de nos villes natales – ne serait-ce que pour des raisons professionnelles. Et puis on n'est ni les premiers ni les derniers à ne pas vivre près de nos familles, même si tous ne s'exilent pas aussi loin que nous. C'est classique, en Amérique, rien qu'à cause de la taille du pays. Les jeunes vont là où il y a du travail, et ce n'est pas forcément dans leur patelin d'origine. Beaucoup restent cependant très attachés à leurs familles et foncent retrouver papa-maman dès que possible, quitte à prendre trois avions ou à faire des milliers de kilomètres en voiture. Il m'est malgré tout arrivé de passer près d'un an sans voir mes frères, et des années sans rendre visite à mes cousins adoptifs, alors qu'on se considère du même sang.

Le contraste est criant avec certaines cultures, où le sens de la famille est moins une option qu'une sorte d'obligation. Poussée à un degré tel que, rien qu'à l'idée, la plupart des Américains se crisperaient d'angoisse. On est attaché à nos familles, certes, mais tout autant à notre indépendance et notre vie privée. Alors que dans certains villages du

Népal ou du Nigeria, par exemple, la mariée part vivre dans sa belle-famille le lendemain des noces. Et au Kazakhstan, le dernier fils doit rester sous le toit de ses parents jusqu'à leur mort, avec tout ce que cela implique de charges et de privation de liberté. On peut pourtant dire de ces familles où les enfants grandissent entourés de leurs proches qu'ils grandissent plus entourés tout court. La parentèle au complet participe à leur éducation, d'autant plus impliquée qu'il faut les élever de manière à ce qu'une fois adultes ils aient eux aussi un grand sens du clan. Lorsqu'ils ne vivent pas carrément tous sous le même toit ou dans le même village, ils se rendent de fréquentes visites, partageant leurs biens et se mêlant des affaires de chacun.

Quelqu'un d'aussi indépendant que moi aurait vite fait de juger un tel environnement étouffant, mais en qualité d'expatriée, je réalisais qu'il devait y avoir de grands avantages à avoir sa famille auprès de soi et de ses enfants. Plusieurs questions me venaient à l'esprit cependant : Quel était l'impact de ce genre de relations ? Plus précisément, quelles attentes cela projetait-il sur les enfants ? Comment leur apprendre à s'inscrire dans un rapport à la famille tout à la fois fort et indéfectible, mais sain et pas trop étouffant ?

Tandis que je réfléchissais à cela, me revenaient en mémoire les quelques familles arabo-américaines que j'ai connues autrefois. Ma ville d'origine jouxte Dearborn, la localité qui en compte le plus dans le pays. Un tiers des habitants de la ville sont d'origine sémite. Jusque dans les plus infimes ramifications des artères qui partent des avenues Warren et Michigan, les enseignes des épiciers, des coiffeurs, pharmaciens, vendeurs de téléphones et autres sont toutes rédigées dans les deux langues : anglais et arabe. Et quand j'étais enfant, puis adolescente, la plupart des gamins en colonie de vacances étaient libano-américains… et presque tous frères et sœurs, ou cousins, cousines, à un degré quelconque. C'était encore un moyen que leurs parents respectifs avaient trouvé de les rassembler tous. Une sorte de bloc monolithique qui, le reste de l'année aussi, vivait imbriqué autant que possible. Quand ils n'habitaient pas la même maison, parents, grands-parents, oncles et tantes et la marmaille au complet étaient au moins voisins. Loisirs, affaires, tout se passait en famille. S'il faisait mon admiration, leur côté soudé et solidaire agaçait pas mal de gens. Il arrivait même qu'une de ces familles, accusée de népotisme, fasse les gros titres d'une gazette locale.

Ces réseaux ultra-puissants ne sont pas le simple produit d'un sens aigu des valeurs familiales, écrit l'anthropologue Andrew Shryock, dans son livre *Arab Detroit. Ce qui fait la particularité de cette minorité, c'est qu'ils utilisent les liens familiaux pour accomplir des choses qui, hors de leur système, ne pourraient aboutir : ils achètent des maisons et des voitures de luxe ; ouvrent des mosquées qui, sans cette concentration d'énergie familiale, n'auraient jamais pu ouvrir leurs portes ; dirigent avec succès des entreprises non viables dans un système classique, où il faudrait payer des salaires, des charges, respecter des horaires de travail. Ils excellent aussi à tisser des connexions politiques, et savent ensuite en tirer profit.*

Depuis plus d'un siècle, des milliers de familles originaires du Liban, du Yémen, d'Irak, de Palestine, fuyant la guerre et se cherchant un avenir, ont immigré dans les faubourgs de Detroit, où les usines Ford embauchaient à la pelle. Tous pensaient non seulement à leur propre bien-être et à celui de leurs familles, mais aussi à celui de leur village natal, auquel ils étaient pressés d'envoyer des subsides. Et le but suprême, c'était de faire venir aux États-Unis un maximum d'amis et de proches. C'est ainsi que Detroit et sa région ont vu se constituer des sortes de « refuges culturels », où ces minorités pouvaient continuer de pratiquer leurs langues vernaculaires, leurs traditions et leur religion musulmane (ou ses schismes). Le dévouement total à la famille, qui était une question de survie dans leurs pays d'origine, a ainsi perduré et s'est adapté à leur nouvel environnement.

Tammy Audi, mon amie journaliste dont les parents, palestiniens d'origine, ont d'abord immigré au Liban, puis à Detroit, m'a donné sa définition de la famille : «Elle comprend mes parents, grands-parents, oncles, tantes, cousins germains, mais aussi les cousins de mes parents et leur descendance, sans oublier les cousins de mes grands-parents, grands-oncles, grands-tantes, et leur progéniture au complet. Même les grands amis de la famille, des liens qui remontent à l'époque de la Palestine et du Liban, font partie intégrante du clan ! On considère leurs enfants comme nos cousins, au même titre que les vrais. Je n'ai découvert que récemment que ma cousine Tanya était arménienne et qu'on n'avait pas d'ADN commun. Comme tu vois, nos familles sont énormes et tentaculaires.»

J'ai répondu à Tammy que cela ne me paraissait pas si différent des familles américaines.

«Rien à voir! m'a-t-elle dit. On n'a pas le même sens du partage, donc de la famille. Je suis mariée à un Américain pure souche, je sais de quoi je parle. Bien sûr, il aime ses parents, ses frères et sœurs, ses oncles, ses tantes et ses cousins, mais c'est chacun sa vie. Alors que chez nous, si par exemple quelqu'un veut aller au centre commercial, toute la tribu suit. Au restau, c'est pareil. On n'imagine pas faire un truc en solo. Et bien souvent, cela mène au chaos. Comment veux-tu fédérer vingt personnes autour d'une même envie? Je ne prétends pas que notre manière de vivre soit la meilleure, mais on n'en connaît pas d'autre. Il nous semblerait immoral, contre nature, de laisser l'un de nos membres en

167

plan. Du coup, on ne se déplace qu'en troupeau, quitte à ce que l'activité choisie déprime la moitié d'entre nous. »

Cette description mi-idyllique mi-apocalyptique m'intriguait. Pour en savoir plus et comprendre l'impact de ce système familial sur les différentes générations, je suis allée rendre visite à Ron Amen, dans sa maison de la banlieue de Detroit. Je l'avais rencontré en 2009, à l'époque où il travaillait au Musée national arabo-américain, situé à Dearborn. C'est un grand et bel homme de soixante-cinq ans, cheveux drus et blancs, épaules larges et poignée de main chaleureuse. Quand je lui ai annoncé qu'un chapitre de mon livre serait consacré aux tenants et aboutissants de la famille élargie, il m'a invitée à passer une soirée avec lui, sa femme, leur fille Melinda, les enfants de celle-ci... « Et mon frère Alan, son épouse et ses deux fils », a-t-il ajouté.

Vue de l'extérieur, la maison de Ron ne se distingue en rien. Elle est typique de la banlieue de Detroit : blanche, de style néo-colonial, avec fronton à colonnes et gazon tondu de frais. Mais la déco ! Ron et Mona se sont amusés à créer un décor arabo-américain. Dans le salon, à même le mur encollé de papyrus, ils ont peint une fresque égyptienne, avec pharaon, ibis et tout. Juste à côté, il y a une photo couleur de La Mecque, avec des milliers de pèlerins qui tournent autour de la Kaaba. Sur le manteau de la cheminée, pas moins de trente céramiques venant de tous les coins du Moyen-Orient. En bout de canapé, une petite table, sorte de coffre en verre, renferme un magnifique coran très ancien. À l'autre extrémité du sofa, sur une table jumelle, est posée une traduction anglaise du Livre saint. Dans le jardin d'hiver, qui prolonge le salon, Ron et sa femme ont disposé toutes sortes de poteries de style byzantin et même une pipe à eau. Et en travers du mur, au-dessus de la porte d'entrée, est fièrement accrochée la réplique grandeur nature de *El Zulficar*, le fameuse épée de Ali, gendre et successeur du prophète Mahomet, selon les chiites. En bons musulmans, ils n'ont pas sacrifié à l'habitude américaine de mettre des photos de famille partout. L'islam interdit de reproduire l'image humaine, que ce soit en peinture, en photo ou en sculpture.

Ron fait pourtant partie de la quatrième génération (son arrière-grand-mère s'est installée dans le Michigan en 1910), mais son existence et sa personnalité tout entières n'en ont pas moins été façonnées par les coutumes libanaise et chiite. Dès le berceau, on lui a inculqué l'idée qu'il n'y avait point de salut hors de la famille. C'était le pilier solide et protecteur autour duquel sa vie devrait tourner, comme autour de la Kaaba.

Jusqu'à l'âge de cinq ans, il a vécu à Dearborn, avec ses parents, sa grand-mère maternelle, deux oncles et deux tantes, et son frère Alan. Ses oncles et tantes n'avaient que six ou sept ans de plus que lui, si bien qu'il les appelait par leurs prénoms, comme si c'étaient des cousins. Ils lui ont appris à jouer au basket, à faire du vélo, à tondre la pelouse et à s'y prendre avec les filles (allant jusqu'à lui prêter leurs voitures pour ses premiers rencards). Les enfants devaient tout partager : vêtements, jouets, etc. Si deux frères ou deux cousins se disputaient, tous étaient punis, sans chercher à désigner un coupable. Car chacun était non seulement responsable de sa propre conduite, mais aussi de celle des autres.

Alors qu'il faisait son entrée en primaire, sa grand-mère, sa *sitti* adorée, a aidé ses parents à acheter une maison de trois pièces dans le voisinage, pour que la tribu soit moins à l'étroit. Elle s'y est installée aussi, et n'en a plus bougé jusqu'à sa mort, à l'âge de quatre-vingt-treize ans. C'est elle qui a appris à Ron à parler arabe et à respecter ses aînés. Ils habitaient tous la même rue. Quand un enfant se conduisait de travers, elle le tapait avec son chausson ou le lui jetait carrément à la tête. Ça ne faisait pas mal, mais ça marquait le coup. En bonne musulmane, elle a enjoint à Ron d'épouser une femme comme lui, ce qu'il a fait. Lui et sa femme n'ont jamais eu à embaucher de baby-sitter. Pour garder leurs enfants, ils pouvaient compter sur *sitti* et sur les femmes de la famille. Tous pour un, un pour tous. Quand par exemple un oncle, une cousine, un copain débarque à l'improviste, il se retrouve aussitôt avec une assiette pleine de *chich taouk* ou de taboulé sous le nez, avec toute la smala autour de lui, à rire et à discuter. Peu importe si la maîtresse de maison s'apprêtait à se mettre au lit avec quarante de fièvre. Quand Ron a eu treize ans, sa mère a accouché d'une petite fille et il s'est alors retrouvé avec une charge de plus sur les bras : c'est lui qui, bien souvent, repassait le linge de tout le monde, changeait les couches du bébé, lui donnait le bain, habillait ses petits frères pour l'école… Il fallait qu'il s'habitue dès son plus jeune âge. En tant que fils aîné, il lui incombait de devenir un jour le patriarche de la famille, responsable à vie de tout et de tous, avec ce que cela comporte de conséquences financières et de pressions psychiques. Il a attendu d'être grand-père pour déménager à Livonia, la ville voisine, mais aujourd'hui encore, il se sent directement responsable de ses frères et sœurs… bien qu'ils aient plus de cinquante ans et des super jobs. Le soir où l'on s'est vus, il venait d'offrir une de ses deux voitures à sa sœur.

« Mes frères et sœurs ont juste à me dire ce dont ils ont besoin, et je me débrouille pour qu'ils l'obtiennent. »

Tout cela me semblait bien lourd à porter, surtout pour le petit garçon qu'il était autrefois, mais Ron m'a assuré que ce n'était pas un problème, que ça ne l'avait jamais été. Au contraire, ça l'avait, comment dire ? épuisé, peut-être, parfois, mais surtout ancré. Oui, c'était le mot. Il avait l'impression d'avoir des racines et ça, quel bonheur, quelle force, dans le monde d'aujourd'hui!

«Alors bien sûr, je n'ai pas beaucoup d'amis, je vois surtout la famille. Même quand on sort au restaurant, ma femme et moi, c'est en compagnie de nos cousins ou nos frères et sœurs. Oui, c'est vrai, notre réseau social se résume presque exclusivement à notre cercle familial, mais quelle richesse, quelle diversité, vu le nombre!»

Il est fier d'avoir transmis le sens de la famille à ses enfants (qui habitent tous dans le coin). Eux aussi restent toujours collés à leurs proches, passant d'une maison à l'autre et se retrouvant tous pour d'énormes festins les dimanches. Sa fille aînée, Melinda, deviendra un jour la matriarche du clan. Elle aussi, comme son père avant elle, a été formée dès le départ à prendre quotidiennement soin des plus petits : sa sœur, Anissa (cinq ans de moins qu'elle), et Mariam, une petite-cousine que ses parents ont adoptée après un drame familial. Melinda, alors à peine âgée de quatorze ans, est pour ainsi dire devenue sa mère. «Mon père m'a fait asseoir et m'a dit que si on l'adoptait, une grande partie du boulot reposerait sur moi. J'ai dit O.K., bien sûr, pas question que des étrangers l'élèvent à notre place. Dès ce jour, ma vie s'est comme arrêtée. Mais d'une merveilleuse façon.»

À peine sortie du collège, elle devait foncer récupérer Anissa à l'école primaire, puis Mariam à la crèche, car toutes les femmes adultes de la famille travaillaient, à cette époque. Il fallait ensuite qu'elle attende le retour des parents. Sa sœur courait alors jouer dehors avec les copains, mais Melinda, elle, devait aider à préparer le dîner, s'occuper du linge, nettoyer et ranger la maison, et prendre soin du bébé. Parfois, elle détestait ces montagnes d'obligations, mais jamais, au grand jamais elle n'aurait mis leur bien-fondé en doute.

« Je n'ai aucun ressentiment, même si j'ai conscience d'être passée à côté de beaucoup de choses. Papa et maman n'étaient pas des monstres. Quand je voulais aller respirer ailleurs, m'amuser un peu, ils ne disaient jamais non. Sans cette formation-là, aurais-je été une aussi bonne mère pour mes enfants ? »

LES SPÉCIALISTES DU MONDE ARABE trouvent logique la vision du clan familial chez les Orientaux. Entre les envahisseurs qui les ont pillés et massacrés au fil des siècles, les despotes qui les ont opprimés et trahis, la paix et la protection ne pouvaient venir que de l'intérieur. Personne n'est plus fiable qu'un père, une mère, un frère, une sœur, un cousin. En affaires aussi, eux seuls se révèlent dignes de confiance, dans un monde troublé. Il n'en faut pas davantage pour que les liens familiaux se resserrent encore. Comme si les branches des arbres généalogiques étaient les chemins les plus sûrs vers une certaine prospérité.

«On prend soin les uns des autres parce qu'à l'extérieur on n'a personne sur qui compter», explique l'anthropologue Suad Joseph, grande experte du fonctionnement familial libanais. Malgré les fractures induites par la guerre, les tremblements de terre et la débâcle économique, dit-elle, les familles sont rassurées par l'idée que leurs membres grandiront ensemble, élèveront leurs enfants ensemble, et mourront ensemble. Ce projet de vie commun détermine le rôle de chacun au sein de la famille, ses prérogatives sur ses cadets aussi bien que ses devoirs vis-à-vis d'eux. Pour qui ne s'imagine pas d'autre avenir que de vivre auprès des siens de la naissance à la mort, il est normal que la famille soit la plus grande des priorités. Sans se poser de questions, on aide son cousin au troisième degré à emménager dans sa nouvelle maison ou à monter son entreprise, même si ce n'est pas le type le plus marrant du monde. Et on prend soin d'un vieil oncle malade, qu'il se soit toujours montré adorable ou pas. Pareil pour donner un coup de main financier à ses frères et sœurs cadets, qui ne rembourseront pas forcément. Pour rendre ces interactions possibles, dans le présent comme dans le futur, il faut bien sûr que tous les enfants de la tribu grandissent ensemble, ce qui implique, pour leurs parents, de rester vivre auprès des leurs, plutôt que d'emménager dans une ville plus attractive professionnellement. De toute façon, on ne prend pas de décisions pour son propre bien, mais pour celui du groupe familial tout entier.

Cette manière de voir les choses ne se limite pas aux familles arabes. On la retrouve dans de nombreuses cultures, sur tous les continents et à toutes les époques. Pour l'anthropologue Sarah Hrdy, cela remonte aux temps préhistoriques. Il y a deux cent mille ans, dit-elle, les humains ont tout naturellement évolué en petits groupes familiaux soudés et solidaires, vivant ensemble, chassant ensemble, protégeant leurs enfants ensemble, parce que c'était le seul moyen de survivre à la famine et aux prédateurs. Cette obligation vitale d'être attentifs aux besoins des autres, afin que la réciproque soit vraie, a fait de nous les êtres doués d'empathie que nous sommes aujourd'hui, soutient Sarah Hrdy.

Il faut un village entier pour élever un enfant; l'adage résonne encore, des forêts africaines aux *barrios latinos* de Los Angeles. Dans le sud du Mexique, chez les anciens Mayas, on disait « la maison » pour dire « la famille ». Et de nos jours, en Tchécoslovaquie, un couple sur cinq vit au sein d'une famille élargie. C'est en partie lié à la pénurie de logements, mais aussi au fait que c'est le seul moyen, pour les femmes, d'aller à l'école, et de travailler ensuite, sans être coincées à la maison à cause des enfants. Elles s'arrangent entre elles. En Afrique du Sud, on grimpe carrément à 90 % de la population vivant en larges groupes familiaux, d'après un rapport des Nations unies, datant de 2003.

Pas besoin de chercher si loin, je n'ai qu'à prendre mon exemple personnel. En 1997, je suis allée, pour la première fois, rendre visite à mes cousins, cousines, oncles et tantes biologiques, à Taïwan. Bien sûr, j'ai été profondément touchée par leur accueil, si chaleureux, si naturel, mais cela m'a un peu irritée de les voir si familiers à mon égard, comme s'ils me connaissaient depuis toujours. Mes tantes n'avaient aucun complexe à me dire comment coiffer mes cheveux ou dépenser mon argent. Ni à m'expliquer qu'elles allaient envoyer leurs post-ados faire leurs études aux États-Unis... et qu'ils habiteraient chez moi, bien sûr. Quant à l'une de mes cousines germaines, elle a exigé que je dorme sur le même matelas qu'elle, avec ses deux petits garçons. Je n'ai pas osé refuser.

Cette imbrication familiale se retrouve aux États-Unis et en Europe aussi, notamment dans les campagnes et les petites villes, surtout parmi les populations récemment immigrées. L'une de mes amies d'enfance, originaire de Macédoine, s'est ainsi vue contrainte d'inviter une douzaine de cousins et cousines quasi inconnus à son mariage. Et quand elle a eu des enfants, ses parents ont acheté la maison d'en face, sans lui demander son avis. Ils voulaient pouvoir passer plein, plein de temps avec leur fille adorée et leurs petits-enfants chéris, les voir tous les jours. Mon mari, qui vient de l'Illinois, dit que dans sa cambrousse, c'est pareil : une fois marié, on ne vit peut-être plus dans sa tribu d'origine, mais jamais bien loin.

Il n'empêche que dans les pays industrialisés, la famille nucléaire a tendance à devenir la norme. On aime tendrement papa, maman, tata, tonton et toute la smala, mais on adooooore son indépendance. Et sur le terrain de la vie privée, on est à deux doigts de planter un écriteau « défense d'entrer ». Même les attentes des parents ont changé. Eux aussi adooooorent leurs enfants, mais les préfèrent avec un job et une vie bien à eux. Dès le premier jour, on élève bébé en ce sens. Même si ça nous arrache le cœur à l'avance de savoir qu'il quittera le nid un jour, le but ultime, c'est d'en faire un futur adulte équilibré et autonome, qui pourra voler de ses propres ailes. Alors que dans les sociétés confucéennes, par exemple, l'objectif, c'est que le fils aîné, une fois formé à l'extérieur, revienne vivre auprès de ses parents afin de prendre soin d'eux et des cadets de la fratrie. Pour le sociologue Talcott Parsons, la famille nucléaire est un pur produit de l'industrialisation. Dans nos sociétés capitalistes, fondées sur la compétitivité, la combinaison papa, maman, tous deux tendus vers un même but, fonctionne un peu comme une tête d'ogive, avec une force de frappe d'autant plus puissante et efficace qu'elle ne cible que ses propres objectifs. Bien plus souple et mobile qu'une famille élargie, la famille nucléaire est en mesure de s'adapter au marché du travail, car elle est prête à déménager s'il le faut. N'ayant pas à reverser une partie de l'argent qu'il gagne à sa parentèle, le couple se voit encouragé à optimiser ses revenus, donc sa qualité de vie.

« Dans les sociétés industrielles, l'indépendance est tout simplement une question de survie, c'est pourquoi on commence à l'enseigner dès le berceau », résume l'anthropologue Suad Joseph.

Il lui arrive, dit-elle, de demander à ses élèves s'ils comptent retourner vivre dans leur ville ou leur village, après la fac. À 90 %, c'est un non catégorique. La plupart viennent des quatre coins du pays et comptent bien s'exiler encore plus loin, s'il le faut, pour décrocher le travail et la vie de leurs rêves. Ils s'y préparent depuis l'enfance, encouragés avec amour et abnégation par leurs parents, car en Occident, on élève nos enfants pour qu'ils soient en mesure de nous quitter un jour. Ainsi, quand j'exige de ma fille de deux ans qu'elle dorme dans son propre lit, dans sa propre chambre, et qu'elle aille tous les matins à l'école maternelle sans verser une larme, que fais-je d'autre que la préparer au départ ? Et m'y préparer, moi aussi ? En bon parent nucléaire, il m'arrive déjà de me dire : si après le lycée, Sofia décide d'aller en fac à l'autre bout du pays, pas de problème. Je serai loin, mais je serai là. Toujours là pour elle. Car si on souhaite que nos enfants deviennent des adultes indépendants, avec des vies et des carrières au top, on aimerait qu'ils aient quand même toujours un peu besoin de nous, parce que ça maintient le lien.

Il arrive aux parents aussi de lever les voiles. Une fois à la retraite, certains partent s'installer dans des contrées plus chaudes, à des centaines, voire des milliers de kilomètres de leurs enfants et petits-enfants. Ils sont en général enchantés d'avoir de la visite, du moment que ce n'est ni trop long ni trop contraignant. Ce qui ne signifie pas qu'on soit plus indifférent à sa famille qu'autrefois, mais illustre plutôt les nouvelles valeurs sociétales. Dont je suis moi-même le pur produit, puisque je suis issue d'une famille nucléaire type. Mes parents adoptifs, mes deux frères et moi étions très proches. Enfants, nous passions presque tout notre temps libre collés tous les trois, à jouer ou à faire nos devoirs ensemble. On a grandi à Flint, la ville natale de notre père. Il n'en a jamais bougé. Il y a fait ses études, puis y est devenu professeur. Ma mère est du Michigan, elle aussi. Elle a été élevée à une heure et demie de là. Dans le genre casaniers, difficile de trouver mieux. Une fois mariés, ils n'ont déménagé qu'une fois, et c'était pour aller trois maisons plus loin. Granny, la mère de papa, habitait à moins d'un kilomètre de chez nous, on allait tout le temps la voir. Quant aux parents de ma mère, on n'hésitait pas à rouler cent vingt kilomètres un week-end sur deux pour leur rendre visite. Et au moins deux fois par semaine, on rejoignait tante Alice, la sœur de maman ; oncle Jim, son mari ; et leurs enfants, qui habitaient Flint eux aussi, pour un repas de famille ou une balade. Bref, on a tellement l'esprit de famille, nous aussi, qu'après la fac mes frères sont revenus dans le Michigan, vivre à quelques kilomètres de chez nos parents. Le plus jeune n'a émigré en Floride que bien plus tard, pendant la crise financière de 2008, lorsque la ville voisine, Detroit, s'est retrouvée exsangue, économiquement, et qu'il a perdu son job. Mais moi, je suis partie direct après le lycée, presque sans un regard en arrière. À seize ans, j'ai été admise dans une université du Missouri. Dès lors, je ne suis plus rentrée à la maison que pour les vacances. Mes parents et mes grands-parents auraient bien aimé que je revienne m'installer près d'eux après la fac, mais le plus important, à leurs yeux, c'était que je suive mes rêves et mes ambitions. Et quand on est journaliste-reporter, cela implique d'aller sur le terrain, là où les choses se passent.

On a d'abord vécu à Saint Louis, Monte et moi, puis dans la banlieue de Detroit, puis à Washington. Le jour où il a eu une proposition à Buenos Aires, on a sauté sur l'occasion. Vivre et travailler à l'étranger était notre rêve à tous les deux. Qu'importe si l'Argentine se trouvait à des milliers de kilomètres de chez nos parents respectifs, qu'on aime pourtant de tout notre cœur. Avec d'autant plus de respect, de tendresse et de gratitude qu'ils n'ont jamais essayé de nous culpabiliser, nous encourageant, au contraire, à trouver notre bonheur là où il nous attendait. Mon père est mort en 2002, mais aujourd'hui encore, je téléphone à ma mère ou je lui envoie un e-mail au moins une fois par semaine. Avec mes frères, c'est plus espacé, mais je me débrouille pour leur rendre visite à chacun de mes séjours aux États-Unis, ce qui est moins évident depuis que le plus jeune vit en Floride. Quant à mes oncles, tantes et cousins d'Amérique, ça se passe plutôt via Facebook, et c'est mieux que rien.

Cependant, lorsqu'on vit loin, comme nous, l'absence de la famille se ressent parfois cruellement. Quand ma fille est née, j'aurais adoré avoir mes parents auprès de moi. Ma mère n'est venue qu'au bout de trois mois, une fois prise notre décision de rester vivre à Buenos Aires. Parti comme c'est, Sofia ne connaîtra peut-être jamais le bonheur de passer lui faire un bisou en coup de vent – ni nous celui de la lui confier à la dernière minute, quand des copains nous invitent à faire la fête à l'improviste.

Au-delà de certains avantages indéniables, côté baby-sitting notamment, l'implication constante et positive de l'entourage familial dans l'éducation de l'enfant favorise son bon développement physique et psychique. Et en plus, pouvoir déléguer et souffler un peu se révèle excellent pour la santé mentale de ses parents. Ce n'est pas moi qui le dis, ce sont les spécialistes.

Une étude australienne, menée de 2008 à 2012 sur dix mille familles a prouvé que les bébés de trois à dix-neuf mois montraient de plus grandes capacités d'apprentissage lorsqu'ils n'étaient pas seulement sollicités par papa et maman, mais aussi, de façon régulière, par des amis de leurs parents et des membres de leurs familles élargies – en particulier les grands-parents. L'université de l'Alabama, quant à elle, a longuement étudié diverses parentèles afro-américaines du sud des États-Unis et en est venue à constater que les plus unies et les plus solidaires sont aussi celles parmi lesquelles on observe le moins de symptômes dépressifs.

Pour les besoins de son livre, *The Forgotten Kin : Aunts and Uncles*, Robert Milardo a interviewé plus d'une centaine d'oncles, de tantes, de neveux et de nièces. Il en ressort que le rôle des oncles et tantes est sous-estimé, alors même qu'il est primordial, car complémentaire. Ils sont souvent de bon conseil, d'une bonne écoute, et viennent pallier les manques de la relation parents-enfants.

Najah Bazzy, issue de la troisième génération des Américains musulmans implantés à Dearborn, considère comme une chance et une richesse le fait d'avoir baigné dans cette merveilleuse alchimie. Elle a grandi entourée de cousins, cousines, oncles et tantes aux premier, deuxième et troisième degrés.

Sans compter les amis de la famille qui, récemment immigrés du Liban, vivaient quelque temps chez eux en attendant de trouver travail et logement. La maison de ses parents débordait de famille, d'amis, c'était le bonheur. Une fois grand-mère, la mère de Najah faisait tout pour renforcer les liens entre ses petits-enfants : «Vos parents ont partagé mon ventre, leur disait-elle, et vous, vous êtes une extension de ce ventre. Prenez soin les uns des autres. Partagez tout ce que vous pouvez partager.»

Najah a le souvenir de s'être construite dans un grand sentiment d'appartenance, et c'était très rassurant, explique-t-elle : «Comme si j'avais plein de racines, qui ancraient ma présence au monde et décuplaient ma confiance en moi. Aujourd'hui encore, je sais que dans la joie comme dans la peine, tout ira bien. Que mes parents, mes frères et sœurs, mes enfants, mon mari et moi pouvons compter sur l'empathie et la protection du clan tout entier.»

Avant de m'en aller, je lui ai demandé de me décrire une journée type, pour voir à quoi pouvait bien ressembler la vie, dans ces familles à rallonge.

– Raconte-moi ce que tu as fait aujourd'hui, par exemple.

– *Humm*, a-t-elle répondu, laisse-moi réfléchir… Rien de bien extraordinaire, en fait. Pendant le petit déjeuner, j'ai appelé ma mère pour voir comment on allait s'organiser. Mon frère Sammy est myopathe, tu sais? J'ai dit à maman que je passerais le faire déjeuner, pendant ma pause, que je reviendrais le faire dîner aussi, direct après le travail, et que mon fils nous aiderait à le mettre au lit. À part ça, j'étais au bureau, comme d'habitude. Avec du boulot par-dessus la tête, mais ça, c'est pour tout le monde pareil, non?

Najah n'avait pas fini sa phrase que son frère l'appelait du Texas – comme tous les jours – pour prendre des nouvelles de Sammy et du reste de la famille. À peine avait-elle raccroché que son portable sonnait de nouveau. Cette fois, c'était une de ses belles-sœurs, dont la mère malade vivait encore en Syrie. Il fallait d'urgence lui envoyer des médicaments. Trois minutes plus tard, Najah me demandait de l'excuser : elle devait absolument rappeler sa tante, au Liban.

– Une histoire de parcelle familiale. Je lui donne un coup de main pour mieux la vendre… Aïe, il est déjà 18 heures! s'est-elle écriée après avoir jeté un œil à sa montre. Il ne faut pas que j'oublie de téléphoner à ma belle-mère. Ensuite, je fonce chercher mes fils et leurs cousins à leur match de baseball. Et après avoir fait manger Sammy chez maman, je cours à la maison préparer notre dîner à nous, puis je file à la vente de charité qu'organise mon cousin politicien. J'ai aussi la maison à ranger et deux machines de retard…

Je la regardais d'un si drôle d'air qu'elle s'est interrompue. Waouh! a-t-elle dit, c'est vrai que quand je fais la liste... Ça ne m'était jamais arrivé... Tout cela m'a toujours semblé si naturel !

En comparaison, j'avais l'impression d'être un monstre d'égoïsme, avec ma petite famille et ma petite vie bien calme. Najah avait un planning serré, mais je l'ai encore retenue dix minutes, parce qu'on n'avait toujours pas parlé de la façon dont cette éducation, entièrement axée sur la famille, influençait les enfants. Les Arabo-Américains que j'avais interviewés avant elle m'avaient laissé entendre que chez eux, les enfants sont au centre de l'attention des adultes, choyés, entourés, adulés, souvent pourris gâtés. Et je n'arrivais pas à comprendre pourquoi cela ne faisait pas d'eux, en grandissant, des adultes individualistes – bien au contraire. Ce paradoxe m'intriguait tant que je suis retournée voir les familles Amen, Audi et Bazzy pour leur demander leur avis. Tous m'ont fait la même réponse : grandir si entouré, disent-ils, implique aussi qu'on se forme sous le feu croisé d'un grand nombre de regards. Dans un tel contexte, difficile pour un enfant de faire un coup en douce, de mentir, de voler, de tricher, de frapper son frère ou son cousin, ou même de piquer des colères. Il y aura toujours quelqu'un pour le démasquer, le remettre à sa place, le punir au besoin. Pareil s'il a de mauvaises fréquentations, de mauvaises notes à l'école, ou sèche les cours. Il devra faire face à la famille tout entière. Un vrai tribunal.

Je comprenais le principe et n'étais pas loin de l'approuver, mais quelle place restait-il dans tout cela pour les désirs de l'enfant? me demandais-je. Pour ses envies, ses aspirations propres, puisque même les jouets et les vêtements devaient être partagés?

Tammy Audi m'a fait cette réponse : « On nous élève dans l'idée de copropriété plus encore que de partage. À deux ans déjà, tu as intégré l'idée que ton beau puzzle, ta poupée, ton petit train en bois t'appartiennent tout autant qu'à tes frères, sœurs, cousins, ou n'importe quel petit voisin, et s'ils les cassent, tant pis, c'est la vie. »

Elle se souvenait de son père lui expliquant qu'elle ne possédait rien, et que ses crayons de couleur adorés, par exemple, étaient à la famille au complet. « Chez nous, même soi, on ne s'appartient pas vraiment. Tout est soumis à l'assentiment du clan ou à sa désapprobation. On ne t'interdit rien mais ça revient au même. On approuve ou désapprouve la robe que tu as choisi de mettre, les études que tu aimerais faire, le garçon pour qui tu as le béguin… »

Sur ce dernier point, disait-elle, le clan pouvait se montrer sans pitié, car l'homme ou la femme qui entre dans la famille par mariage en devient membre à part entière, au même titre que les frères, les sœurs, les cousins et les cousines. Il faut donc que tous le jugent digne d'être adopté. Tous ceux que j'ai interrogés ont fini par me dire, ou par me laisser entendre, leur rage et leur angoisse, parfois, à l'idée que aspirations et désirs personnels pèsent si peu sur la balance familiale. Comment faire de vrais choix de vie quand, depuis la naissance, on est englué au quotidien dans des activités collectives qui ne vous plaisent pas toujours ? Ou vous ennuient carrément : comme le énième baptême de votre énième petit-cousin.

« Mais il ne faut pas oublier les bons côtés, s'est reprise Najah. D'abord, on rit beaucoup, et ensuite, toute cette smala, ça fait une super banque de données quand on a besoin de conseils. Quel que soit ton problème, mineur ou majeur, il y en a forcément un pour te fournir la réponse qu'il te faut. Tu veux qu'on t'indique un bon coiffeur, tu as besoin d'aide pour trouver un job, garder tes enfants ou n'importe quoi d'autre, eh bien la famille est toujours là pour toi ! Prête à tout laisser en plan pour te venir en aide. »

Certains ont toutefois du mal avec cette intrusion constante de la famille et ne parviennent pas à s'adapter. En découle une impression de suffocation qui, à l'adolescence, peut les conduire à se rebeller, à rejeter en bloc leur culture et leur parentèle, surtout si les attentes familiales vont à l'encontre de leurs ambitions personnelles. Les femmes sont en première ligne, car à force de fonctionner en vase clos, ces structures quasi claniques prennent le risque de générer toutes sortes d'abus de pouvoir, à commencer par l'asservissement domestique du sexe dit « faible ». Najah m'a cependant donné l'exemple d'une ONG pour femmes battues, veuves ou célibataires qui, reprenant le modèle des familles élargies, leur système d'entraide et de fonctionnement en réseau, s'efforce de les rassurer et de restaurer leur estime d'elles-mêmes, pour ensuite les réintégrer dans la société.

Le rôle de la famille est en mutation partout sur la planète, en raison de l'influence des modèles économiques, politiques et éducatifs occidentaux. Cette mondialisation conduit de plus en plus de familles élargies à une partition nucléaire, même au Liban ou en Chine. Mais la tendance pourrait s'infléchir. Depuis la crise financière de 2008, la cohabitation multi-générationnelle est en recrudescence, aux États-Unis comme en Europe de l'Ouest. On voit de plus en plus de trentenaires qui n'ont toujours pas quitté le nid, ou qui y sont revenus suite à des difficultés financières ou sentimentales. Et plus personne ne se moque. La British Skipton Building Society a prédit que d'ici à vingt ans, le nombre de familles élargies triplerait en Grande-Bretagne, passant de soixante-quinze mille à deux cent mille. Et à en croire le Pew Research Center, 49 millions d'Américains adultes vivent déjà au sein de familles multi-générationnelles. Cela ne représente que 16 % de la population, mais c'est bien plus que dans les années 1980, où ils n'étaient que 28 millions. Il faut bien entendu prendre en compte l'afflux conséquent, ces trente dernières années, de populations immigrées d'Asie et d'Amérique latine. Dans ces cultures, la famille élargie reste la norme. Surtout quand on débarque sans parler anglais, sans travail, sans papiers, et sans un dollar en poche.

Il y a aussi de plus en plus de familles recomposées, qui modernisent la version classique de la famille élargie. Les enfants de parents divorcés ne sont plus seulement élevés par leurs géniteurs, mais également par leurs beaux-pères, belles-mères, voire la parentèle associée, le tout au milieu d'une ribambelle de demi-frères et sœurs ou presque et cousins. Les familles adoptantes ou homoparentales développent elles aussi de nouvelles façons d'envisager les liens familiaux, lesquels ne sont plus tributaires des seules lois du sang. Amis, voisins, associations sont invités à influer sur l'éducation de l'enfant. La tendance est de se créer ses propres réseaux du cœur, en résonance avec sa propre philosophie, ses propres envies. C'est instinctivement ce que nous avons fait, Monte et moi, en Argentine. Nous avons des amis merveilleux, qui font figure de repères stables pour Sofia, la prennent chez eux quand on part en reportage, lui enseignent mille choses, la câlinent, mais sont aussi capables de la gronder quand elle fait une bêtise. Elle les aime énormément, ils sont pour elle comme des oncles et des tantes. Quant à leurs enfants, elle les considère comme ses cousins, cousines. On est incroyablement proches, mais comment prévoir l'avenir de ces relations d'expatriés ? Où serons-nous, où seront-ils, dans deux ans, dix ans ? En attendant, c'est notre famille élargie à nous, et comme dans toutes les familles, maintenir l'harmonie demande des efforts et des compromis.

Je n'en comprends que mieux l'acharnement des Amen, des Audi et des Bazzy à maintenir en état leurs clans familiaux, même si à chaque génération, le défi se complique. Alan et Ron Amen, par exemple, vivent toujours dans la banlieue de Detroit, mais leur sœur s'est établie en Virginie, et leur plus jeune frère en Floride. Où se sont d'ailleurs installées deux des filles de Ron. Tous se lamentent de ne pas pouvoir se voir plus souvent, et se rabattent plusieurs fois par jour sur Skype, Facebook, les e-mails et le téléphone. En revanche, la tripotée de cousins Amen restée à Detroit continue de grandir à l'unisson. Ils dorment les uns chez les autres, partagent sorties, jeux et vêtements, et même à l'adolescence, la famille reste leur priorité.

Tout cela m'a fortement impressionnée. Je me suis retrouvée à pousser davantage Sofia au partage, à lui répéter que ce qui est à nous est à elle, et vice versa. Je suis enceinte de quelques mois et je souhaite qu'elle se sente responsable de sa future petite sœur, mais aussi connectée à tous les membres de notre famille, de sang comme d'adoption. J'imagine

que ce besoin de se raccrocher à ses racines est ins-
tinctif chez tous les parents. Avant Sofia, Monte et
moi étions bien plus préoccupés par nos carrières et
notre développement personnel, mais aujourd'hui,
je pense différemment. Le jour où l'on quittera
l'Argentine, pas question d'aller là où le vent nous
portera, lui ai-je dit. On a besoin d'une famille,
qu'elle nous soit liée par l'ADN ou non. Je veux
aussi qu'on se débrouille pour voir davantage nos
parents, et que ces visites soient plus longues, parce
que les rapports humains doivent l'emporter sur un
job marrant ou un nouvel endroit à découvrir.

Tant pis si Monte ne partage pas ma vision des
choses pour l'instant, ça lui viendra en temps et en
heure. Sofia, elle, n'a pas encore de schémas dans la
tête. Je continuerai à lui faire croire que l'univers
tout entier lui appartient (parce que ça la rassure),
mais je veillerai aussi à lui rappeler qu'il faut d'abord
se constituer de solides racines, avant de vouloir
attraper la lune.

À propos de l'adoption

Je suis bien placée pour dire que si l'adoption n'est pas chose rare, elle n'en reste pas moins une espèce de bizarrerie aux yeux de beaucoup. Qui la voient, au mieux, comme une étrange et belle invention des temps modernes ; au pire, comme une triste solution de rattrapage, à tenir au secret. Au sein même des familles adoptives, l'angoisse, pour les parents, de ne pas être aimés comme de « vrais parents » se révèle parfois si prégnante que certains vont jusqu'à cacher ses origines à l'enfant (ce qui n'est pas toujours possible, pour des raisons évidentes). Sans aller si loin, ces inquiétudes font trop souvent passer au second plan les problèmes identitaires de l'enfant et ses doutes face au fait d'avoir été adopté (donc abandonné, au départ). La définition de la famille a beau évoluer, comme on l'a vu avec les familles recomposées, la société a toujours tendance à accorder une importance majeure aux liens biologiques.

Pourtant, dans certaines cultures, l'adoption est une chose si banale et répandue que l'ADN est le dernier de leurs soucis. Au Botswana, chez les Tswanas, il suffit à un membre de la famille, à une voisine ou une amie de demander un bébé à ses parents pour qu'en général ils le lui donnent. Erdmute Alber dit qu'il en va de même chez les Baatombus du Bénin, où élever l'enfant d'un autre n'est pas l'exception mais la norme. Sur les cent cinquante adultes qu'elle a interviewés, seuls deux avaient grandi avec leurs parents biologiques. Dans un grand nombre de communautés africaines polygames, les enfants sont «offerts» entre coépouses, ce qui est une manière de souder la famille. Il y a aussi l'exemple des migrants chinois qui, pour sortir de la misère, partent travailler en ville, très loin de leur village, et qui, pendant des années, ne revoient pas leurs enfants, lesquels sont confiés à la famille, des amis ou des voisins. L'anthropologue Mary Weismantel raconte que les Zumbagas des hauts plateaux de l'Équateur considèrent tous avoir de nombreux pères et mères et une multitude d'enfants, car chez eux, il suffit de prendre soin d'un bambin, de lui donner à manger, d'avoir de l'affection pour lui pour qu'il devienne un membre à part entière de la famille. J'ai trouvé bien d'autres exemples encore dans le livre de Signe Howell, *The Kinning of Foreigners : Transnational Adoption in a Global Perspective. Dans les sociétés où il est admis que tout un chacun puisse élever l'enfant d'un autre comme s'il était sien*, écrit-elle, *celui-ci se sent dans un lien familial évident à ses parents d'adoption. Ces pratiques bousculent notre vision occidentale de la famille, laquelle se résume bien souvent à un patronyme se perpétuant à travers la chair et le sang.*

7

Comment les Tibétains chouchoutent
les femmes enceintes

C'était l'année dernière. Au bord des larmes, je fixais mon test de grossesse, qui affichait pourtant deux joyeux petits traits roses.

Ça recommence, me disais-je, je fais une fausse couche.

Officiellement, cela ne faisait que quelques mois qu'on essayait de mettre un petit deuxième en route, mais en coulisses, plus d'un an que je travaillais mon corps pour qu'il soit capable de l'accueillir. En plus de faire du sport, de gober des vitamines et de mener une vie archi-saine, j'avais sevré Sofia exprès et démarré dans la foulée un traitement hormonal, parce qu'apparemment je n'ovulais plus. Il fallait que je mette toutes les chances de mon côté. Depuis la naissance de ma fille, mon cycle, qui avait toujours été aussi régulier qu'un battement de cœur, jouait les capricieux. Même quand j'en étais à deux semaines de flot ininterrompu, comme ce matin-là, je ne savais jamais si j'étais enceinte ou si j'avais tout simplement mes règles.

Cette fois, le test de grossesse était formel : je saignais comme un bœuf, mais j'étais bel et bien enceinte. J'aurais dû sauter de joie et bénir le Ciel, sauf que les symptômes étaient les mêmes que quatre ans plus tôt, lors de ma première fausse couche. Puisque la machine à bébés refonctionnait, pourquoi n'étais-je pas arrivée à garder celui-là ? Était-ce dû à un excès de fatigue, de stress ? Outre Sofia et la maison à gérer, il y avait eu l'écriture et la publication de mon premier livre, et pas mal de voyages, pour mes recherches.

Tiens bon, ma cocotte. Détends-toi, me disais-je en décrochant le téléphone pour parler à Monte, parti bruncher chez des amis avec notre fille. Mais dès que j'ai entendu sa voix, j'ai éclaté en sanglots, tout juste capable de bredouiller la mauvaise nouvelle. Non, l'assurai-je, pas la peine de voler à mon chevet, je tenais le coup, j'avais juste besoin d'être un peu seule pour digérer tout ça. Digérer n'était pas le bon mot : j'avais plutôt une impression de vide terrible, comme pour ma première fausse couche. Une sensation de perte intense, alors même que la veille, je ne savais pas que j'étais enceinte.

Cette nuit-là, dans mon lit, en proie aux douleurs qui me déchiraient le ventre et à un horrible sentiment d'impuissance, j'ai beaucoup pensé au Tibet.

Après ma première fausse couche, je m'étais sentie si malheureuse, seule et déprimée, malgré la gentillesse de Monte, qu'il m'avait fallu trouver le moyen de faire mon deuil, de me recentrer pour mieux de me retrouver. En ce sens, le bouddhisme me semblait une bonne voie à explorer, et j'en suis venue à faire des recherches sur le rapport des Tibétains à la maternité. C'est ainsi que j'ai appris qu'ils font grand cas de l'état psychique des femmes enceintes. Pour eux, la grossesse est un moment très chargé spirituellement, qu'il faut accompagner de traditions et de rituels spécifiques. Ainsi les futures mamans sont-elles encouragées à méditer et à prier le plus possible, et à enchaîner pensées positives et bonnes actions. Dès qu'elles en ont l'occasion, elles se font bénir par les lamas, qui leur prescrivent des prières spéciales et vont jusqu'à choisir le prénom de l'enfant à sa naissance.

Comme me l'a dit Norbu Samphell, jeune papa tibétano-américain : «Dans le ventre, le bébé est connecté de *a* à *z* à sa mère. Physiquement, émotionnellement, intellectuellement, tout ce qu'il ressent lui vient d'elle. C'est pourquoi il est si important de préserver les femmes enceintes de tout stress. Il faut qu'elles soient heureuses, sereines et joyeuses. Qu'elles ne s'inquiètent de rien.»

D'après lui et tous les autres Tibétains que j'ai interrogés, il y a un lien direct entre l'état psychospirituel de la mère et la santé, aussi bien que la personnalité future, de l'enfant qu'elle porte.

À l'époque du Bouddha, les chamans se préoccupaient déjà du climat mental dans lequel baignaient les fœtus, écrivent les Drs Jayashinghe et Eames dans une circulaire destinée à des confrères australiens. *De même que nous savons aujourd'hui qu'il est indispensable, pour qu'un bébé naisse en bonne santé, de contrôler le taux de sucre que sa mère a dans le sang, il faut encourager celle-ci, toujours pour la santé de son bébé, à vivre sa grossesse dans un climat de calme quasi méditatif.*

Cela ressemblait beaucoup aux conseils de mon psy, qui n'est pourtant pas tibétain. Il disait que je devais me relaxer, que ma santé psychique avait un impact direct sur ma capacité à tomber enceinte. L'idée m'avait fait paniquer cinq minutes, mais j'ai pris l'habitude de me concentrer, aussi souvent que possible, sur des pensées positives, du genre : on sera des super parents, on sera des super parents, on sera des super parents… Et sur des activités qui me faisaient du bien : méditation, danse, soins de beauté, promenades…

Deux mois plus tard, j'étais enceinte de Sofia.

Cependant, une fois lancée dans le tourbillon de la maternité, c'était comme si j'avais oublié les beaux principes tibétains. Quand on a voulu un deuxième enfant, j'ai seulement focalisé sur la science, les dates d'ovulation et les vitamines, et le moins qu'on puisse dire, c'est que ça ne m'a pas réussi.

Mais brusquement, dans l'horreur physique et mentale de cette deuxième fausse couche, tout m'est revenu. Calme, tranquillité, repos. Calme, tranquillité, repos. Tel est le mantra que je me suis répété cette nuit-là, tandis que les antalgiques demeuraient impuissants à apaiser la douleur qui me déchirait le flanc droit. Le lendemain, le gynécologue m'a examinée et a confirmé mes craintes. Oui, j'étais bien en train de perdre mon bébé. Grossesse extra-utérine. L'œuf avait été fertilisé mais il était allé se loger hors de l'utérus, dans mes trompes de Fallope. Une erreur de trajectoire qui peut arriver à toutes les femmes, disait-il.

« La bonne nouvelle, c'est que vous n'avez apparemment plus la moindre difficulté à tomber enceinte. »

Mais il me faudrait peut-être subir une intervention chirurgicale dans les deux jours, car il arrive que les grossesses extra-utérines fissurent certains organes et causent des hémorragies internes.

« Attendons jusqu'à mercredi », m'a-t-il proposé.

Si les tests sanguins affichaient une baisse du taux d'hormones de grossesse, peut-être que l'embryon se décrocherait tout seul. D'ici là, il me fallait faire preuve de patience et de vigilance. Calme, tranquillité, repos. Calme, tranquillité, repos, me répétai-je. N'était-ce pas ce «nettoyage» émotionnel et spirituel qui m'avait permis de tomber enceinte de Sofia?

LA PROVINCE D'AMDO EST PERCHÉE sur un haut plateau verdoyant dans le nord-est du Tibet. Les fermiers y cultivent le blé et l'orge, et des familles nomades vont et viennent, poussant devant elles leurs troupeaux de yacks et de moutons. Les premiers habitent des maisons en briques de terre, les seconds bivouaquent dans des tentes en poils de yack. Une chaîne de montagnes sert de cadre au paysage, et la plus sacrée de toutes s'appelle l'Amnye Machen. Tout autour se trouvent les monastères les plus importants du pays, dont la majorité des leaders spirituels sont issus, y compris Tenzin Gyatso, l'actuel dalaï lama. Chaque été, dans l'espoir d'améliorer leurs karmas, des centaines de familles, des villages entiers parfois, entreprennent d'en faire le tour. C'est un pèlerinage d'une centaine de kilomètres, mais on voit même des femmes enceintes ou avec leur dernier-né sur le dos.

Tenma Tsering, qui vit aujourd'hui dans la banlieue de Chicago avec son mari et ses deux fils, a passé les dix-sept premières années de sa vie dans un petit village de la région d'Amdo. Elle se souvient que les femmes infertiles, ou simplement en désir d'enfant, priaient les dieux bouddhistes, en particulier des divinités telles que Shou Phagmo et Dorje Pakmo. La tante de Tsering enchaînait les fausses couches, mais grâce aux dieux et à ses prières, assure sa nièce, elle a finalement eu quatre enfants. Qu'elle a tous appelés Shou, en hommage à la déesse Shou Phagmo.

Au Tibet, dès qu'ils ont une minute de libre, les futurs parents se rendent au monastère le plus proche, faire des offrandes et prier pour une grossesse heureuse et la santé de leur bébé.

Pour Tsering comme pour tous les parents tibétains, la venue au monde n'est pas un événement isolé, mais fait partie intégrante du cycle de la vie et de la mort. Le fœtus n'est pas « conçu », mais plutôt « invité » dans le ventre de sa mère. Et pour que tout se passe bien, il faut que les karmas du père, de la mère et de l'esprit qui les visite pendant la conception soient en harmonie.

« Être investi de la possibilité de donner naissance à une vie humaine est une incroyable bénédiction. Qui prouve qu'on a engrangé beaucoup de karma, but suprême de tout bon bouddhiste », explique l'anthropologue Sienna Craig, professeur au Dartmouth College.

Depuis le début des années 1990, elle a étudié de nombreuses familles tibétaines, aussi bien au Tibet qu'au Népal et en Inde. « Pétries de ces certitudes, dit-elle, ces femmes vivent tout naturellement leur grossesse dans un mélange de connexions spirituelles et d'obligations rituelles. Rien à voir avec notre conception occidentale de la grossesse et de la naissance, qui en fait une espèce de miracle mâtiné de science. »

Les bouddhistes pensent que tout, dans l'univers, est un mélange des cinq éléments : terre, vent, feu, eau, espace. Par conséquent, le corps humain est lui aussi composé des mêmes forces, et pas seulement de cellules, de sang, d'organes vitaux et de muscles. C'est cette alchimie qui joue sur le bon ou le mauvais fonctionnement de l'organisme, explique le Dr Pasang Arya, fondateur d'un centre de médecine tibétaine basé en Suisse.

« La médecine tibétaine, dit-il, cherche à ce que ces cinq éléments soient non seulement en harmonie dans le métabolisme du patient, mais aussi dans son environnement extérieur. Pour bien préparer la grossesse et l'accouchement, on se réfère au sutra de la conception, mis au point par Bouddha et son disciple Ananda. »

Sur son site Internet, destiné à rendre la médecine tibétaine accessible aux Occidentaux, le Dr Pasang Arya explique la conception et la naissance selon les principes du *bardo*. Cette sorte d'esprit, ou plutôt de conscience, serait à l'origine de l'union physique entre les futurs parents. C'est elle qui la provoque, qui active la libido. Une fois que le *bardo* pénètre la matrice, les cinq éléments commencent à transformer l'embryon en être humain.

« L'œuf, mélange de sperme et d'ovule, réagit comme une goutte de levure dans du lait, explique le Dr Arya. C'est alors qu'un vent subtil, le *Myon-mongpei-yid-srog-rLung-A,* se met à souffler depuis la conscience, qu'on appelle *Srog-rlung-A.* Les semaines suivantes, pour harmoniser les cinq éléments et les énergies des parents, et bien développer le corps du bébé, d'autres vents vont souffler peu à peu, à partir de ce vent primitif. Si le fœtus fait le plein d'émotions saines, y compris pendant sa conception, sa conscience restera harmonieuse après sa naissance. Il sera calme, en paix, tranquille d'esprit, et pourra devenir un enfant puis un adulte équilibré. Voici pourquoi on dit chez nous que les femmes au caractère méditatif sont les plus fertiles, et donnent naissance à des bébés heureux et en bonne santé. »

Tout cela peut sembler un peu tiré par les cheveux, mais cela faisait sens, même pour quelqu'un d'aussi cartésien que moi. D'autant que j'ai maintes fois eu l'occasion de vérifier ce que donnent le stress et l'agitation, ne serait-ce qu'avec mes deux fausses couches. Selon mon gynécologue, le premier hic survient dès la conception, car la science a prouvé que les hormones de stress, les glucocorticoïdes, inhibent la principale hormone sexuelle, appelée GnRH. Résultat, le taux de spermatozoïdes baisse considérablement chez l'homme, et chez la femme, l'ovulation est quasi en berne... l'activité sexuelle aussi. Tous les couples savent que lorsqu'on est fatigué, inquiet ou déprimé, on est moins branché sur la chose. Voici ce qui ressort d'une étude slovaque portant sur mille soixante-treize couples : 1. Les femmes angoissées quant à leurs capacités ou non à tomber enceintes font plus de fausses couches que les autres, au cours du premier trimestre de grossesse. 2. La dépression a un impact gigantesque sur la fertilité, aussi bien féminine que masculine. En 2002, une autre étude, publiée par l'université de San Diego, a démontré que les femmes dépressives avaient 93 % de chances en moins d'être enceintes.

Il n'est donc pas déraisonnable d'affirmer qu'une bonne santé mentale et émotionnelle améliore les conditions de conception et de gestation. En tout cas, ça ne peut pas faire de mal.

Chez les Tibétains, comme je l'ai dit, cela se traduit par le fait d'être connecté spirituellement, même pendant la conception. Mais une fois le fœtus en route, il faut le protéger contre tout danger potentiel (maladies, fantômes et autres démons), le préserver de la contamination (saletés, sang, excréments) et des émotions néfastes. Tout cela, bien sûr, est encadré par de nombreux rituels. L'anthropologue Sienna Craig a souvent été témoin de ces cérémonies, pendant les années qu'elle a passées à arpenter le Tibet pour y étudier les traditions médicinales. Les femmes enceintes, dit-elle, consultent régulièrement un *amchi*, ou guide spirituel. Qui analyse la santé de la future mère et celle de son fœtus à travers son souffle et son pouls, et lui prescrit un régime personnalisé, sur une base d'aliments chargés spirituellement et de potions composées de plantes, de minéraux ou de fragments animaux. Quel que soit ce régime alimentaire, il s'inscrit toujours dans une indéniable logique diététique, et ce même s'il obéit à certains tabous.

On conseille à certaines de manger un petit poisson qui vit dans le lac Monosavar, au pied du mont sacré Kailash, écrit Sienna Craig, dans son livre *Childbirth Across Cultures. À défaut, la future maman peut sculpter des cubes de beurre en forme de poisson, ça marche aussi, disent les Tibétains. Leurs traités de médecine renferment également des remèdes spécialement formulés pour accélérer la délivrance, la rendre plus facile, moins douloureuse. Juste après la naissance, par exemple, on masse avec de l'huile le ventre de la mère pour soulager ses douleurs et aider l'utérus à se rétracter. Pendant ce temps, avant même la première tétée, on fait goûter au nouveau-né une noisette de beurre mélangée à du miel et à quelques gouttes d'eaux de safran et de musc afin de le protéger des démons et d'en faire quelqu'un d'avisé, dans ses actes comme dans ses paroles.*

D'avant la conception jusqu'après la naissance, la religion tient ainsi une place prépondérante. Dès que bébé pousse son premier cri, les cérémonies se succèdent. Il y a d'abord le *bang tsol*, qui lui souhaite la bienvenue sur terre et parmi les hommes, puis le *tshe dbang*, pour que sa vie soit longue et belle. À cette occasion, la jeune mère offre aux convives de petits pâtés de beurre mélangés à de la farine d'orge, produits de base sur les hauts plateaux du Tibet. Le but de ces rituels est de lier le nouveau-né non seulement au monde, mais aussi à la communauté, à son foyer et à son lignage, en lui insufflant la force de ses ancêtres. Si par la suite le nourrisson est souvent malade, ses parents pourront être amenés à lui donner un nouveau nom. Celui d'un forgeron, par exemple, ou autre confrérie de basse extraction, pour que se désintéressent de lui les puissances malveillantes.

Le Dr Pasang Arya dit qu'après la naissance une potion à base d'herbes est prescrite pour aider à bien expulser le placenta et nettoyer l'utérus. Il faut ensuite que la mère se repose et que l'entourage prenne soin d'elle, physiquement et moralement. Elle ne doit pas se laver à l'eau froide ni toucher des choses froides, afin qu'elle n'attrape pas des maladies telles qu'une bronchite, une pneumonie ou de l'ostéoporose (sic).

«Pour clore la période des rituels, ajoute-t-il, le dernier conseil, presque un ordre, que les prêtres donnent aux parents, c'est d'élever leur enfant avec amour et attention.»

Tout cela me paraissait enchanteur, idéal, mais Sienna Craig m'avait prévenue qu'il ne fallait pas considérer ces méthodes d'un œil trop romantique. Les ONG et les professionnels tibétains de la santé publique travaillent depuis des années à ce que les familles trouvent un équilibre entre leurs coutumes ancestrales et les bénéfices de la science moderne. Il y a beaucoup de problèmes de santé, spécialement parmi les familles les plus pauvres (qui sont légion), et la spiritualité n'arrange pas toujours les choses. La peur d'être contaminée en chemin par les démons de la maladie et de la mort peut par exemple amener une femme au bord de l'accouchement à rester cloîtrée chez elle, plutôt que d'aller à l'hôpital. Même si cette dernière est parfaitement au courant que la mortalité maternelle et néonatale a fortement baissé, ces vingt dernières années, grâce aux dispensaires et aux maternités mises en place par les ONG et le gouvernement.

Sienna Craig n'en convient pas moins que toutes ces années passées au Tibet l'ont profondément influencée. Elle y est restée les six premiers mois de sa grossesse et a trouvé merveilleux de vivre au sein d'une culture qui ne médicalise pas ce grand moment de l'existence.

« J'ai pu me laisser porter par le rythme naturel de la grossesse, la ressentir comme faisant tout simplement partie de ma vie de femme. »

LA MÈRE DE TENMA TSERING A ÉLEVÉ ONZE ENFANTS dans son petit village de la région d'Amdo. En tant qu'aînée de la fratrie, Tenma se souvient très bien de ces naissances, et de l'inquiétude qui pesait au moment de la délivrance, car sa mère risquait de mourir à chaque fois. «On s'angoissait moins pour les bébés, qui malgré la forte mortalité infantile avaient la réputation d'être résistants.» En cas de problème, dit-elle, plutôt que de foncer à l'hôpital, on courait chercher un moine pour qu'il vienne réciter des prières. «Pour la logique occidentale, cela paraît un traitement médical absurde et dérisoire, mais c'était notre façon de vivre et on n'en connaissait pas d'autre.»

Une trentaine d'années plus tard, en 2002, la petite Tenma Tsering accouchait aux États-Unis, loin, bien loin de son village natal et de ses traditions. Elle y est arrivée en 1992, quelques années après avoir traversé l'Himalaya à pied pour rallier Dharamsala, en Inde, où vivent aujourd'hui encore le dalaï-lama et un grand nombre de réfugiés tibétains. Avant de mourir, son père lui avait fait promettre de se battre pour décrocher un bon métier et subvenir aux besoins de ses cadets. Et pour ça, il fallait d'abord qu'elle s'instruise, d'où le fait qu'elle ait rejoint, au péril de sa vie, le gouvernement en exil. Par miracle, Tenma a tiré un ticket gagnant au loto migratoire mis en place par la première administration de Bush. Ce qui a permis à cette petite

Tibétaine presque illettrée de se retrouver quasi téléportée dans la région de Chicago. Où elle a rencontré un compatriote, et l'a épousé.

En 2002, elle a donné naissance au premier de ses fils. L'expérience, diamétralement opposée à tout ce qu'elle connaissait, s'est révélée assez perturbante. Tout, jusqu'aux détails les plus infimes, lui paraissait étrange. Pendant sa grossesse déjà, elle n'en revenait pas de voir les futures mamans s'avaler des litres de Coca Light, alors qu'elle-même ne s'autorisait que des aliments et des breuvages doux et naturels, pas même du thé. Elle s'étonnait aussi de voir les femmes enceintes presque se ruer à leurs visites prénatales. « Au Tibet, dit-elle, on ne va pas chez le médecin, on prie les dieux. » Ce que Tenma faisait tous les jours, et presque du matin au soir. « Prier pour la santé de mon bébé, suivre autant que possible la tradition, donc l'exemple de mes parents, me faisait du bien. C'était comme si je les avais encore auprès de moi, et je me sentais en paix. »

Elle voyait avec étonnement les futurs parents chercher dans des livres spécialisés ou sur Internet les prénoms de leurs enfants à naître. Au Tibet, Tenma aurait attendu un mois après la naissance, puis serait allée consulter un moine pour qu'il attribue un prénom à son fils, comme le veut la tradition. Mais aux États-Unis, médecins et infirmières exigent de savoir le nom de l'enfant avant même sa naissance, le jour de l'accouchement. Au mieux, les indécis ont trente-six heures devant eux.

Pour la première fois, Tenma et son mari voyaient se heurter de front leurs coutumes et celles de leur pays d'accueil. Heureusement, la solution leur est tombée du ciel, si l'on peut dire : ils ont appris que le dalaï-lama venait de se poser à l'aéroport de Madison, dans l'État du Wisconsin, à deux heures et demie de route de chez eux. Le saint homme devait y passer la journée. Ni une ni deux, Tenma, son mari, son frère et sa sœur ont sauté dans la voiture pour aller lui offrir une écharpe blanche, rituel incontournable, et qu'il bénisse en retour la grossesse de sa jeune compatriote. Mais la foule était telle qu'ils n'ont fait que l'apercevoir de loin, si bien qu'ils ont passé l'après-midi à faire tourner le rouleau de prière et à rendre hommage aux dieux. À la fin de la journée, Tenma a pu coincer l'un des assistants du dalaï-lama, lui a présenté l'écharpe blanche rituelle et lui a demandé de trouver un nom à son futur bébé. Le moine a promis de la contacter par e-mail afin de collecter les renseignements nécessaires à la « cérémonie de révélation ».

Dix jours après son périple dans le Wisconsin, Tenma a appris qu'elle attendait un petit garçon, information qu'elle s'est empressée de transmettre au moine. Deux mois plus tard, elle recevait par la poste une enveloppe en provenance du bureau du dalaï-lama. À l'intérieur, un certificat signé de la main du saint homme, et le nom de son fils : Tenzin Chosang.

De *a* à *z*, Tenma a donc respecté la tradition. Le plus important, pour elle, était de garder son corps et son esprit purs, ce qui n'est pas évident, aux États-Unis. Avant de quitter le Tibet, elle n'avait jamais vu un seul médicament, ni rien de chimique (ou plutôt d'industriel, puisque tout est chimie). Pas de shampoing, pas de gel douche, pas non plus de nourriture transformée en usine. Pour laver leurs cheveux et les faire briller, sa famille utilisait le jus d'une plante spécifique. Et ils ne consommaient que les fruits, les légumes et la viande que produisait leur petite ferme. «Je considère que les meilleurs médicaments sont ceux qu'on trouve dans la nature, dit-elle. Malheureusement, ici, il y a des pesticides partout.»

Elle se méfie aussi des vaccins, mais ses fils n'ont pu y couper, c'était obligatoire pour entrer à l'école.

Aux États-Unis, fait-elle remarquer, les futures mamans suivent à la lettre ce que des gens qu'elles ne connaissent même pas leur disent de faire : file à ton rendez-vous prénatal ; fais-toi faire une échographie, une deuxième, une troisième ; achète dès aujourd'hui la layette pour dans deux mois ; lis ce blog génial, ce bouquin génial... Même si elle voyait l'intérêt de ces injonctions, et y obéissait en grande partie, Tenma se sentait souvent comme un poisson hors de l'eau. Il lui semblait contre nature qu'une femme enceinte cherche des réponses en dehors d'elle-même.

Les dimanches après-midi, raconte-t-elle, elle ressentait le besoin presque vital d'aller retrouver les Tibétains de la région sur leur lieu de rassemblement habituel (une boutique désaffectée). Elle m'y a emmenée et j'ai pu, grâce à elle, discuter avec d'autres mamans tibétaines, leur poser des questions, tandis que les deux fils de Tenma étudiaient leur langue et leur culture d'origine dans la pièce d'à côté. C'est vrai qu'on se serait cru au Tibet, il y avait des drapeaux de prière partout, accrochés aux murs et au plafond. Dans un coin, à même le sol, un énorme faitout plein de riz cuisant sur un réchaud, dans un panache de vapeur, et la bonne odeur se répandait à travers la pièce, mêlée à celle du poulet au curry et des nouilles aux brocolis que trois hommes remuaient dans de grandes bassines en aluminium.

Tenma considère néanmoins qu'elle a commencé à abdiquer sa culture le jour de la naissance de son premier fils. Dans la salle d'accouchement blanche et stérile de l'hôpital, raconte-t-elle, l'obstétricien n'arrêtait pas de lui répéter : «Vous êtes vraiment sûre de ne pas vouloir de péridurale? Ce n'est rien du tout, 99 % des femmes la demandent, ça ne fera aucun mal à votre bébé. Il n'y a que 5 % de complications, vous savez?...»

Tenma souffrait terriblement, elle était épuisée, terrifiée, mais refusait mordicus qu'on lui injecte un produit chimique. Chaque fois elle se mettait à hésiter, elle pensait à sa mère, qui avait accouché onze fois sans en faire toute une histoire et sans prendre le moindre médicament. Mais, vaincue par la douleur, après des heures de contractions, elle a fini par accepter la proposition du médecin.

Et après la naissance de Tenzin, elle a regardé avec angoisse les infirmières le tripoter et le retourner dans tous les sens pour vérifier s'il n'avait pas un truc qui clochait. Pendant dix bonnes minutes, ils ne se sont préoccupés que du bébé, jamais d'elle. «On aurait dit qu'ils m'avaient oubliée. Ce qui ne serait jamais arrivé au Tibet. »

Pour Tenma aussi, bien sûr, le plus important, c'était que le bébé aille bien, qu'il soit en bonne santé, et pour s'en assurer, dit-elle, il faut reconnaître que les méthodes occidentales sont imparables. Elle est fascinée par notre technologie, s'émerveille de voir ses deux fils, huit et cinq ans, se débrouiller déjà avec un ordinateur. Grâce à la vie moderne, sa petite famille vit dans un confort dont elle n'aurait pas osé rêver quand elle était encore au Tibet, ni même à Dharamsala. Il n'empêche qu'il lui arrive souvent de se sentir en complet décalage avec les mamans américaines.

Elle m'a donné l'exemple d'une promenade faite il y a quelque temps en compagnie de Susie,

la mère d'un copine de maternelle de son petit
dernier.

Tenma et elle avaient pris l'habitude de se balader
en discutant de leurs vies et de leurs familles respec-
tives. Un jour, elles sont tombées sur une colonie
de fourmis qui traversait la route. Émerveillée de
les voir porter des feuilles et des brindilles dix fois
grosses comme elles, Tenma s'est accroupie pour
les observer, quand soudain Susie s'est mise à les
piétiner. Tenma était horrifiée. Pourquoi faire une
chose pareille? Pourquoi tant de haine, ou plutôt
de mépris? Les fourmis avaient le droit d'être là.
Pour elles, une route est juste un endroit à arpenter,
comme le reste. En tuant gratuitement des êtres
vivants, Susie ne voyait-elle pas qu'elle fichait en
l'air son karma et risquait d'attirer le mauvais œil
sur ses enfants, trois petites filles adorables? Qu'est-
ce qui avait bien pu la pousser à tuer sauvagement
ces pauvres fourmis qui ne lui avaient rien fait?
Aujourd'hui encore, cette image hante Tenma. Elle-
même hésite à deux fois avant de tuer un moustique
posé sur son bras. «Pas question de prendre des
risques avec le karma et le mauvais œil, dit-elle. Mes
deux petits garçons, j'ai envie de les voir grandir, et
en bonne santé.»

JE NE SUIS PAS SPÉCIALEMENT BRANCHÉE SPIRI-
TUALITÉ, ou plutôt, je ne me sens affiliée à aucune
religion en particulier. Toute leur enfance, mes

parents adoptifs sont allés à l'église, mais ça leur est vite passé. Ils ont continué à croire en Dieu, au fond d'eux, mais nous ont laissés choisir nos propres chemins. Quand j'étais petite et qu'on me demandait si j'étais chrétienne, je répondais oui, par pure convenance, parce que je pensais que c'était la réponse que tous ces gens qui allaient à la messe chaque dimanche attendaient de moi. Cela me gênait de ne pas être comme eux, je n'arrivais pas à assumer. Maintenant que je suis adulte, je n'ai plus de problème à me dire agnostique, ou plutôt animée d'une foi qui va vers un dieu sans nom.

C'est justement ce dieu-là que je priais ce mercredi-là, dans le bus qui m'emmenait chez le gynécologue pour une nouvelle batterie d'examens, lesquels détermineraient l'avancée de ma fausse couche ainsi que ma capacité à enfanter de nouveau. Ou pas. Je me sentais cotonneuse, comme si ce trajet vers mon destin n'était qu'un mauvais rêve. Je ne demandais pas à mon petit dieu personnel de sauver ma grossesse, chose que je savais impossible. Je lui demandais juste de remplir mon corps et mon cœur de force et de paix. Et de m'épargner le scalpel. Le médecin m'avait préparée à cette éventualité. En prévision, il m'avait demandé de faire un examen de sang complet, ainsi qu'un électrocardiogramme, et avait même réservé un bloc opératoire pour midi. Ce serait une laparoscopie, c'est-à-dire qu'au lieu de m'ouvrir

214

le ventre, il insérerait une fine caméra tubulaire par une minuscule incision sous le nombril, et s'il le fallait ferait un autre petit trou pour sortir l'embryon mort. Il serait bien sûr nécessaire de me faire une anesthésie générale, mais ce que je redoutais par-dessus tout, c'est qu'au-delà des habituels désagréments post-opératoires je risquais de ne plus jamais pouvoir être enceinte.

Tout dépendrait des résultats du test hormonal et des ultrasons que je passerais ce matin-là. Prise de sueurs froides, je me débattais mentalement pour rétablir mon équilibre émotionnel, afin que ma tête et mon corps puissent recommencer à fonctionner. Focalise sur les aspects positifs de ta vie. Respire, me disais-je.

À 10 heures, le médecin et le radiologue en avaient fini avec la première partie des examens. Verdict : l'embryon était toujours là, ni plus gros ni plus petit que l'avant-veille, sauf qu'il était maintenant prisonnier d'un gros caillot de sang. Il fallait encore attendre le résultat des analyses, qui déciderait de la suite des événements. J'ai patienté, patienté, patienté, en essayant de rester zen, d'arrêter presque le cours de mes pensées pour mieux mettre un couvercle sur mes inquiétudes. De toute façon, je ne pouvais rien faire d'autre qu'attendre. À 10 h 30, toujours pas de résultats. À 11 h 15 non plus. À 11 h 35, le médecin est sorti de son bureau les deux pouces en l'air. L'embryon était en train de se résorber, m'annonça-t-il, pas besoin d'opération. J'ai poussé un triste soupir de soulagement et de gratitude.

PARTOUT DANS LE MONDE, LA GROSSESSE ET L'ACCOUCHEMENT sont entourés de rituels et de célébrations : le baptême chez les chrétiens, des psaumes chantés et des bains rituels, ou *mikveh*, chez les juifs, et chez les musulmans, la *shahadah*, profession de foi murmurée à l'oreille du nouveau-né, afin que la parole du prophète Mahomet soit le premier son qu'il entende. Chez les Navajos, on organise des sortes de réunions de bénédiction autour des futures mamans. Les autres femmes lui coiffent les cheveux, lui massent les pieds avec des grains de maïs bleu, lui offrent des présents symboliques : une pomme pour la santé, une pièce de monnaie pour la fortune. En Chine du Sud, chez les Hmongs, les chamans bénissent les femmes enceintes à grand renfort de clochettes et de coups de gong, sans oublier de souffler par intermittence dans une corne de buffle d'eau.

J'ai beau ne pas être superstitieuse, je suis fascinée par le nombre et la variété des mythes et des tabous associés à la grossesse, certains tout à fait logiques par rapport à des questions de santé, d'autres moins. D'après une étude publiée par l'American Public Health Association, les Guatémaltèques, de même que les Tibétains, pensent que les femmes enceintes sont les proies désignées des esprits malins et des forces obscures, et c'est pourquoi beaucoup préfèrent accoucher chez elles, plutôt qu'à la maternité. Chez eux aussi, le fait de ne pas répondre aux demandes d'une future maman est inenvisageable, car le bébé risquerait de naître mal formé de corps ou d'esprit. Il y a quelques années, Monte est parti en reportage au Brésil dans une tribu indienne où tout le monde porte des noms d'animaux – celui du premier animal que le père du bébé a croisé dans ses rêves, la nuit de sa naissance. En 2009, un article de l'African Press International décrivait quelques croyances pittoresques qui perdurent au sein des tribus kényanes : chez les Akambas, pas question qu'une future maman voie un mort. Cela risquerait de la contaminer, physiquement et spirituellement. Chez les Luos, interdiction formelle de manger de l'hippopotame pendant la grossesse, sans quoi bébé ronflera toutes les nuits de sa vie comme ce gros animal. Sans aller chercher si loin, suite à ma première fausse couche, ma famille biologique m'a formellement déconseillé les boissons froides, qui empêcheraient mon corps de guérir (une croyance que partagent beaucoup de cultures asiatiques et africaines). Une cousine m'a raconté qu'après la naissance de son premier bébé sa belle-mère lui a interdit de se laver. Sinon, l'eau aurait risqué de pénétrer son corps et de causer toutes sortes de dégâts : gonflements, migraines et autres. Au bout de quelques jours, ma cousine a craqué et pris une douche.

Quelles que soient les coutumes et traditions qui entourent la grossesse, la plupart des mères, croyantes ou athées, s'accordent à dire que le fait d'attendre un bébé, de le sentir grandir en soi, est déjà une sorte de magie, de bénédiction. C'est un moment de la vie où, plus que jamais, elles se sentent à l'écoute de leur corps.

Je suis d'accord avec Tenma Tsering quand elle déplore que, dans le monde moderne, tant de voix externes viennent brouiller ce que nous murmure notre petite voix interne. Il est vrai que j'ai non seulement perdu mon temps, mais que je me suis un peu perdue moi-même, à force de lire tout un tas de choses sur les fausses couches et les kilos en plus qui vont avec. Toute cette empathie virtuelle, faite de témoignages et de petits conseils, contribue moins à vous remonter le moral qu'à vous inquiéter plus encore. Les techniques médicales aussi ont leur revers de la médaille. Bien sûr, je me sens redevable aux médecins, aux ultrasons et autres examens hi-tech, mais était-il indispensable que je me retrouve à me ronger les sangs pour des histoires de dosages chorioniques gonadotropes et autres subtilités hormonales auxquelles je ne comprenais rien et sur lesquelles je n'avais de toute façon aucune prise?

J'ai interrogé Anne Maiden Brown (l'un des trois auteurs de *The Tibetan Art of Parenting*) sur la façon dont on soigne les femmes, au Tibet, après une fausse couche. Au même titre que la naissance, m'a-t-elle répondu, cet accident de parcours fait partie du karma. On conseille donc aux femmes ayant subi une fausse couche de faire l'aumône aux pauvres, de rendre des services et de nourrir les oiseaux et les enfants.

«Un peu comme dans l'association de Laura Huxley, à Los Angeles, a poursuivi Anne Maiden Brown. Ça s'appelle le Projet caresse. Des femmes de tous âges donnent de leur temps et de leur amour pour aller câliner des prématurés, dans les hôpitaux. C'est bon pour les bébés, et bon pour le karma.» De la même façon, je pense que les pratiques spirituelles, méditation ou autres, peuvent aider à surmonter une fausse couche. À chaque femme de trouver sa propre voie vers la guérison psychique, celle qui lui convient le mieux. Certaines, par exemple, pourront écrire tous les soirs, noir sur blanc, la liste des sept choses qui leur ont fait plaisir ce jour-là. L'idée, c'est de ressentir de nouveau de la gratitude envers la vie.

Un médecin tibétain prescrira aussi des massages, un peu d'exercice et, bien sûr, des heures et des heures de prière, de préférence en tournant autour d'un temple. Il conseillera aussi de se garder des mauvaises pensées, des mots qui blessent et des émotions négatives, telle la colère. Ma famille biologique est à la fois bouddhiste et taoïste. Donc très superstitieuse. Pour protéger chacune de ses grossesses, ma sœur de sang confectionne mille origamis miniatures en forme d'étoile. Cela me semblait absurde, mais j'ai fini par y voir une sorte de méditation extrêmement apaisante quand sur ses conseils, après ma seconde fausse couche, je me suis mise à plier moi aussi de petits papiers pour augmenter mes chances de retomber enceinte. Le simple fait de s'asseoir une demi-heure plusieurs fois par jour en se concentrant sur une forme de pliage précise aide à détendre le corps et l'esprit. On se perd dans la répétition, pour mieux retrouver sa cadence interne. Pour atteindre la paix intérieure, il n'y a pas que les origamis. Un petit coin calme et dix minutes de respiration lente et profonde peuvent faire l'affaire. En particulier le soir, avant de se mettre au lit. Le yoga, c'est très bien aussi. Dans toutes les grandes villes du monde occidental, on trouve maintenant des cours de yoga prénatal. Sur Internet également. Le bénéfice n'est pas seulement spirituel et mental : en 2005, une étude conduite par la Vivekananda Yoga Research Foundation sur trois cent trente-cinq patientes de la maternité de Bangalore, en Inde, a prouvé que les futures mamans qui, pendant leurs grossesses, suivaient des cours de yoga incluant postures, respiration et méditation risquaient beaucoup moins que les autres de donner naissance à des prématurés. Non seulement leurs bébés arrivaient-ils presque toujours à terme et en pleine forme, mais elles s'épargnaient bien des complications, comme l'hypertension par exemple.

En 2010, le National Institute of Child Health and Human Development et l'université d'Oxford ont établi qu'une femme affichant un taux élevé d'hormones de stress avait 12 % de chances en moins de concevoir un bébé durant son pic de fertilité mensuel, même si elle mettait tout en œuvre pour cela. Germaine Buck Louis, qui a dirigé cette recherche, nous explique le pourquoi du comment au travers du site Web The MedGuru : *Toute femme ayant l'intention de concevoir a intérêt à avoir recours à une méthode de relaxation. Elle s'orientera vers celle qui la détendra le mieux – à l'exception, bien sûr, de l'alcool et des cigarettes. Même chez les couples ayant recours à la fécondation in vitro, la réduction du stress a un impact très positif sur la fertilité. Et la merveille de la chose, c'est qu'il s'agit de techniques non technologiques.*

Après ma première fausse couche, en 2006, j'ai tout tenté pour restaurer mon énergie positive. J'ai commencé par ralentir le rythme. Puis je me suis mise à la méditation. L'un de mes mantras, c'était de remercier la vie qui m'avait donné un père et une mère si merveilleux, et de nous projeter, Monte et moi, en futurs parents tout aussi formidables. Qu'importait après tout si nous finissions par avoir un enfant par le biais de l'adoption, plutôt que de l'ADN. On verrait bien ce que nous réservait le destin. Plus question de continuer à me débattre dans l'angoisse de savoir si j'allais pouvoir retomber enceinte ou pas. Les mois passaient, mon ventre restait plat, et je me sentais étrangement calme, quasi zen. Alors qu'avant j'avais tout le temps l'impression d'être prise dans un tourbillon, une tempête. Un peu comme si j'étais prisonnière d'une boule à neige souvenir qu'une main secouait en permanence. Mon mari, qui connaissait ma tendance à me tourmenter, n'en revenait pas de me voir aussi sereine.

Cette quiétude, j'ai presque réussi à en faire un état permanent, je dis bien « presque ». J'en conclus que quelles que soient vos croyances religieuses ou spirituelles, l'essentiel, pour atteindre la paix intérieure nécessaire à la procréation, est d'accepter les incroyables capacités du corps, autant que ses limites. Cette allégeance est cruciale. Il faut se concentrer sur le don, le plaisir et l'acceptation, et se positionner harmonieusement au centre de cette trilogie bienheureuse. Aujourd'hui encore, je me répète régulièrement que j'ai une chance merveilleuse d'avoir une fille comme Sofia et un mari comme Monte. Je ne vais pas devenir bouddhiste, mais j'aime l'idée de polir mon karma telle une pierre précieuse. J'essaie de faire partie du Grand Tout plutôt que de gaspiller en vain mon énergie à vouloir le dominer. Ma voix intérieure s'est apaisée, et j'ai demandé à mon gynéco de se calmer lui aussi sur les traitements. J'ai recommencé à prier et à croire, à ma façon, en attendant aussi patiemment que possible ce qui arriverait, ou n'arriverait pas.

Et c'est arrivé !

Un paradis prénatal

Pour ce qui est de bichonner les femmes enceintes et les parents en général, la Suède squatte le haut du podium depuis près d'un siècle, grâce à ses lois et à ses choix politiques ultra-progressistes. En 1910, déjà, s'ouvraient des maternités dévolues au bien-être des nouveau-nés et de leurs mères. Aujourd'hui, près de 100 % des femmes enceintes y bénéficient de soins pré et postnatals archi-complets. Et peuvent ensuite emmener gratuitement et aussi souvent qu'elles le souhaitent leurs bébés dans des centres spécialisés, où ils sont pesés, mesurés, auscultés des pieds à la tête afin de détecter d'éventuels problèmes physiques ou mentaux. La consultation dure en moyenne une demi-heure, et après, les parents peuvent s'entretenir avec l'une des infirmières du centre, pour bénéficier de conseils avisés, tant au niveau des soins que de la pédagogie à mettre en place. Et puisque les soins sont gratuits pour les enfants, aucun parent ne se trouve jamais dans l'obligation affreuse de renoncer à un examen ou à un traitement onéreux, ce qui, malheureusement, arrive trop souvent aux États-Unis. Les esprits critiques objecteront que tout cela va de pair avec des impôts énormes et une politique sociale intrusive, mais les résultats sont là : depuis vingt ans, la Suède affiche le taux de mortalité le plus bas au monde, avec 2,25 décès pour 1 000 naissances (le taux le plus haut, c'est en Angola, avec 182 décès pour 1 000 naissances). Même une superpuissance comme l'Amérique du Nord est à la traîne : sur 1 000 naissances, 7 bébés meurent, ce qui fait piétiner les États-Unis à la vingt-neuvième place mondiale! Le faible taux de mortalité infantile de la Suède, découle directement de sa politique de santé, fondée sur une prévention prénatale très vigilante, et sur l'excellence des soins donnés aux nouveau-nés, résume Stefan Johansson, obstétricien à l'hôpital universitaire Karolinska, à Stockholm. Mais les Suédois ne comptent pas en rester là.

«Puisque le niveau de santé de nos enfants grimpe avec chaque mesure prise pour leur bien-être, c'est la preuve qu'il y aura toujours des progrès à faire», dit-il.

Belle modestie, quand on sait qu'en 2008 la Suède a été le seul pays au monde à remplir les dix commandements de l'Unicef, avec des critères allant de la qualité des structures préscolaires au taux d'enfants vivant sous le seuil de pauvreté, en passant par le budget alloué à la santé infantile.

8

Comment les Japonais laissent leurs enfants jouer aux jeux de main sans trouver ça vilain

Sofia s'est réveillée de la sieste.

«Matias et sa maman viennent nous rendre visite», lui ai-je annoncé.

Elle a eu un grand sourire et s'est mise à applaudir, ce qui est, chez elle, l'expression d'une joie intense.

Le petit Matias a trois mois de moins que ma fille. Lucy, sa mère, est sino-brésilienne, et son père, uruguayen. J'ai craqué pour ce gamin la première fois que je l'ai vu, au parc. Avec ses yeux bridés, son teint et son ossature délicate, il aurait pu être le frère de ma Sofia. Entre ses parents et nous, ça a bien collé aussi, et on a pris l'habitude de se retrouver assez souvent pour que les enfants s'amusent ensemble. En général, tout se passe à merveille entre eux, mais il arrive aussi que ça dérape.

Cet après-midi-là, l'air était chaud et poisseux. Sofia s'était réveillée toute moite de la sieste. J'ai installé sa petite piscine gonflable sur notre toit-terrasse, et les deux bambins se sont aussitôt mis à sautiller dedans, en s'aspergeant mutuellement. Ils sortaient de l'eau trente secondes, faisaient à toute vitesse le tour de la terrasse sur le camion en plastique de Sofia, ou poursuivaient le ballon de foot à coups de pied, puis retournaient dans l'eau comme deux petites grenouilles. Pendant ce temps, Lucy et moi discutions en sirotant une orangeade. Bref, rendus euphoriques par cette douce joie estivale, on formait tous les quatre une vraie image d'Épinal. Jusqu'au moment où Sofia a commencé à jouer à pousser Matias. Elle lui donnait de petits coups de paume sur les épaules, il reculait d'un pas, retrouvait son équilibre, revenait en position, et Sofia recommençait, de plus en plus fort.

— Interdit de se pousser, ai-je dit en anglais, puis en espagnol. Et comme ma fille continuait son cirque : Tu risques de faire mal à Matias, et il ne voudra plus revenir jouer à la maison, tu comprends ?

Elle me fixait avec un petit sourire satisfait.

— Tu comprends ce que je te dis, Sofia ?

Pas de réaction.

— Tu as compris, oui ou non ?

— *Sí, claro*, a-t-elle fini par répondre.

Je lui ai dit d'aller demander pardon à Matias,

qui s'était réfugié dans les bras de sa mère, et de lui faire un bisou. Elle y est allée en courant, mais je pense que c'était davantage pour me fuir que parce qu'elle était vraiment désolée.

Cinq minutes après, elle recommençait son manège. Et hop! je te pousse, et hop! je te pousse. Je l'ai sortie illico de la piscine et l'ai grondée avec plus de fermeté, en lui demandant de me regarder bien dans les yeux. Elle a dit qu'elle avait compris et ne recommencerait plus. Dix minutes plus tard, alors que les deux bambins étaient séchés et habillés, elle a poussé Matias avec la rapidité de l'éclair et l'a fait tomber, fesses en arrière, dans la petite piscine.

Plus de peur que de mal, mais il était trempé. Et moi, j'étais furax. J'ai attrapé fermement Sofia par le bras et l'ai entraînée à l'autre bout de la terrasse.

«Matias est tout mouillé, maintenant. En plus, il aurait pu se faire très mal!»

Je l'ai obligée à rester plantée là comme un piquet jusqu'à ce qu'elle finisse par grommeler que oui, elle était désolée. Pendant tout ce temps, j'ai essayé d'imaginer ce que Super Nanny aurait fait à ma place. Ma fille semblait ressentir si peu de remords que cela ne faisait qu'ajouter à mon désarroi. Heureusement, la maman de Matias a brisé la spirale infernale et remonté le moral des troupes en lançant un joyeux : «C'est fini. Allez, on passe à autre chose.»

Quand même très embêtée, j'ai foncé à l'étage du dessous chercher une couche, un T-shirt et un pantalon sec pour Matias.

Je suis plutôt du genre sévère, et plus encore devant témoins. Dès que Sofia se comporte mal en public, ne serait-ce qu'un chouïa, ça me met sur les nerfs. Surtout quand on est avec d'autres parents et d'autres enfants et qu'elle se met à en embêter un. Avant que ça ne dégénère, je fonce, cours, vole, lui fais la leçon, et s'il le faut, je la punis. Alors vous imaginez ma surprise, quand j'ai entendu parler de ces écoles, au Japon, où les bagarres entre enfants sont considérées comme une bonne chose.

UNE AMIE M'A FAIT PARVENIR UN INCROYABLE DVD : « Il faut absolument que tu voies ça ! » m'a-t-elle dit.

Il s'agissait d'une recherche menée par le Pr Joseph Tobin pour l'université de l'État de l'Arizona. En 1985, avec deux autres professeurs, David Wu et Dana Davidson, il a réalisé un reportage dans trois écoles maternelles : la première à Kyoto ; la deuxième à Kunming, dans le nord-est de la Chine ; et la dernière à Honolulu, capitale de Hawaï, où ça se passe comme en Amérique. Le pitch, c'était : trois journées ordinaires, trois écoles, trois cultures différentes. Et l'œil impartial de la caméra qui, depuis leur arrivée jusqu'à la sortie, suit les bambins dans leur petite routine quotidienne, entre activités

pédagogiques, cantine, sieste, câlins et chamaill-
leries. Les séquences ont ensuite été visionnées par
les éducateurs des trois écoles maternelles, et leurs
réactions figurent à la fin du DVD.

J'ai appelé Joseph Tobin, l'instigateur du projet,
aussitôt après avoir vu le film, et il m'a parlé avec
un bel enthousiasme des enseignements que ses collègues et lui en avaient tirés.

«Contrairement à l'école primaire, m'a-t-il dit, la
maternelle est moins un lieu d'apprentissage didac-
tique que l'endroit où le petit enfant se familiarise
avec sa culture et apprend à en faire partie. C'est là
que commence à se former le futur citoyen, et c'est
donc une période cruciale. Le but de notre projet
était de comparer et d'analyser ce début d'apprentissage du "vivre ensemble" dans les trois cultures.»

Et en effet, les approches éducatives y sont très
différentes, comme j'ai pu le constater. À commencer par les activités manuelles et les distractions
autour desquelles les maîtresses regroupent leurs
petits élèves : origamis au Japon, cubes à empiler en
Chine, jeux de rôle dans la petite école catholique
américaine de Hawaï. Mais les scènes qui m'ont le
plus marquée sont celles qui se déroulent à l'école
maternelle Komatsudani, idéalement située dans le
parc d'un temple bouddhique du xviiie siècle, en
plein Kyoto. Tout spécialement celles où s'illustre
Hiroki, un bambin de quatre ans, aussi adorable et
malin qu'insupportable. Dès le matin, pendant la

petite chanson de bienvenue, le voilà qui sort son zizi et le remue au rythme de la musique. Puis, comme il finit en général ses exercices et ses dessins avant les autres, qui eux travaillent dans un silence complet, il s'amuse à crier les réponses, à chanter à tue-tête, et fait le pitre en imitant des personnages de dessins animés. Après cela, il est encore question du zizi de Hiroki, dans sa version picturale, cette fois. Il le dessine en énorme, d'abord en bleu, en vert, puis en noir. Et la voix off de rappeler que tous les bambins de quatre ans aiment à rire et à faire rire avec des histoires de caca, pipi, zizi, fesses, mais qu'au Japon les éducateurs ne réagissent pas ou se contentent de sourire, alors qu'en Occident on réprimande l'enfant.

Tandis que les élèves font gentiment la queue pour montrer leur travail à la maîtresse, on voit Hiroki donner des coups de poing dans le dos du garçonnet qui est devant lui. Du début à la fin de la journée, il n'arrête pas de lancer des vannes, de courir partout, de jeter des crayons et autres fournitures en l'air, de pincer les petits garçons et de leur taper dessus. J'ai souvent croisé des enfants odieux, mais dans le cas de Hiroki, ce qui m'a éberluée – et qui sidérait aussi les institutrices chinoise et américaine qui, à la fin du DVD, donnent leur avis –, c'est que sa maîtresse n'intervenait pas, à croire qu'elle était aveugle à ses débordements d'agressivité. À un certain moment, elle lui chuchote vaguement quelque chose, mais ça n'empêche pas le mini-Attila de continuer à semer la terreur.

J'ai été encore plus stupéfaite quand, à la fin du documentaire, la maîtresse de Hiroki explique qu'il s'agit de sa part d'une attitude tout à fait calculée, d'une stratégie, même, fruit de nombreuses délibérations entre elle et le personnel enseignant de l'école. «Et ça fonctionne, dit-elle. Hiroki s'est assagi, depuis l'année dernière. Face à un élève turbulent, voire dysfonctionnel, mieux vaut, ajoute-t-elle, faire comme si de rien n'était, plutôt que de le punir, de l'isoler ou de l'exclure. Même quand Hiroki pousse le bouchon au max, elle évite scrupuleusement de le censurer ou de le mettre face à ses responsabilités.

«Alors qu'on était à deux doigts de poser la caméra pour dire au gamin de se calmer, au risque de compromettre la sacro-sainte neutralité universitaire, sa maîtresse, elle, restait impassible en toutes circonstances», m'a raconté Joseph Tobin.

En revanche, elle ne se prive pas d'impliquer dès que possible les autres élèves dans l'éducation du gamin, disant par exemple à une petite fille, qui pleurniche parce que Hiroki a jeté ses cartes par-dessus la rambarde de l'escalier, d'aller lui expliquer qu'il ne faut pas faire des choses pareilles.

«Un enfant apprend mieux à se contrôler à travers les interactions avec ses petits camarades que lorsque l'injonction vient d'un adulte, souligne-t-elle, face caméra. Parce que c'est le seul moyen de pouvoir continuer à jouer avec eux, tout simplement. Bien sûr, en cas de danger, je fonce, mais pas question de bondir à la moindre escarmouche.»

Le reportage date de la fin des années 1980, et depuis, la violence des jeunes et le bizutage entre élèves n'a fait qu'augmenter au Japon, paraît-il. Alors en 2002, Joseph Tobin et ses collègues sont retournés, caméra à l'épaule, dans les trois écoles maternelles du film. Dans celle de Kyoto, le principe de non-intervention était encore de mise, même si aucun élève ne se montrait aussi terrible que le petit Hiroki.

«On a demandé de ses nouvelles au directeur, toujours en poste, et il s'est étonné de notre intérêt pour un élève dont le comportement était loin d'être une exception. Il nous a dit qu'en tout cas Hiroki n'était pas devenu tueur en série, sans quoi il le saurait.»

Dans le second film, les filles sont pires que les garçons. Le documentaire montre la plus jeune de la classe aux prises avec trois plus grandes, qui veulent lui arracher son nounours. Ou le contraire, ce n'est pas clair. Toujours est-il que les quatre gamines finissent par terre, sans que la bagarre s'arrête pour autant. La maîtresse leur dit d'arrêter, mais n'intervient pas physiquement. Les fillettes se calment d'elles-mêmes et tout rentre dans l'ordre après que la plus âgée d'entre elles parvient à convaincre la plus petite que le nounours est l'ami de tout le monde.

L'équipe du film a montré ce second documentaire à des instituteurs et des parents au Japon, en Chine et aux États-Unis, et là encore, les éducateurs nippons ont presque tous approuvé ces méthodes. Seuls bémols pour certains : peut-être que la maîtresse aurait dû leur intimer de se calmer plus tôt, et profiter du conflit pour amener les quatre petites filles à en tirer un enseignement, débattre avec elles des différents moyens qu'il y avait de le régler. Pour l'équipe pédagogique de la petite école catholique de Hawaï, cette philosophie de la non-intervention était un parfait exemple des limites de l'éducation japonaise, donc de la société nippone, laquelle serait coutumière des comportements de masse irréfléchis. Les Chinois, eux, y voyaient un échec complet et un manquement aux devoirs de base, car selon eux, le rôle d'une maîtresse est de toujours contrôler ce qui se passe dans sa classe, afin de préserver le bien-être des enfants qui lui sont confiés.

Joseph Tobin et ses collègues, également spécialistes de l'éducation, étaient plus mesurés dans leurs propos, en bons universitaires. Voici ce qu'ils écrivent dans le petit livre qui accompagne le DVD : *L'apparente indifférence à la bagarre qui se déroule sous ses yeux dont fait montre la maîtresse japonaise semble une posture pédagogique légitime, si le but est d'encourager les quatre fillettes à faire face aux limites de l'affrontement afin de poursuivre leur interaction sur un mode plus civilisé. La maîtresse les pousse à trouver la solution entre elles, plutôt que de s'en remettre à sa gouverne. Contrairement à la stratégie en vigueur dans l'éducation américaine ou chinoise, qui préconise de couper court aux chamailleries avant qu'elles aient le temps de dégénérer, la maîtresse de ces quatre petites filles doit estimer les connaître assez bien pour ne pas craindre que le conflit aille trop loin et le laisser évoluer de façon à ce qu'elles en tirent un enseignement qu'elles ne devront qu'à leurs propres ressources.*

Cette non-intervention serait-elle donc un outil pédagogique? Car pendant la bagarre, la maîtresse ne manque pas se mettre entre les filles et le coin du piano pour ne pas qu'elles se blessent, et quand la plus jeune, de frustration, se met à balancer ses bras dans le vide et heurte par mégarde un élève étranger au conflit, elle ne se prive pas de la réprimander. Comme elle l'explique dans le livret du DVD : *Quand j'ai la ferme conviction qu'une bagarre, comme celle qu'on voit dans le film, ne risque pas d'aboutir à ce que l'un des élèves soit blessé, je reste en retrait et j'observe. Je veux que les enfants deviennent assez forts psychiquement pour régler eux-mêmes leurs petites querelles. Je veux qu'ils aient de l'endurance, de la suite dans les idées. Leurs bagarres sont même bienvenues, à partir du moment où c'est sans danger.*

LA QUESTION DE LA DISCIPLINE EST POUR LES PARENTS UN SUJET sensible et très personnel, que déterminent toutes sortes de facteurs, incluant les personnalités de l'enfant et de ceux qui l'élèvent, la classe sociale dont ils sont issus, tout autant que leur religion et leur culture. Même si aucune famille ne s'y prend de manière identique, les normes culturelles ont un profond impact sur les attentes des parents et la façon dont ils éduquent leurs enfants.

Tout commence donc par les valeurs fondatrices de chaque culture, et, en premier, par le regard qu'elle porte sur les enfants, écrit Meredith Small, dans son livre, *Kids : How Biology and Culture Shape the Way We Raise Young Children*. Les Occidentaux, fait-elle remarquer, ont adopté depuis deux mille ans l'idée grecque et romaine de «l'enfant malléable», sur laquelle est venue se greffer celle des puritains, laquelle part du principe que l'être humain naît enduit du péché originel et doit être purifié par l'éducation. D'où la certitude chez nous, et depuis tout ce temps, que l'enfant doit rester sous contrôle permanent.

Chez les Eskimos Utkus, par exemple, c'est tout le contraire : ils trouvent inutile d'essayer de discipliner les petits enfants, qui, selon eux, ne sont pas encore en âge de comprendre ce qu'on leur explique, dixit Jean Briggs, un anthropologue qui a étudié les cultures inuits durant plus de quarante-cinq ans.

«Chez eux, dit-il, l'éducation se fait par l'exemple, et ça marche tout aussi bien, voire mieux. »

Tandis qu'en Occident parents et éducateurs remplissent leur arsenal de toutes sortes de théories et de méthodes, allant de la supplication à l'hyper-indulgence, et de l'humiliation aux coups. Jugés hors la loi dans vingt-quatre pays, européens pour la plupart, les châtiments corporels y sont toujours monnaie courante, pourtant. Même en Suède, première nation à avoir voté la loi anti-fessée, en 1979, 10 % des parents la considèrent comme un moyen légitime de corriger les enfants récalcitrants. Les spécialistes du développement infantile sont pourtant unanimes à condamner les châtiments corporels, qu'ils trouvèrent dégradants et vains. La plupart des parents aussi, mais quand papa ou maman n'en peuvent plus, tant pis pour les belles théories. En 2010, l'Injury Prevention Research Center de l'université de Caroline du Nord rapportait qu'aux États-Unis 80 % des bambins de maternelle avaient déjà reçu une fessée. Dans des pays aussi divers que le Bangladesh, le Nigeria ou Singapour, les enfants sont carrément battus à coups de canne, parfois publiquement. Et en Afghanistan, ils sont fouettés. Susan Schmidt, une assistante sociale qui a œuvré dans un camp de réfugiés au Liberia, rapporte que les punitions physiques sont vues comme une excellente chose par les Libériens. Y avoir recours est même la preuve qu'on est de bons parents. Les baguettes de rotin et les ceinturons font partie des outils classiques destinés à corriger les enfants. Ils appellent ça «les bastonner». Et si cela doit leur laisser de telles marques sur le corps que tout le monde les verra, pas de problème, on n'est pas en Occident. Autre forme de châtiment traditionnel au Liberia, observé chez les ethnies krus, bassas et grebos : du piment rouge, frotté sur les lèvres et le nez pour s'assurer, disent-ils, que l'enfant ne recommencera jamais une bêtise pareille (ils en badigeonnent aussi les gencives des femmes en couches, afin de faire diversion à la douleur. Et pour fortifier le nouveau-né, on lui met un peu de piment doux sur les narines, chaque matin, pendant sept jours).

Ruth Benedict, pionnière de l'anthropologie culturelle, cite un autre extrême, à l'opposé de celui-ci : « La plupart des sociétés amérindiennes étaient très permissives. La soumission et l'obéissance n'y étaient pas vues comme des vertus, au contraire, à tel point qu'on laissait les gamins pousser à leur guise. Le prince Maximilien von Wied, qui a visité des tribus crows à la fin du XIXe, parle d'un père évoquant avec fierté l'insoumission et l'insolence de son petit garçon, alors même qu'elle s'exerçait contre lui. Il sera un homme, un vrai, clamait-il, plein d'admiration. »

Ce fier guerrier, dit-elle, aurait non seulement été humilié, mais très inquiet que son fils ne lui tienne pas tête. Ça aurait été de mauvais augure, pour sa future vie d'adulte, car les hommes qui manquaient d'assurance passaient pour des chiffes molles aux yeux du clan.

«Alors qu'en Occident on est obnubilé par l'éducation et la discipline. Il n'y a qu'à voir les milliers de livres publiés, les émissions de télévision et les blogs spécialisés. Ce qu'on veut, c'est que, le plus tôt possible, les enfants se tiennent comme des grandes personnes.»

Ruth Benedict n'a pas tort. Je me souviens que, dans mon enfance, les châtiments corporels étaient encore en vigueur – même qu'en cinquième certains de mes professeurs y avaient recours quotidiennement! Dans certains États d'Amérique, il y a toujours, et dans chaque classe, une *paddle* accrochée au mur. Ce n'est plus qu'une menace symbolique, mais le personnel enseignant ne fait pas moins preuve d'une tolérance zéro face aux violences verbales ou physiques entre élèves, y compris en maternelle. Depuis qu'il est interdit aux enseignants de toucher les élèves, même de les effleurer, il arrive de plus en plus souvent que l'établissement fasse appel aux forces de police pour séparer les petits bagarreurs. Pour ce qui est de la vie familiale, de nombreux parents adoptent un système préétabli de lois, de récompenses et de punitions (pas de fessées, mais on met l'enfant au coin, ou on lui donne une tâche à faire pour effacer dignement sa bêtise). On met au point des stratégies, on se donne bonne conscience ou on se remonte le moral en regardant des émissions comme *Super Nanny*,

239

bourrée de petits monstres en train de mettre leurs maisons à sac et d'épuiser leurs parents.

Ce qui m'a déconcertée, en voyant la maîtresse japonaise assumer sereinement sa politique de non-intervention, c'est qu'à mes yeux, le rôle des parents et des éducateurs était de désamorcer tout conflit avant qu'il ne vire à la guerre ouverte. L'autre point, c'est que cela ne cadrait pas avec l'image que je me faisais du Japon. Il y a quelques années, je suis allée à Tokyo et j'ai été frappée par l'impression d'ordre qui y règne, le calme et la politesse avec lesquels les gens se comportent, leur façon de faire la queue pour entrer dans le métro, ou dans les ascenseurs; on les sent prêts à prendre sur eux pour éviter tout conflit. Car la société nippone reste, et ce malgré quelques déviations, très imprégnée des principes confucéens, lesquels mettent les intérêts du groupe avant ceux de l'individu, et prônent un sens aigu du devoir, de l'obéissance, du respect des aînés, parents et professeurs compris. Même si l'effondrement de la natalité au Japon a engendré des enfants plus gâtés, donc plus difficiles à gérer, avec lesquels la société doit désormais composer. En laissant ses élèves se dépatouiller seuls face à Hiroki, explique Joseph Tobin, la maîtresse s'appliquait simplement à les préparer au monde à venir. C'était une occasion toute trouvée de leur apprendre à maintenir l'harmonie du groupe, en dépit des éléments perturbateurs. Ils en deviendraient tout à la fois plus forts et plus humains – un avis que partagent d'ailleurs les parents japonais qui ont visionné le film.

«Alors que les parents américains seraient près d'intenter un procès à l'école, si un gamin comme Hiroki n'était pas renvoyé dans la seconde», ai-je fait remarquer à Joseph Tobin.

Pour les Japonais, explique-t-il, il est primordial que l'enfant apprenne à faire face à l'adversité et à la gérer, sans quoi, plus tard, il aura toujours besoin de quelqu'un de plus fort que lui pour régler ses problèmes. Dans les écoles maternelles occidentales, c'est le contraire : on attend de la maîtresse qu'elle soit une sorte de prolongement de la mère. «Tandis qu'au Japon, souligne-t-il, l'accent est essentiellement porté sur les interactions entre enfants.»

L'Américaine Suzanne Kamata se souvient encore de son étonnement, la première fois qu'elle a été témoin de cette étrange philosophie. C'était en 1991. Elle était arrivée au Japon deux ans plus tôt, avec son mari japonais, et venait de s'installer sur l'île de Shikoku, dans une petite communauté rurale où, une fois par semaine, elle donnait des cours d'anglais. L'école maternelle, laquelle ne comptait qu'une douzaine d'élèves, était tenue par une maîtresse approchant l'âge de la retraite. Le bâtiment, qui jouxtait l'école primaire, n'était pas de première jeunesse non plus, avec sa cour de récréation clôturée comme un potager, son unique salle de classe meublée de quelques tables et chaises, prolongée par une espèce de salle de théâtre et de musique qui servait de défouloir, pendant la récré, quand il pleuvait ou faisait trop froid dehors.

Par une matinée venteuse et neigeuse, deux garçonnets se sont mis à se battre et à se donner des coups de pied. Plutôt que de les séparer, la maîtresse leur a dit d'aller se bagarrer dans la salle de musique, et devant Suzanne Kamata éberluée, elle a rassemblé ses autres élèves et les a emmenés « voir le spectacle ». Lequel n'a pas duré plus d'une minute, car devant pareil auditoire, les petits castagneurs ont brusquement pris conscience d'eux-mêmes, donc de leur comportement, et ne semblaient plus si motivés.

« Ensuite, m'a dit Suzanne, la maîtresse a eu une discussion courte mais ferme avec eux, pour les amener à reconnaître publiquement leurs erreurs de comportement. Je dois avouer que j'étais assez perplexe, pour ne pas dire choquée, mais en tant qu'étrangère, je ne me sentais aucun droit d'intervenir. »

Après vingt ans de Japon, Suzanne a fini par s'imprégner de la pédagogie nippone. Sa fille est malentendante, et à cause de ses difficultés de communication, elle se dispute beaucoup avec son frère. Leur mère essaye de ne pas s'en mêler, du moins pas d'entrée de jeu. Plutôt que de les séparer, elle préfère les encourager à trouver un terrain d'entente. « Je pense malgré tout que les professeurs japonais poussent parfois le bouchon trop loin, a-t-elle ajouté. Car s'ils évitent à ce point la confrontation, ce n'est pas seulement par pédagogie, c'est aussi parce que l'évitement fait partie de leur culture. »

Selon elle, ils n'ont tout simplement pas les compétences nécessaires pour régler les situations de conflit, et le problème, c'est que les enfants ne sont pas toujours capables de s'en sortir sans aide. Faire passer le groupe avant l'individu induit non seulement un manque d'empathie, déplore-t-elle, mais aussi un stress; l'obligation pour l'enfant de ne pas se démarquer de ses camarades, ce qui peut aboutir à un cocktail explosif. Ces dernières années, poursuit-elle, le bizutage fait régulièrement les gros titres des journaux nippons, avec la kyrielle de suicides manqués ou réussis qui en découlent. Ces adolescents, ces enfants, parfois, ont tous subi de cruels sévices physiques et/ou psychiques. Le ministère de l'Éducation s'est enfin emparé du problème. À travers des cours d'éducation civique, les enseignants essayent de «travailler» l'empathie des élèves, en leur faisant lire, par exemple, des témoignages d'enfants et d'adolescents bizutés.

LA SEULE PERSONNE QU'IL M'EST ARRIVÉ DE FRAPPER dans ma vie, c'est l'aîné de mes frères, mais dès qu'il m'a dépassée en taille et en force, j'ai arrêté. Il n'a plus eu ensuite que notre cadet pour se bagarrer, mais à l'âge de dix ans, la violence ne faisait déjà plus partie de leurs mœurs. Aussi loin que je remonte, nos parents nous expliquaient que taper, c'est mal. Ils n'étaient pas non plus adeptes de la fessée, et ne nous ont même jamais menacés de nous en flanquer une. Je ne me souviens plus trop de leurs méthodes éducatives, mais je me rappelle que mon père criait plus que ma mère, et lorsque nous n'étions pas sages, on nous envoyait «réfléchir» dans notre chambre, après nous avoir bien grondés. En tant que directrice d'école, ma mère avait l'habitude de mater des enfants – et même des parents – autrement plus difficiles que nous, et quand elle se fâchait en famille, elle le faisait sur le même ton qu'avec ses élèves.

«Il y a encore trente ans, m'a-t-elle raconté, il était tout à fait courant, même en Amérique, de laisser les gamins régler leurs problèmes entre eux. Ce n'est plus envisageable depuis que les procès sont devenus notre nouveau sport national.» Si l'on n'intervient pas à la première étincelle, dit-elle, et qu'un élève est blessé, même légèrement, cela peut avoir des conséquences énormes, pour l'enseignant comme pour l'école. En cas de bizutage aussi, un nombre croissant de parents d'élèves vont jusqu'à poursuivre l'établissement, alors que c'est une forme de brutalité qui, malheureusement, peut facilement passer inaperçue. Comme le dit ma mère : «La tuerie de Colombine et toutes celles qui ont suivi ont rendu les parents très paranoïaques, et ça se comprend.»

Depuis, la plupart des établissements ont institué des règlements disciplinaires ne laissant aucune place à la violence. «Les bagarres entre élèves, c'est tolérance zéro, dit-elle, mais le problème n'est pas réglé pour autant, comme on peut le vérifier tous les jours dans les journaux.»

MOI AUSSI, J'AI UN CÔTÉ INTRAITABLE. Quand Sofia, à peine âgée d'un an, essayait de piquer le jouet d'un autre bébé, j'intervenais dans la seconde. Elle me regardait avec ses grands yeux bruns innocents, qui semblaient dire : Je ne comprends pas de quoi tu parles. Regarde plutôt comme je suis mignonne. Et vu que mon air fâché et mes sourcils froncés la faisaient plus rigoler qu'autre chose, j'ai acquis certains réflexes. Exemple : avant l'arrivée d'un petit invité, je cachais les jouets préférés de Sofia. En particulier son petit balai taille enfant qui les rendait fous de convoitise, au point de donner lieu à de sérieux crêpages de chignon. Pas de balai, pas de problème. J'essayais néanmoins d'inculquer à Sofia l'idée que le partage est une chose formidable («Toi aussi, tu es bien contente quand un copain te laisse jouer avec ses jouets, n'est-ce pas, ma chérie?»), et inlassablement, lui répétais qu'il ne fallait pas taper («Toi non plus, tu n'aimes pas qu'on te tape, n'est-ce pas, ma chérie?»). Mais bien souvent, je perdais mon calme et me retrouvais à crier et à brandir des punitions. Sofia est un ange au caractère bien trempé, tendance que je croyais en mon devoir de combattre.

Le fait de voir comment cela se passe dans les autres cultures, d'étudier ces philosophies pédagogiques si différentes les unes des autres, m'a fait changer mon martinet d'épaule. J'ai commencé à me demander si la manière dont j'intervenais était vraiment la meilleure façon de lui enseigner le respect des autres et de leur intégrité physique et psychique. C'est alors que je suis tombée sur une autre étude fascinante, menée par George Bear, spécialiste de la discipline et de l'auto-discipline à l'université du Delaware. En 2002, il a comparé l'aptitude au raisonnement moral d'un panel d'enfants américains et japonais âgés de neuf à onze ans. Les premiers, au nombre de cent trente-deux, étaient originaires de petites villes de la côte est, entre Washington et la Floride. Les seconds, moins nombreux (soixante-quinze), venaient d'agglomérations de tailles équivalentes, situées dans la préfecture de Hyōgo, près d'Osaka. On a fait lire à chaque élève des saynètes illustrant les incidents scolaires les plus fréquents : coups gratuits, bagarres, propos méchants et/ou insultants, propagations de rumeurs désobligeantes. Après cela, on a demandé à chacun d'expliquer pourquoi il ne fallait pas commettre ce genre d'actes agressifs. 92 % des petits Américains ont répondu : « Parce qu'on risque de se faire attraper et punir. » Quel contraste saisissant avec les petits Japonais, qui, pour 90 % d'entre eux, n'ont pas même mentionné cette éventualité ! Ils jugeaient plus grave l'idée de blesser un autre enfant ou de l'humilier, et avaient déjà intégré le fait qu'il valait mieux suivre les règles de la société plutôt que celles, arbitraires et chaotiques, de leur classe d'âges. À la décharge des élèves américains, eux aussi exprimaient de l'empathie pour les souffrances d'autrui – sauf que la peur d'être punis passait en premier, dans leur décision de ne causer de tort à personne.

Les enquêteurs ont attribué cette différence à la façon dont les mères japonaises gèrent les conflits et les problèmes de discipline. Jamais d'affrontements directs ni de méthodes coercitives. Elles ont une approche beaucoup plus latérale, « en crabe », pourrait-on dire, faisant avant tout preuve de psychologie. Elles en appellent calmement au sens civique de l'enfant, à ses sentiments moraux, pour l'amener à considérer comme bénéfiques et incontournables les lois de la société. Elles n'hésitent pas non plus à pousser l'enfant à s'interroger sur le regard que les autres portent sur lui, lorsqu'il se conduit mal. Et quand deux gamins n'arrivent pas à se mettre d'accord et sont prêts à en venir aux mains, elles ont pour habitude de leur proposer de jouer à « Pierre, Feuille, Ciseaux », ce qui, bizarrement, met en général fin au conflit.

Au Japon, les adultes n'hésitent pas à manipuler l'enfant en jouant sur des cordes sensibles, telles que la culpabilité, l'anxiété et la honte. Ils lui font comprendre qu'en se comportant de travers il se ridiculise, et avec lui, sa famille, sa classe, ses professeurs, son école, voire son pays tout entier. George Bear rappelle que la honte n'est pas forcément une chose négative, même si, en Occident, elle a très mauvaise presse (surtout depuis que Freud lui a adjoint une dimension sexuelle). «Nous ne voulons pas, dit-il, que nos enfants se sentent si piteux qu'il leur faille des années de thérapie pour corriger le tir, et c'est très bien. Mais il n'est pas souhaitable pour autant qu'il ne ressente jamais ni culpabilité, ni honte, ni remords, en l'occurrence lorsqu'il fait du mal à quelqu'un.»

Kahori Mori vit à Nara, dans l'ouest du Japon. Elle a deux garçons, de sept et dix ans. «Un jour qu'ils faisaient les idiots en se roulant par terre avec leur petite bande, raconte-t-elle, mon petit dernier s'est mis debout sur le dos d'un de ses copains en criant que c'était un gros caillou. Avant de sévir, j'ai commencé par écouter ce que chacun avait à dire. Pour mon fils, il ne s'agissait que d'une blague, il n'avait pas voulu faire mal à son ami, jurait-il. Je lui ai expliqué qu'on ne se mettait pas debout sur le dos des gens, que même s'il trouvait l'idée drôle, elle pouvait avoir des conséquences graves, et que je n'étais pas sûre qu'il apprécierait, lui, qu'on lui marche dessus. Une fois rentrés à la maison, il a appelé son copain pour lui demander pardon, et moi, j'ai fait la même chose auprès de sa mère.»

Cette tendance nippone à l'autocritique découle de l'importance prédominante accordée au maintien de l'harmonie du groupe. Cela implique un conformisme que critiquent un nombre croissant de Japonais, le jugeant étouffant et lui reprochant, entre autres, de brider la créativité et la liberté d'expression. Tout cela exerce, dénoncent-ils, une pression constante sur les enfants et les adolescents, laquelle se voit encore accentuée par la non-intervention des adultes, et c'est la cause principale des bizutages dont beaucoup sont victimes.

De l'autre côté de l'Atlantique, George Bear pense que les parents et professeurs américains y vont trop fort, question autorité. Et c'est vrai que je m'entends dire à Sofia des choses comme : «On ne discute pas les ordres de ses parents!» Ou : «C'est moi le boss, tu fais ce que je te dis de faire!» Il trouve aussi qu'on distribue trop largement les punitions, en tout cas les menaces. Je ne compte plus le nombre de fois où j'ai dit à ma fille : «Tu veux aller au coin, c'est ça?»Et on fait trop de chantage, du genre : «Si tu finis ta soupe, tu auras du dessert.» Et on se fâche, et on fait des têtes terribles (j'avoue que je suis très douée pour ça).

«En Occident, regrette-t-il, on met la charrue avant les bœufs. On rabâche sans cesse aux parents et aux éducateurs qu'il faut garder l'œil sur les enfants… au cas où! Ce qui nous rend soupçonneux d'emblée à leur égard, prêts à bondir, comme si des bêtises imminentes planaient sans relâche. Mais tout cela n'a jamais empêché les enfants de faire des sottises, n'est-ce pas?»

Dans les écoles où il a travaillé, dit-il, les enseignants envoyaient leurs élèves chez le directeur à la moindre incartade, afin qu'il sévisse. Ce que ne feraient jamais les professeurs japonais, parce qu'ils s'estiment seuls responsables de la relation forgée entre eux et leurs élèves. Laquelle, bien bâtie et bien menée, affirment-ils, ne laisse place à aucun débordement.

J'imagine que ces beaux principes ne tiennent pas face à des enfants dits «à problèmes», mais avec les Japonais, j'ai appris une chose : l'enseignement du respect des lois s'inculque mieux par l'exemple et l'expérience que par la répression, et il y a un temps de maturation à respecter.

Alors que chez nous, même les meilleurs parents et professeurs en viennent souvent à confondre leçons de vie et punitions. On s'énerve, on punit sans rien expliquer, et on croit que tout est dit, assimilé. Longtemps, j'ai agi comme ça, moi aussi, mais aujourd'hui, je prends le temps d'expliquer à ma fille en quoi elle a mal agi, et si je la punis parfois, je n'oublie pas de la féliciter quand elle se comporte bien.

Comme le dit George Bear : « Il faut faire en sorte que l'enfant comprenne pourquoi ses mauvaises actions sont répréhensibles, sans quoi il les répétera. »

SOFIA CONTINUE DE ME REGARDER AVEC DES YEUX DE COCKER chaque fois qu'un gamin l'embête, comme si d'un seul mot, d'un seul geste, je pouvais lui sauver la mise. Puisqu'elle a trois ans et ses petits camarades aussi, je peux maintenant les amener à régler leurs problèmes avec des mots, plutôt qu'avec des coups. Cela lui apprend à gérer les frustrations passagères de la vie, et en général, c'est magique : au bout de cinq minutes, tout est oublié, ça rigole et ça joue comme avant. Cette souplesse de caractère propre aux enfants est une merveille, je ne voudrais pas qu'elle la perde en grandissant.

Les parents sud-américains, argentins entre autres, ont un seuil de tolérance bien plus élevé que celui des Américains, face aux turbulences des enfants et à leurs chamailleries. Le jour où on a fêté les deux ans de Matias, il s'est battu à coups de claque pour un jouet avec l'un de ses petits copains. J'ai alerté leurs pères respectifs, l'un colombien, l'autre uruguayen, mais ça ne les a pas bouleversés plus que ça. Constatant que les deux garçons n'étaient pas en danger de mort immédiate, ils sont tranquillement retournés à leurs coupes de champagne et à leur conversation. « Laissons-les se débrouiller », ont-ils dit.

Et en effet, après encore deux ou trois baffes, Matias et son petit invité sont passés à autre chose, abandonnant même l'objet du conflit, par terre, au milieu des confettis.

Malgré tout, je continue de pencher en faveur de l'intervention et de la discipline, c'est dans ma nature. Mais je m'efforcerai désormais d'être plus patiente, pour que Sofia participe elle aussi à la construction de son cadre.

La semaine dernière, quand je l'ai déposée à l'école, elle a marché droit vers le petit Pedro, le regard plein de défi, et lui a pris le gros cube bleu qu'il tenait en main. Le pauvre Pedro hésitait entre les pleurs et la folie meurtrière, mais il s'est contenté de se baisser et de ramasser un cube rouge. Que Sofia lui a aussitôt arraché des mains. Je ne savais trop quoi faire. Une partie de moi me pressait d'intervenir, de lui reprendre les cubes et de lui expliquer la vie d'un ton sans réplique. L'autre trouvait plus pédagogique d'attendre et de voir ce qui allait se passer. Et c'est l'option que j'ai choisie. Quelques secondes plus tard, Sofia ramassait un cube jaune et le tendait à Pedro, dont le visage s'éclaira d'un grand sourire. Et hop! ils se sont mis à jouer ensemble, en babillant comme deux petits anges. Je suis rentrée à la maison en me disant que j'avais bien fait de rester au seuil du conflit.

L'art de terrifier les enfants

Dans toutes les cultures, on raconte des histoires horribles, pleines de méchants, de fantômes et de monstres. Et c'est en grande partie pour que les enfants se tiennent à carreau, pris entre le marteau de la Peur et l'enclume de la Morale.

Aux États-Unis, la marmaille tremble à la simple évocation du *boogeyman* (le mot viendrait d'Écosse, ou des terribles pirates bugis indonésiens). Ce monstre sans visage ni pitié enlève les enfants pas sages, et on ne les revoit plus jamais. Dans des pays aussi divers que l'Arménie, Haïti, le nord de l'Inde et le Chili, la menace est la même, sauf que cette fois, c'est dans une grande besace que le monstre emporte les gamins désobéissants. Pareil au Liban, où on l'appelle *Abu Kees*, « le Père au sac », et au Brésil. Là aussi, *Homen do saco*, « l'Homme au sac », est un vagabond qui vole les enfants pour les vendre. Ils ont également *O Bicho Papao*, la bête dévoreuse qui croque ceux refusant d'aller se coucher.

Dans son livre *The Anthropology of Childhood*, David Lancy nous en livre tout un florilège : aux petits Navajos, on raconte que s'ils ne sont pas sages, le grand *Teibichai* gris les mangera. Et chez les Papous Benas-Benas, en Nouvelle-Guinée, le grand jeu, c'est de poursuivre les enfants avec des haches et des couteaux, et qu'ils fassent semblant d'avoir très, très peur. « Mais leur vraie grande terreur, explique-t-il, ce sont toutes les créatures maléfiques qui rôdent, enlèvent les enfants et les sacrifient, comme *Penjamun*. Ils ont aussi une peur bleue des Occidentaux qui viennent leur faire des piqûres. »

Une amie philippino-américaine, à laquelle je parlais de tout ça, m'a dit : « Moi, je ne prendrai jamais le risque de traumatiser mes gosses avec des histoires pareilles, alors qu'en bons Philippins, mon père et ma mère ne s'en sont pas privés, eux. Non seulement cela ne m'a pas laissé de séquelles, mais je n'en ai jamais voulu à mes parents, on est même en très bons termes. »

9

Comment les petits Polynésiens s'amusent
sans parents dans les parages

Quand Sofia a eu un an et demi, je nous ai inscrites, elle et moi, à Planeta Juego – «la Planète des Jeux».

«Ici, jouer est une affaire sérieuse», nous a annoncé la mince et brune Nathalie, qui nous a entraînées une heure durant, en chantonnant plus qu'en parlant, dans un tourbillon d'activités. Elle a tapé sur son tambourin pour qu'on rejoigne le cercle où plein de mamans et quelques papas applaudissaient tandis que leurs *bambinos* cognaient des maracas par terre d'un air ravi ou bavaient dans des flûtes. On a ensuite fait rouler nos bébés sur de gros ballons de Pilates avant de les guider à travers un parcours d'obstacles. La philosophie, à Planeta Juego, c'est que les parents profitent des activités proposées pour renforcer leurs liens avec leur enfant, mais aussi pour l'éduquer et le socialiser. Sofia faisait son bonheur de chaque seconde et de chaque chose : la chanson du lapin, les interrupteurs et les leviers installés sur le mur, à hauteur de bébé, les milliards de jouets et, par-dessus tout, les autres enfants.

Depuis sa naissance, le jeu s'est révélé un important moyen d'interaction entre elle et nous. Tous les trois, en famille, on a dansé, chanté, joué à cache-cache et à tout le reste, passé un nombre d'heures incalculable au parc, à bâtir des châteaux de sable. La première raison, c'est que ça nous amuse, Monte et moi. La seconde, c'est qu'une majorité de psychologues, pédiatres et autres spécialistes assurent que c'est crucial, tant pour ce qui est du développement psychomoteur que du lien parents-enfant.

La présence d'adultes dans les parcs ou autres lieux de rassemblement enfantins est un phénomène qui ne s'est amorcé qu'à la fin du XIXᵉ siècle et qu'on rencontre principalement dans les pays occidentaux. Il y a encore une quinzaine d'années, passé l'âge de huit ans, l'enfant y allait seul, un ballon ou une poupée sous le bras, et il n'y avait personne pour lui refaire ses lacets ou empêcher les bagarres. C'est encore le cas dans la plupart des cultures. Les tout-petits restent à la maison, tandis que leurs aînés, dès cinq ans, envahissent en hordes les terrains de jeux, qu'il s'agisse de véritables squares, de terrains vagues ou d'immeubles abandonnés. Ce sont des lieux de socialisation par excellence, car les apprentissages se font entre enfants, y compris celui de la discipline ou de la meilleure façon de régler un conflit.

AU SEIN DES PETITES COMMUNAUTÉS VIVANT SUR LES ÎLES POLYNÉSIENNES, tous participent à l'éducation de l'enfant ; non seulement ses parents, mais le village au grand complet. C'est ce qu'on appelle le *whanau* («l'éducation collective»). Pour ce qui est des jeux, en revanche, la communauté se repose entièrement sur l'interaction entre enfants (camarades et frères et sœurs). Il en va de même, en grande partie, pour ce qui est de la socialisation.

Professeur à l'université de Hawaï, Mary Martini a étudié les dynamiques qui régissent les communautés enfantines des îles Marquises, en Polynésie française. Au XIVᵉ siècle, la population de cet archipel montait à près de cent mille âmes, partagées en chefferies, parfois belliqueuses entre elles. Après leur «découverte» par les Européens, en 1595, qui trimballaient des maladies mortelles pour les indigènes, leur nombre a décru de façon vertigineuse, d'autant que les survivants fuyaient en masse. En 1930, ils n'étaient plus que deux mille deux cents. L'accès à la médecine a sensiblement remonté les chiffres : en 2007, ils étaient huit mille sept cents à vivre regroupés au sein de petits villages sur ces îles volcaniques et escarpées qu'ils nomment *Te Huenua Anata* («le Pays des Hommes»). Les habitants des Marquises sont aujourd'hui reliés au monde par la télévision satellite et Internet, mais leur relatif isolement leur a permis de conserver intactes beaucoup de leurs valeurs et de leurs traditions. Heureusement pour la survie de leur culture, il y a très peu de touristes, d'abord parce qu'il n'y a ni plage ni lagon, ensuite parce qu'à moins d'avoir son propre bateau il faut pour y accéder, embarquer sur l'un d'un rares cargos de croisière à y faire escale ; soit une quinzaine d'occasions par an de pouvoir y débarquer.

Quatre mois durant, et à nouveau pendant deux mois, en 1976, Mary Martini a partagé leur vie quotidienne à Ua Pou, la troisième plus grande île des Marquises. Elle a installé sa tente dans un village bâti sur la pente escarpée d'une vallée verdoyante pour observer de près une douzaine d'enfants âgés de deux à cinq ans. Avant cet âge-là, fait-elle remarquer, les adultes s'en occupent du matin au soir, les câlinent, les emmènent partout, jouent avec eux, dorment avec eux. Mais dès qu'un bambin commence à marcher et à parler, c'est fini, on le confie aux autres enfants. Les pères et leurs fils adolescents ne se consacrent plus alors qu'à pêcher sur leurs pirogues à balancier, et les mères et leurs filles aînées à leurs occupations domestiques, cuisine, entretien des *fare*, etc. On vérifie de temps en temps si tout se passe bien, mais de loin, et sans angoisse. De toute façon, les petits comprennent très vite qu'ils ont tout intérêt à ne pas jouer les bébés pleurnichards, s'ils veulent que les grands continuent de jouer avec eux. La règle est claire : le seul moyen de faire partie du groupe, c'est de s'y intégrer.

Jamais un enfant ne se retrouve tout seul. Dès le matin, la bande se forme. Les plus jeunes passent des heures à faire semblant de pêcher, de chasser. Ils font mine de barrer une pirogue à balancier invisible, l'amarrent, la désamarrent, la ramarrent, chargent et déchargent des noix de coco en guise de poissons. Ou bien ils poursuivent un gibier tout aussi invisible, ou une vraie chèvre, puis préparent un festin fait de terre, d'herbes et de cailloux. Qu'ils font semblant de déguster, comme tous les enfants du monde. Parfois, ils s'asseyent en rond pour discuter, se raconter des histoires, avant de repartir pour de nouvelles aventures. Il arrive aussi qu'ils se chamaillent, et ils n'y vont pas de main morte. Insultes, coups, jets de terre ou de cailloux (heureusement, ils ratent le plus souvent leur cible). À côté de cela, gare à celui qui se fait mal ou en blesse un autre, même involontairement. Tous les enfants du village (car les plus grands ne sont jamais bien loin) s'appliqueront à le ridiculiser. Ceux qui jouent les matamores ou font des trucs idiots subissent le même traitement.

Un matin, écrit Mary Martini dans l'un de ses articles, *un Boeing passe au-dessus de leurs têtes et ils se mettent tous à sautiller et à crier : «Avion! avion!»*

La petite Stéphanie, deux ans et demi, en tombe à la renverse d'excitation. Les enfants s'arrêtent de crier et la regardent en silence. Mais il suffit qu'elle se mette à pleurer pour qu'ils éclatent de rire en la montrant du doigt. Ils continuent jusqu'à ce que sa grande sœur aille la remettre debout en lui flanquant une petite claque au passage. Quant à son frère, quatre ans tout juste, il se saisit d'une pierre et menace de la lui lancer si elle ne se tait pas. Stéphanie hurle de plus belle, essaye de se dégager, mais sa sœur la tient fermement et répète d'un air moqueur : «Tuitui, tuitui.» («Tu fais trop de bruit.») Puis elle la remet sur ses pieds et la reconduit auprès de leur mère.

Chez ces enfants-là, il n'y a jamais ni perdant ni gagnant clairement étiqueté. Ils se débrouillent pour que le conflit tourne à la farce, l'objectif étant de dissiper la tension pour maintenir la cohésion du groupe.

La compassion est l'autre ciment du groupe, dit-elle. On console celui qui s'est réellement fait mal, on le défend en cas de vraie menace, on partage la nourriture… Mais on se moque des faibles, quitte à les charrier violemment, parce qu'aux Marquises la vie n'est pas aussi facile qu'en Occident et qu'il faut s'y préparer au plus tôt.

Le bizutage que subit au quotidien un petit Maori de quatre ans, exercé par ses pairs autant que par les adultes qui l'entourent, dévasterait la plupart des bambins américains et serait taxé de torture psychique. C'est pourtant à travers ces vexations, à la fois cruelles et bienveillantes, car tout passe par l'humour, que la communauté s'applique à l'éduquer. On lui apprend à ne pas prendre les choses personnellement, si bien qu'en peu de temps l'enfant cesse de se noyer dans le tourbillon de ses désirs et de ses frustrations. Il est alors en mesure de trouver pied en lui-même, si l'on peut dire, et peut s'affranchir du regard des autres, aussi moqueur soit-il.

James et Jane Ritchie, un couple d'anthropologues, ont conduit une étude similaire pendant trente ans, sur d'autres îles polynésiennes et en Nouvelle-Zélande. Voici ce qu'ils écrivent dans leur livre, *Growing Up in Polynesia* : *Les Occidentaux seraient probablement choqués, et même horrifiés, de voir tous ces enfants livrés à eux-mêmes, sans adultes pour les surveiller. Mais cette inquiétude perpétuelle, c'est nous qui l'avons forgée. D'abord parce que la technologie a rendu notre environnement extrêmement dangereux pour les enfants, ensuite parce que nous avons des théories bien particulières sur la nature humaine, l'une d'elle étant que les enfants ne sont pas dignes de confiance — et encore moins s'ils n'ont que leurs petits camarades pour veiller sur eux. Chez nous, on considère les enfants comme une version imparfaite des adultes, alors que pour les Polynésiens, un enfant, c'est un enfant, tout simplement. Et puisqu'ils ont leur vie d'enfant à mener, il semble évident de confier les plus petits aux plus grands, qui sont par essence mieux placés que les adultes pour les instruire et les chapeauter.*

J'ai échangé une série d'e-mails avec Jane Ritchie, et elle m'a expliqué que ce qui, chez nous, a le plus perturbé les rapports entre enfants, c'est l'école. Toutes ces heures passées sur une chaise sans avoir le droit de se parler, si ce n'est à la récréation, c'est autant d'heures que les enfants ne passent pas avec leurs classes d'âges, à développer leur sens des relations humaines. En Polynésie au moins, comme dans toutes les cultures où les familles élargies sont encore la norme, les enfants rattrapent cet apprentissage quand ils ne sont pas à l'école, en prenant soin de leurs petits frères et sœurs, cousins, voisins, ou en jouant tous ensemble dans la rue.

Quand je lui ai demandé s'il ne fallait pas essayer de réintroduire ces principes dans la vie des petits Occidentaux, elle m'a rappelé que sur une île polynésienne, l'environnement est à peu près sans danger, ce qui n'est pas le cas chez nous. « Là-bas, m'a-t-elle dit, les enfants sont libres d'errer en toute liberté avec leurs petits copains, ce qui ne serait ni possible ni souhaitable, en ville. »

Dans son livre, elle n'en déplore pas moins l'abandon de ce mode éducatif qui, selon elle, a encore sa place dans le monde occidental. À défaut de laisser nos gamins traîner en bande dans les rues, ce qui est devenu impossible, on devrait, dit-elle, valoriser et favoriser les interactions entre frères et sœurs, les laisser se débrouiller entre eux, sans mettre le nez dans leurs affaires, et, chaque fois que c'est faisable, en vacances, au parc, le week-end, ouvrir le cercle aux autres enfants de la famille, aux copains d'école, aux enfants d'amis, aux petits voisins. *Rien ne développe mieux les qualités humaines,* écrit-elle.

SOUS DE NOMBREUSES LATITUDES ET DANS BEAUCOUP DE CULTURES, le rôle de l'enfant n'est pas seulement d'être un bon compagnon de jeu pour ses petits camarades, c'est aussi de leur transmettre un certain savoir, explique l'anthropologue Patricia Zukow-Goldring, professeur à l'université de Californie, qui a étudié de près les relations entre frères et sœurs dans les petits villages mexicains. Dans ces cultures traditionnelles et agraires, dit-elle, les enfants endossent des responsabilités qui sont aujourd'hui chez nous du ressort exclusif des adultes. Pendant que les parents sont aux champs, les grands-parents supervisent la bonne marche de la maisonnée, mais ce sont les enfants de sept à onze ans qui s'occupent entièrement des plus petits. Et cela ne se borne pas à jouer avec eux une demi-heure ou à leur faire un gros câlin; ils s'amusent avec eux, bien sûr, mais ils changent aussi les couches, donnent le bain, préparent la bouillie, nourrissent leurs petits frères et sœurs à la cuillère, et les consolent quand ils sont tristes ou malades.

La socialisation des enfants par les enfants est un processus difficile et désordonné. Comme on l'a vu aux îles Marquises, ils n'ont aucun complexe à vexer ou à faire de la peine. Au sein de ces petites bandes, les directives sont simples : «Non! Ce n'est pas comme ça qu'on fait! C'est comme ça, un point, c'est tout!» Pas de politesse, pas de démagogie. Comme l'a vérifié Patricia Zukow-Goldring avec ses petits Mexicains, non seulement le système fonctionne, mais les adultes aussi en récoltent les bénéfices, et doublement : ils sont libres d'aller travailler, donc de mieux nourrir leurs enfants, lesquels, en leur absence, acquièrent des compétences qui leur serviront tout au long de la vie.

«Ils apprennent très jeunes à faire passer les besoins des plus faibles avant les leurs, dit-elle, ce qui leur donne le sens des responsabilités et les prépare de façon précoce au passage à l'âge adulte, le rendant moins brutal.»

À force d'être à l'écoute des tout-petits, pour comprendre leurs besoins et y répondre, ces enfants-là exercent leurs capacités d'empathie et de communication. Et les bébés dont ils s'occupent sont si bien stimulés par leur ardeur juvénile qu'ils ne manquent pas d'acquérir les compétences psychomotrices dont ils ont besoin pour bien grandir.

— Est-ce qu'ils se développent mieux qu'auprès d'un adulte? ai-je demandé.

— Je n'irais pas jusqu'à l'affirmer, m'a-t-elle répondu. Mais aussi bien, oui, et j'en ai la preuve.

Pour pallier la carence des systèmes de garde aux

États-Unis, elle a même suggéré que les tout-petits soient confiés à leurs fratries ou à d'autres jeunes membres de leurs familles après l'école. Sous la supervision d'éducateurs, bien sûr. «Ça coûterait moins cher que les autres modes de garde, et ça serait plus efficace», affirme-t-elle.

Les petits Américains jouissaient autrefois d'une grande liberté, eux aussi, dans les villages comme dans les villes. Après l'école ou le travail (car beaucoup aidaient leurs familles avec un petit job), leurs petites bandes joyeuses écumaient les rues, les avenues et les routes de campagne. Ils s'inventaient un monde à eux, dont ils étaient les maîtres. Un monde dans lequel il leur fallait se montrer responsables les uns des autres, et prendre soin des plus jeunes.

Les choses ont commencé à changer quand le pays s'est industrialisé et urbanisé. Dans son livre *Children at Play : An American History*, l'historien Howard P. Chudacoff dresse un graphique montrant la mainmise croissante des adultes sur l'emploi du temps des enfants. Au début du XXe siècle, explique-t-il, on a commensé à se dire qu'ils avaient besoin de plus de protection et d'éducation, ce qui impliquait une scolarisation systématique. Ça n'a pas manqué de restreindre la liberté de mouvement de l'enfant, bien sûr, ainsi que son rôle dans la société. Au sein des fratries et des petites bandes, les aînés étaient désormais moins disponibles pour veiller sur leurs cadets. Dans le même temps, les familles élargies se morcelaient en cellules lesquelles se dispersaient à travers le pays. Howard P. Chudacoff surnomme cette période « l'âge d'or du jeu et des jouets », car la raréfaction des compagnons de jeu est allée de pair avec l'émergence des jouets fabriqués en usine.

Lors d'un discours en 2008 au Brown Club de l'Oregon, il a expliqué que la bascule s'est faite en février 1955, le jour où Walt Disney et la chaîne de télévision ABC ont lancé *The Mickey Mouse Club*, la première émission quotidienne pour enfants. Et qui en était le sponsor ? Mattel, le fabricant de jouets ! « C'était la première fois qu'une firme imposait un marketing à flux tendu, jour après jour et toute l'année, plutôt qu'à Noël seulement, dit-il. Dès lors, les entreprises de jouets se sont livrées à une guerre sans merci, rivalisant d'astuce et de pugnacité. »

À partir des années 1970, le verbe « jouer » et le mot « jouet » sont presque devenus des synonymes. Les petits Occidentaux ont pris l'habitude de s'amuser seuls, d'autant que beaucoup d'entre eux disposaient désormais de chambres privatives – alors qu'avant avoir toujours ses frères et sœurs dans les pattes obligeait à l'interaction. Cet isolement n'a fait qu'empirer lorsque les jeux électroniques sont arrivés sur le marché. Aujourd'hui, nos enfants passent le plus clair de leur temps confinés à l'intérieur. Et quand on les laisse jouer dehors, c'est entre les grilles du parc, et pas ailleurs, en tout cas en ville. Avec toujours au moins un adulte pour les surveiller. Dans le même temps qu'on a restreint les libertés de notre progéniture, on est tombé dans la sur-stimulation, allant, pour certains, jusqu'à faire écouter du Mozart à des bébés en gestation. Lesquels, à peine sortis du ventre, se voient offrir des jouets dits «bons pour le développement» ou plantés devant des DVD pédagogiques.

Les parents s'inquiètent de plus en plus du bien-être et de la sécurité de leurs petits chéris, préférant les garder bouclés à la maison alors même que le nombre d'enlèvements et de meurtres d'enfants n'a quasi pas augmenté depuis cent ans. Même à la maison, on n'est pas complètement tranquille, on se méfie un peu. Produits pour bébés, jouets... les malfaçons, agents cancérigènes et les PCB rôdent, et on doit s'en remettre aux agences de surveillance gouvernementales pour veiller à la sécurité de nos marmots. Maigre consolation : en cas d'incident, on peut toujours essayer de lancer son avocat contre le label incriminé.

Dans un tel climat, comment faire confiance à des enfants pour en surveiller d'autres, même quand ça se passe entre frères et sœurs?

C'est ainsi que les parents qui en ont les capacités financières se sont mis à remplir à bloc l'emploi du temps de leurs enfants, remplaçant les intervalles de liberté à courir les rues avec les copains par une heure d'étude après l'école, ou un cours de danse, de piano…

Et c'est cela aussi qui fait que l'on passe de plus en plus de temps à jouer avec nos enfants. Pour de nombreux parents, ce n'est pas une corvée, loin de là. Comme l'écrit un journaliste du *New York Time* : *Les baby-boomers sont la première génération à avoir tout à la fois l'envie et les moyens de rester eux-mêmes des enfants, ce que prouve, entre autres, leur addiction fréquente aux jeux vidéo. Ou à l'iPad, qui se révèle tout autant leur jouet que celui de leurs enfants.*

Des dizaines d'études ont passé au crible l'interaction produite à travers le jeu entre la mère et son bébé, le père et son bébé, les deux parents et leur bébé. Toutes ont mesuré l'incidence de cette interaction sur le développement du cerveau de l'enfant, son intelligence, sa réceptivité et ses compétences cognitives. Il existe un nombre infini de livres et de sites Web qui, à travers toutes sortes de jeux, de jouets et de chansons, apprennent non seulement aux parents à jouer avec leurs enfants, mais leur expliquent comment apprendre à jouer à leurs enfants, comme si ce n'était pas une chose naturelle. Certains experts vont jusqu'à préétablir le déroulé des séances, dialogues compris. Sur le site de la National Association of Child Care Resource and Referral Agency, il suffit même d'entrer l'âge du bambin pour qu'un scénario de jeu jaillisse clef en main sur l'écran de l'ordinateur.

En fouillant parmi la littérature historique, anthropologique, psychologique et éducationnelle, j'ai été frappée par le nombre de cultures où le jeu entre parents et enfants est peu pratiqué, voire pas du tout. Où même les interactions les plus simples ne se voient pas encouragées.

Robert LeVine, professeur à Harvard, a passé de nombreuses années à étudier les Gusiis, une ethnie du sud-est du Kenya. Bien que très réceptives aux pleurs de leurs nourrissons, qu'elles prennent aussitôt dans leurs bras et nourrissent à la demande, les mamans gusiis évitent au maximum de leur parler. *Elles les regardent à peine et s'abstiennent de babiller avec eux,* écrit-il, *même lorsqu'elles les bercent ou leur donnent le sein. Pareil avec leurs bambins : jamais un compliment, jamais une question. Elles se bornent à leur lancer des ordres et à proférer des menaces s'ils n'obéissent pas dans la seconde.* Selon lui, cette attitude est en lien direct avec la mortalité infantile, très élevée chez les Gusiis, et c'est l'inquiétude que ressentent les parents à l'idée de perdre leur enfant qui les empêche de se préoccuper de son développement cognitif, émotionnel et social. Pour résumer, ils ont d'autres chats à fouetter. D'autant que ce n'est que partie remise, puisque dès que bébé quitte le pagne de sa mère, il rejoint la joyeuse bande des enfants du village, lesquels se chargeront de lui inculquer tout ce qu'il doit savoir pour bien jouer et bien grandir.

«Les Gusiis n'adressent pas la parole aux bébés, mais à deux ans et demi, ceux-ci s'expriment aussi bien que tous les bambins du monde», fait remarquer Meredith Small, l'auteur de *Our Babies, Ourselves*. La plupart des Occidentaux se diraient choqués par ce manque d'interaction entre les parents et leurs enfants, mais l'inverse est tout aussi vrai : quand Robert LeVine a fait visionner des séquences montrant des mères américaines et leurs bébés à des mamans gusiis, celles-ci ont été outrées par le fait que nous laissons pleurer nos nourrissons, au lieu de les prendre dans nos bras au premier couinement. Elles ne comprennent pas non plus comment nous pouvons avoir la cruauté de les faire dormir seuls, dans une pièce séparée.

À Civita Fantera, petite ville italienne située à quatre-vingts kilomètres au sud de Rome, les mères sont totalement dévolues à leurs bébés, allant jusqu'à dormir avec eux jusqu'à ce qu'ils aient deux ans, mais pas question de jouer avec eux pour autant. «Ce n'est pas notre rôle», ont-elles objecté à Rebecca New, spécialiste des différences culturelles, qui les a étudié 1980 et 1990.

À l'occasion, elle s'amusent trente secondes à faire «coucou, bébé! coucou, bébé!», mais cela reste bien loin des séances de jeu endiablées dont sont coutumières les mères américaines, écrit-elle dans son livre *Anthropology and Child Development*. *Elles* préfèrent se concentrer sur les soins et la nourriture, et inclure leurs tout-petits, dont elles ne se séparent pas un instant, dans leur routine domestique et leurs relations sociales. Aucune de ces mères n'a jamais songé que le jeu pouvait contribuer au développement des bébés. Et quand je leur suggérais d'essayer de jouer avec leur bambin, juste pour voir, elles se trouvaient désemparées, aucune idée de jeu ne leur venait à l'esprit. Elles me disaient en soupirant : « Je ne joue jamais avec lui. Je ne saurais pas quoi faire. »

Dans ce coin d'Italie, les pères non plus ne jouent pas avec leurs bébés. Ils se sentent maladroits, craignent de les blesser par mégarde. Pères et mères reconnaissent néanmoins que plus un bébé grandit, plus le jeu devient un élément essentiel et incontournable, dans sa vie. Dès que leurs bambins atteignent les deux ans, deux ans et demi, les mères considèrent qu'il est temps de s'en remettre en partie aux autres membres de la famille, au voisinage, aux enfants plus grands, sans pour autant abdiquer leur rôle de mamma omniprésente. Ce n'est pas qu'elles sous-estiment l'importance du jeu, simplement, elles trouvent que ces choses-là peuvent très bien se faire sans elles. Entre enfants, ou en compagnie d'autres adultes qu'elles. Dans les ruelles pavées du centre historique, où les voitures n'ont pas droit de cité, il est fréquent de voir des tout-petits sur le trottoir, confiés à la garde de leurs aînés. On croise dans la ville des bambins de deux ou trois ans se tenant fièrement debout sur le plancher d'un scooter conduit *par un grand frère ou une cousine, et d'autres qui se promènent, assis sur les épaules de leurs oncles ou de leurs grands-pères. Et d'autres encore, au marché de plein air, accrochés aux jupes d'une tante ou d'une voisine. Le but, c'est que l'enfant quitte enfin le giron exclusif de sa mère, pour devenir, en peu de temps, un membre à part entière de la communauté.*

De nombreuses recherches semblent prouver que les petits humains se socialisent et intègrent les lois propres à leurs cultures en grande partie à travers le jeu, et que les interactions ludiques avec les parents leur sont tout à fait bénéfiques. Là où le bât blesse, c'est lorsque des experts autoproclamés se permettent de prescrire le jeu entre parents et enfants comme une sorte de colle affective et éducative essentielle et incontournable, et ce quelle que soit la famille, quelle que soit la culture.

David Lancy, professeur d'anthropologie à l'université de l'Utah, est également l'auteur de *The Anthropology of Childhood, Cherubs, Chattel, Changelings*, une enquête très aboutie et très savante portant sur la façon dont la parentalité s'exerce selon les cultures. Dans un article au vitriol paru dans le *Boston Globe* et intitulé « Laissez les enfants tranquilles », il explique que, dans la plupart des cultures, les adultes pensent qu'il est puéril, ridicule, voire idiot de jouer avec les enfants. Les jeux entre enfants et parents, rappelle-t-il, sont une caractéristique des pays riches, et cette invention, fort récente, n'a pas que des retombées positives.

Intriguée, je lui ai téléphoné pour savoir ce qui lui déplaisait tant dans l'idée que les parents s'amusent avec leur progéniture. Il a commencé par me raconter que son intérêt pour le sujet venait d'une conférence à laquelle il avait assisté, à Saint Louis. Un psychologue, grand spécialiste du développement infantile, avait ouvert son speech sur la façon dont les parents pouvaient et devaient introduire les jeux de cubes. David Lancy l'avait alors interpellé, lui faisant remarquer que ce genre de recommandation ne pouvait être généralisé, vu que l'idée de jouer avec un bébé, et plus encore de lui enseigner des choses à travers le jeu, n'avait même jamais effleuré les trois quarts des parents de la planète. Du haut de son estrade, le conférencier lui avait jeté un regard incrédule, avant de rétorquer qu'il était persuadé que tous les papas et les mamans du monde, sauf les mauvais parents, bien sûr, joueraient volontiers aux cubes avec leurs bébés, s'ils disposaient du matériel. Lancy lui a répondu que, dans la plupart des pays et la plupart des cultures, les bébés n'ont pas de jouets, et s'ils en avaient, leurs parents ne prendraient pas le risque de les poser par terre pour s'amuser à quatre pattes avec eux, parce que c'est sale, qu'il y a des pierres coupantes, des insectes qui piquent et même des serpents, parfois.

Après la conférence, David Lancy a relu deux fois la plaquette listant les conseils aux parents. Laquelle allait jusqu'à édicter des programmes ludiques tout spécialement destinés aux familles à bas revenus, qui ne pouvaient pas se payer le luxe d'acheter des jouets pédagogiques. «Tout partait du principe, dit-il, que le jeu entre enfants et parents était une pulsion naturelle, nécessaire, essentielle, et que si la mère et, dans une moindre mesure, le père ne jouaient pas avec leur bébé, l'attachement se ferait moins bien, avec des séquelles sur le développement futur, non seulement de leur relation, mais de l'enfant lui-même.»

Une vision des choses bien réductrice, selon lui. «On ne peut certainement pas généraliser, m'a-t-il dit. Même si le jeu entre parents et enfants est en effet une pratique de plus en plus répandue au sein des classes moyennes européennes, américaines et asiatiques, ce n'est pas une raison pour calomnier et stigmatiser ceux qui ne sacrifient pas à cet usage!»

C'est donc par esprit de contradiction, au départ, que David Lancy s'est fait l'avocat de la défense – ce qui ne l'empêche pas de reconnaître les retombées positives des activités ludiques, lui-même ayant beaucoup joué, confesse-t-il, et en y prenant grand plaisir, avec ses deux filles quand elles étaient petites. L'essai qu'il a écrit suite à cette conférence, publié par l'American Anthropological Association, a retenu l'attention des médias. Lancy y donne de nombreux exemples prouvant que le jeu entre parents et enfants n'est en aucun cas une pratique mondialement et uniformément répandue, ni une recette universelle. Appuyé par d'autres anthropologues, il réfute l'idée selon laquelle le jeu serait, quelle que soit la culture, une condition *sine qua non* de l'attachement parents-enfant et du bon développement de ce dernier, apprentissages et équilibre émotionnel compris. Sa devise, quand il s'adresse aux professionnels aussi bien qu'au parents, c'est : *Don't turn nurture into nature*, qu'on pourrait traduire par : « Ne confondez pas l'acquis et l'inné. La culture n'est pas la nature. »

« Le problème, poursuit-il, c'est quand une culture prédominante comme la nôtre, habituée à lancer les tendances et les modes, se met à considérer ses particularités comme des généralités et en vient à les croire innées, biologiques, génétiques. »

SI MA FILLE POUVAIT ME DÉCRIRE, je pense qu'elle me dépeindrait comme une maman plutôt marrante, mais la vérité, c'est que quand je ne suis pas d'humeur, je ne suis pas marrante du tout. Et puis j'ai une opinion assez mitigée sur les relations ludo-éducatives, je l'avoue. Il y a plein de choses que je prends plaisir à faire avec Sofia, lire des histoires, rendre visite à des amis, me promener, mais jouer, ça me passionne moins. Ou plutôt, il ne faut pas que ça dure trop longtemps. Mon mari est un bien meilleur compagnon de jeu pour notre fille. Il a plus d'imagination que moi, il est aussi plus créatif, plus artiste. Monte accompagne Sofia à la guitare pendant qu'elle chante ses petites chansons, ils font semblant d'aller à la chasse aux papillons, ou fabriquent un livre «comme dans les librairies» avec les dessins qu'elle gribouille. À table, pendant le petit déjeuner, tous deux font mine d'être dans un 4×4 en plein safari et se montrent du doigt, en les décrivant avec enthousiasme, toutes sortes d'animaux exotiques invisibles. Moi, il me faut du concret. Dès que je ne suis pas débordée par le travail ou les tâches ménagères, je ne tiens pas plus de trois quarts d'heure sans sortir faire un tour. J'aime voir du monde et voir le monde. Quand j'allais avec Sofia à Planeta Juego, c'était moins pour jouer avec elle et travailler nos interactions que pour me retrouver dans une dynamique de groupe. Ce qui me plaisait le plus, là-bas, c'était de côtoyer des mères très différentes de moi et de constater qu'on formait une sorte de tribu malgré tout. Mes moments préférés, c'étaient quand nos bambins s'amusaient ensemble entre deux ateliers, tandis que nous, les mamans, on se racontait nos petites histoires, voire nos petits secrets.

Mon secret à moi, c'est que je me sentais coupable de ne pas aimer jouer. J'en ai débattu avec les autres mères de Planeta Juego, avant de lancer la discussion sur Facebook – en interrogeant des parents au hasard. Voici la première réponse que j'ai reçue : *Mon fils aîné a quatorze ans, le second, seulement quatre. J'adore jouer avec eux aux Lego, aux Kapla, aux toupies Beyblade, au foot, à des jeux de société, aller à la piscine faire des plongeons rigolos, ou regarder des dessins animés en leur compagnie. Qui donc pourrait ne pas aimer passer des moments de qualité avec ses enfants ? On est à la fois leur professeur, leur ami et leur compagnon de jeu.* Même si certains se sont montrés plus nuancés dans leurs réponses, celle de cette mère, presque outrée par la question et à la limite de la revendication, illustre bien la façon dont la plupart des parents américains pensent qu'il convient de se positionner de nos jours.

Ils étaient néanmoins tous d'accord sur l'idée que partager avec ses gamins des moments de qualité n'impliquait pas forcément de passer ses journées à quatre pattes à jouer avec eux, ce qui m'a grandement soulagée. Sans régler mon problème pour autant. Car s'il n'y a pas que les jeux avec papa et maman, dans la vie d'un enfant, il n'en reste pas moins que lorsqu'on a un seul et unique rejeton et qu'on vit loin des siens, comme nous, il n'est pas évident, pour le divertir et lui faire découvrir la vie, de se reposer sur d'autres que soi. Heureusement pour Monte et moi, la plupart de nos amis sont dans le même cas. Eux aussi vivent à des milliers de kilomètres de leurs familles, eux aussi ont eu leurs enfants sur le tard (quand Sofia est née, j'avais trente-quatre ans, et mon mari, trente-six). Alors dès qu'on peut, on se réunit pour que nos bambins jouent ensemble, comme s'ils étaient cousins. Ce ne sont pas les îles Marquises, mais ils forment quand même une petite bande bien sympathique. Les plus grands ne manquent jamais d'encourager Sofia, de la mêler à leurs jeux. Avec eux, elle rigole encore plus qu'avec nous. Rien qu'à l'idée de voir Henry ou Morena, qui ont un an de plus qu'elle, elle saute dans ses sandales, alors qu'avant d'apprendre la bonne nouvelle elle refusait obstinément de les enfiler. Ils ont beau lui enseigner plein de gros mots et lui transmettre quelques mauvaises habitudes (comme de prendre l'air dégoûté devant un plat de légumes, ou de renverser le contenu de l'assiette par terre), l'espèce de fratrie qu'elle forme avec eux m'enchante tellement que je suis prête à faire des concessions. Elle a même un «presque petit frère», qu'elle adore : Adrian, né deux mois après le deuxième anniversaire de Sofia. Elle lui donne le bain, le biberon, et pas seulement parce que c'est comme jouer à la poupée. Je crois que le fait de se trouver souvent en compagnie de bébés lui donne envie de faire comme les papas et les mamans, de suivre leur exemple. Ça l'aide à grandir, ça la responsabilise, la rend prévenante et serviable, ce qui est de bon augure pour sa relation à sa petite sœur, qui naîtra au mois de mai.

Quoi qu'il en soit, les réunions d'enfants à l'occidentale, c'est plus compliqué. Car chez nous, tout commence et finit avec les adultes. Il faut d'abord que les familles aient entre elles quelques atomes crochus, et la volonté de se réunir, puis qu'elles choisissent un endroit adéquat où le faire, qu'elles se mettent d'accord sur un créneau horaire en fonction du travail et des diverses occupations des uns et des autres. Ensuite, il y a les enfants qui font la sieste, et ceux qui ne la font plus… Bref, c'est toujours un peu un casse-tête et, du coup, on se retrouve à tout planifier comme des hystériques. J'ai beau me refuser à être le genre de mère qui programme la moindre minute de vie de son enfant, comment faire autrement, dans notre monde moderne? Sofia avait à peine deux ans quand je l'ai inscrite à l'école maternelle et à des cours d'arts plastiques, parce qu'elle adorait dessiner et colorier. Et aussi, je l'avoue, parce que j'aimais l'idée qu'elle soit entourée d'enfants plus âgés qu'elle, qui la stimule-raient. On a brièvement essayé les cours de danse, vu qu'elle adore aussi danser, mais on a trouvé que ça lui faisait un emploi du temps trop chargé. D'autant que depuis quelques années, les experts en développement infantile s'accordent à dire qu'il faut laisser aux enfants des moments de vacuité, qu'ils meublent eux-mêmes et à leur guise. Quelques sessions quotidiennes de jeu libre, livré à la seule imagination de l'enfant, est un excellent moyen, disent-ils, de développer le self-control et les appren-tissages. Il existe même des ateliers pour enfants et des colonies de vacances spécialisés dans la pratique du « jeu libre » (l'historien Howard P. Chudacoff fait remarquer, non sans ironie, que derrière cette prétendue autonomie, il y a des adultes qui organisent et chapeautent tout jusque dans le moindre détail). Mon mari et moi, nous essayons donc de laisser régulièrement à notre fille des moments de liberté, ou plutôt d'illusion de liberté. Qu'elle soit seule ou avec sa bande de copains. Et c'est valable aussi quand on rend visite à nos familles, aux États-Unis, car elle savoure d'autant mieux les retrouvailles avec ses cousins – le plus vieux a vingt-deux ans, le plus jeune, un an. On prend plaisir à la regarder vivre sa vie, à la savoir en train de jouer avec les enfants de nos amis, dans la pièce d'à côté, ou occupée à faire des châteaux avec de petits inconnus, dans le bac à sable du parc, à trente mètres du banc où nous sommes assis, à la surveiller, l'air de rien. Elle joue, découvre des choses par elle-même et à travers les autres enfants, elle se chamaille avec eux, se réconcilie, et c'est aussi ça qui lui apprend la vie et les rapports humains. Nous en sommes bien conscients, Monte et moi. On a beau orchestrer ces rencontres, nous, les adultes, il n'en reste pas moins que ce sont nos enfants qui leur donnent le tempo, et c'est cela qui rend chacune d'elles unique, spéciale, ce qui varie les bénéfices.

Il m'arrive de plus en plus souvent de jouer avec Sofia, de jouer vraiment, je veux dire, et cela avec d'autant plus de plaisir que j'ai pris conscience que cela ne durera pas toujours. Elle n'a que trois ans, mais le temps file vite. Du coup, on est moins enclins à sortir le soir, son père et moi. On reste avec elle jusqu'à l'heure du coucher, et notre temps devient le sien. On lui lit des livres, elle nous prépare des soupes imaginaires sur sa mini-cuisine, on lui apprend les lettres de l'alphabet, Monte et elle dessinent des bonshommes moustachus sur l'ardoise magique…

Elle nous inclut joyeusement et à sa guise dans ses jeux, quitte à nous interrompre en pleine conversation, mais quelle importance? Le jour où elle se bouclera dans sa chambre, préférant discuter au téléphone ou sur Facebook avec ses amis viendra bien assez vite, trop vite. Alors même quand je suis fatiguée, ou pas d'humeur, je danse avec elle sur Michael Jackson (sa chanson préférée, c'est *I'm Bad*, mais pas question d'y voir un signe!). On joue, on s'amuse ensemble, jusqu'à ce que les aiguilles de la montre et ses paupières lourdes nous rappellent, à son père et à moi, que le lendemain n'est pas si loin que ça.

Les jouets à travers l'histoire

La poupée : dès la préhistoire, les humains ont confectionné, en bois, en pierre ou en glaise, des figurines à leur image ou à celle de leurs dieux. On a retrouvé une poupée en albâtre, avec des bras mobiles, datant de l'époque babylonienne, et des centaines d'autres, en bois peint, remontant à vingt siècles avant notre ère, certaines dans les caveaux de riches familles égyptiennes, d'autres dans des tombes d'enfants grecs ou romains.

Le cerf-volant : on ne connaît pas avec certitude l'origine de ce jouet, mais une légende chinoise raconte que tout a commencé avec un fermier qui, fâché de voir son chapeau s'envoler sans cesse à cause du vent, l'a attaché avec de la ficelle. Les cerfs-volants ont toujours beaucoup amusé les enfants. Encore aujourd'hui, dans de nombreux pays, c'est l'un de leurs jouets de prédilection. Les adultes, eux, s'en servent parfois à d'autres fins : le porte-parole d'une association américaine réunissant des mordus de cerfs-volants raconte qu'au IIe siècle avant J.-C. (dynastie Han) le général Han Hsin a envoyé un cerf-volant à tête de monstre survoler la ville fortifiée qu'il avait l'intention d'attaquer pour effrayer la population. Les pêcheurs des mers de Micronésie, pour leur part, accrochent un appât au bout ; c'est très efficace pour attraper les poissons. Pour les météorologues aussi, c'est un outil de travail incontournable.

Les billes : les historiens pensent que cette invention remonte à 2500 avant J.-C. Les billes les plus anciennes sont en pierre. Elles ont été trouvées en Asie du Sud, sur un site archéologique proche de Mohenjo-Daro, et datent de la civilisation Harappa, l'une des toutes premières qu'ait connues l'humanité. Dans la Grèce et la Rome antiques aussi, les enfants jouaient aux billes, mais avec des noisettes. Selon le site iMarbles.com, les enfants hébreux, le jour de la pâque juive, s'amusaient également avec des noix, par tradition.

Le boomerang : impossible d'en dater l'apparition avec exactitude, mais selon boomerang. com, l'invention de ce drôle d'objet volant est vraisemblablement due au hasard : un chasseur de la période préhistorique, voulant perfectionner son bâton de jet, l'aurait taillé de façon à le rendre plus plat, donc plus coupant, et une fois lancé, aurait eu la surprise de le voir revenir vers lui. Le boomerang est utilisé par les aborigènes d'Australie depuis une dizaine de milliers d'années, mais c'est en Europe qu'on a retrouvé les plus anciens bâtons de jet. Les aficionados ont beau dire que c'est un article de sport, pas un jouet, les enfants du monde entier s'amusent avec depuis des siècles, ou avec ses variantes, comme le Frisbee.

10

Comment les Mayas mettent leurs enfants au boulot

J'ai décidé de trouver un job à ma fille.

Oui, vous avez bien lu. Et oui, elle n'a que trois ans. Je vous vois d'ici vous récrier en chœur, comme n'ont pas manqué de le faire mes amis : «Voyons, Mei-Ling, l'enfance passe si vite. Elle aura tout le temps pour ça, quand elle sera grande!»

Du calme, je ne parle pas de la faire embaucher en usine. Je parle juste de la charger d'une corvée simple, toujours la même, qui lui donnera l'impression d'avoir un vrai petit boulot.

Comme la plupart des enfants, Sofia passe presque toutes ses journées à jouer, mais elle atteint aussi l'âge où le travail manuel l'amuse, et autant profiter de cette délicieuse naïveté pour la faire participer aux tâches ménagères. C'est un bon moyen de l'habituer à prendre part de manière active,

quoique progressive et ludique, au bon fonctionnement de la maison, non?

Il y a plein de pays dans le monde où les enfants
sont associés très tôt à la bonne marche du foyer,
où jeux et corvées se mêlent harmonieusement,
même s'il s'agit en majorité de contrées agricoles et
peu industrialisées. Mes sœurs de sang elles-mêmes
ont passé une partie de leur enfance à travailler aux
champs au coude à coude avec mes parents biologiques, et ça ne les a pas traumatisées ni empêchées
de jouer ou d'aller à l'école. En Asie, en Afrique,
en Amérique du Sud, la plupart des enfants aident
leurs parents, et pas qu'un peu. Ils prennent soin du
bétail, de leurs petits frères et sœurs, et beaucoup
ont un vrai petit job. Le tout sans rechigner, car
l'enfant est bien conscient que la survie de sa
famille, au sens propre, passe par la participation
active de chacun de ses membres. Ils savent qu'on
compte sur eux, et ça les rend fiers. Loin de moi
l'idée de faire un tableau idyllique des conséquences
de la pauvreté, mais je ne peux m'empêcher d'être
impressionnée par le sens des responsabilités dont
font preuve ces enfants dès l'âge tendre, et par
la persévérance, le courage et la bonne humeur
qu'ils mettent dans leur implication. Des qualités
qui les accompagneront toute leur vie et qui, trop
souvent, font défaut aux enfants de culture capita-
liste et citadine, avec des conséquences parfois dra-
matiques sur leur existence future. Il m'est arrivé

cent fois d'entendre des parents se plaindre de devoir supplier, voire soudoyer leurs gamins pour leur faire laver la moindre casserole ou sortir les poubelles. Combien d'entre eux sortiront du lycée le bac en poche, certes, mais incapables de faire une lessive ? Comment en est-on arrivé à de telles compétences dans certains secteurs, bien souvent virtuels, et à une telle inaptitude, à la limite de l'invalidité, dans des domaines pourtant essentiels du quotidien ?

Je n'ai pas pu m'empêcher d'aller voir comment d'autres parents, dans d'autres cultures, se débrouillaient pour inculquer le sens du travail, donc de l'effort, à leurs enfants. Tout a commencé quand, à la dernière réunion parents-professeurs, la maîtresse de Sofia m'a dit que ma fille avait des problèmes avec le rangement – ce qui était aussi le cas de ses petits camarades. La question nous a tous interpellés, les mamans comme les papas, et on a vraiment essayé de faire changer les choses. On a testé les petites chansons sur fond de morale, on a fait miroiter des récompenses, mais rien n'a vraiment marché, ça restait une bagarre de tous les jours. Pourquoi nos gamins résistent-ils ? Comment font les autres parents, ailleurs dans le monde, pour que non seulement leurs enfants ne se posent pas même la question de savoir s'ils doivent aider ou pas, mais qu'ils aient envie de participer ?

AU MEXIQUE, À UNE HEURE DE VOITURE de Mérida, la capitale du Yucatán, se trouve Petac. «Un village qui donne l'impression de remonter le temps», s'enthousiasme Colleen Casey Leonard, directrice du seul hôtel des environs, installé dans une sublime *hacienda* du XVIIᵉ siècle.

Petac compte à peu près deux cents habitants, qui, pour la plupart, vivent en familles élargies dans de vastes huttes circulaires, appelées *palapas*, ou *chozas*. Ces cahutes, construites en pierres ou à colombages, avec du bois et de la boue séchée, arborent toutes un toit fait d'un mélange de papier journal et de goudron car, avec la déforestation, les traditionnelles feuilles de palmier sont devenues rares, donc chères. Tout ce petit monde dort dans des hamacs et cuisine dehors, à l'ombre d'un manguier ou d'un avocatier. L'eau courante reste un luxe inabordable, mais chaque famille ou presque dispose d'un puits dans son jardin, et de toutes sortes d'arbres fruitiers : manguiers, avocatiers, bananiers, citronniers, orangers, pruniers, arbres à corossols et quelques arbustes à *chaya*, qu'on appelle «l'épinard du Yucatán». Sans oublier un gros buisson où rougeoient les incontournables piments *habaneros*, dont le moindre atome vous emporte la bouche. Tous possèdent également une ou deux chèvres, un cochon parfois, et des poules qui picorent sagement devant la hutte, pendant que leurs cousins les dindons se baladent en liberté dans le village.

Colleen Casey Leonard a eu la gentillesse de me mettre en relation avec les employés de son hôtel et leurs familles. C'est ainsi que j'ai fait la rencontre de Crescencia Dzul May, laquelle, à soixante-cinq ans, n'a quasiment jamais quitté son village. En tant qu'aînée de quatre filles, il fallait qu'elle reste auprès de sa famille pour aider aux travaux domestiques et champêtres.

«Mon père n'avait pas de fils pour lui prêter main-forte, alors dès l'âge de quatre ans, j'ai pris l'habitude de l'accompagner à la chasse, de cultiver à ses côtés notre lopin de terre, de l'aider à récolter le sisal au coupe-coupe. On se levait avant l'aube et on se mettait en route dans la nuit noire. Un jour, un serpent m'a poursuivie et j'ai couru en criant de terreur me réfugier dans les jambes de mon père. Qui s'est fâché et m'a ordonné de laisser ce pauvre serpent tranquille.»

Crescencia s'est mise à rire et le soleil a fait briller ses dents en or, métal précieux qui ne faisait qu'accuser la pauvreté de ses vêtements, ses rides précoces et l'usure de ses mains. À six ou sept ans, il lui fallait déjà, après avoir récolté le sisal, en faire des ballots et aller les déposer au point de ramassage, où les gens de la *hacienda* venaient les récupérer pour en faire des cordes. Entre deux corvées, elle aidait à débiter des souches d'arbre, que son papa revendait pour trois sous aux paysans du coin, lesquels, aujourd'hui encore, ne cuisinent qu'au feu de bois. «Mon travail ne rapportait pas grand-chose, dit-elle, mais cela améliorait un peu l'ordinaire et j'étais fière de ma contribution.»

Quand ils revenaient des champs ou de la chasse, le père se reposait dans son hamac jusqu'à ce que le repas soit servi, tandis que la fillette courait s'occuper de ses petites sœurs, balayer la hutte, laver le linge, récurer un plat ou aider sa mère à préparer à manger. Son travail, c'était de piler les grains de maïs pour en faire de la pâte, et de mettre la mixture à cuire sur le *comal*, la plaque à tortillas, parce que la cuisine, c'était le rayon presque exclusif de la *madre*. Le menu n'était pas compliqué : c'était tortillas au petit déjeuner, tortillas à midi, tortillas le soir, mais la maman de Crescencia s'efforçait de varier ce qu'elle mettait dedans, et parfois, il y avait même un peu de viande ou de poulet. Après le repas, il fallait retourner aux champs. Dès que les petites sœurs ont eu l'âge minimum requis, elles aussi ont suivi leur père.

Arrivait-il à Crescencia de jouer? «Non. On travaillait sans cesse. Il n'y avait pas le choix. On était très pauvres.»

Si pauvres qu'ils devaient quelquefois se contenter d'un hachis d'écorces de citron et d'oignons rouges fourré dans une tortilla. Si pauvres qu'aucune des quatre filles n'a jamais eu la chance d'aller à la petite école du village, car leur père ne pouvait se passer de leur aide. Pas vraiment ce qu'on appelle une enfance de rêve, semble-t-il. Sa famille était-elle heureuse? Crescencia était-elle heureuse? Elle n'a pas su me répondre. Les questions existentielles, ce n'était apparemment pas son fort.

La vie qu'elle a menée avec son mari et leurs neuf enfants était un peu plus facile, dit-elle, car son homme, employé dans la grande ferme du coin, percevait un salaire chaque mois. Mais à la fin des années 1970, la *hacienda* a fermé ses portes et le mari de Crescencia a dû se remettre à chasser et à cultiver des fruits et des légumes pour nourrir la famille. Il ramassait du bois, le revendait, achetait trois caisses d'oranges à un petit producteur du coin et allait au marché de Mérida essayer de faire un petit bénéfice dessus... Les garçons suivaient leur père partout. Jusqu'à la fin du primaire, ils sont allés à l'école, raconte-t-elle, mais à l'âge de sept ans déjà, ils se débrouillaient pour faire des petits boulots et apportaient leur maigre contribution à l'escarcelle familiale. Au même âge, les filles étaient déjà très actives, pour ce qui est des tâches ménagères. La plus jeune, Marlene, a commencé à s'occuper de Will, son petit frère, dès l'âge de cinq ans, et elle y mettait beaucoup d'enthousiasme. En vrai, aucun des neuf enfants ne faisait de distinction entre le jeu et le travail. Chacun faisait ce qu'il y avait à faire, c'est tout. Et si c'était parfois difficile, jamais aucun membre de la famille ne se plaignait.

Mme Leonard, la directrice de l'hôtel, trouve néanmoins que l'école a fait évoluer les choses, et elle le constate avec son personnel. Maria del Soccoro, par exemple, qui a trente ans et travaille aux cuisines, espère que la scolarité mènera ses fils à un meilleur avenir. Elle-même ne sait ni lire ni écrire, mais elle est très fière de son fils Juan José, qui accumule les bonnes notes et rêve de devenir professeur. Ça ne les a pas empêchés, son mari et elle, d'impliquer leurs enfants, dès leur plus jeune âge, dans la bonne marche du foyer. À tout juste dix ans, Juan José passe le balai, ramasse les ordures, arrose le lopin familial, et ainsi de suite. Alexander et Eliazar, cinq et trois ans, suivent déjà son exemple. Le plus jeune est très fier d'avoir un vrai petit seau à sa taille pour aider sa mère à rapporter du puits l'eau qui sert à la cuisine et à la lessive.

Il y a peu, la petite famille a pu s'offrir un lopin de terre de dix mètres sur trente, pour y planter des arbres fruitiers, des *chilis* et des légumes. Quand Gustavo, le mari de Maria, va travailler au champ, les deux petits insistent pour l'accompagner (Juan José, lui, est à l'école, pendant la journée). Malgré leur jeune âge, leur père les laisse utiliser des coupe-coupe tranchants et à moitié rouillés. En réalité, les deux garçons ne travaillent jamais plus de quelques minutes d'affilée, ils s'arrêtent souvent pour observer leur père, ce qui est aussi une excellente manière d'apprendre. «En nous aidant, m'a dit leur mère, ils s'aident eux-mêmes, pour plus tard, car ils sauront ce que c'est que de fournir des efforts pour s'occuper de leurs futurs foyers, de leurs futures familles. »

CETTE VALORISATION DU SENS DE L'EFFORT a été observée de près par la psychologue Suzanne Gaskins, rattachée à l'université de l'Illinois. Elle s'est penchée sur un autre village maya, situé dans l'est du Yucatán (elle refuse d'en dévoiler le nom, pour éviter que des touristes trop curieux y débarquent). Depuis 1978, elle s'y est rendue au moins une fois par an. Elle y a même construit une hutte, et a appris à parler le yucatèque, ce qui a fait d'elle un membre reconnu de cette petite communauté. Laquelle a bien changé en trente ans, dit-elle. À l'époque, tout tournait autour de la culture du maïs, comme au temps des anciens Mayas. Les hommes quittaient leurs *palapas* à l'aube pour aller aux champs, arracher les mauvaises herbes, bêcher, semer, arroser les jeunes plans, puis venait le temps des récoltes. Avant de planter leur maïs, ils pratiquaient la culture sur brûlis, ou déboisaient de nouveaux lopins de terre. Les femmes, elles, consacraient une grande partie de leur journée à nettoyer les épis, à les faire bouillir ou à les égrainer avant de moudre les grains, car le maïs entrait dans la composition de chaque repas.

Et puis il y a eu Cancún, ses plages et l'explosion du tourisme. Une véritable révolution économique et culturelle à quelques dizaines de kilomètres de leur village. Les paysans ont commencé à délaisser le maïs en faveur du petit commerce, allant vendre leurs fruits et leurs légumes en ville, et leur artisanat aux touristes. Et avec l'amélioration du réseau routier, la télévision est arrivée dans le village, même Internet passe, parfois.

Il y a une chose qui n'a pas changé, cependant : les familles continuent de considérer l'effort et le travail comme les vertus les plus nobles. Dès l'âge de deux ou trois ans, l'enfant nourrit déjà les poules. À cinq ans, sa mère commence à lui confier un petit frère ou une petite sœur. C'est lui qui lave le bébé dans la bassine, lui donne à manger une fois sevré, le surveille, joue avec lui… Les filles participent à la lessive et à la cuisine, les garçons aident leurs pères à récolter les produits agricoles qu'ils vendront au marché de la ville. Presque tous vont à l'école, mais cela ne les dispense pas d'aider à la maison.

Cette participation quotidienne n'est pas simplement destinée à soulager leurs parents, dit Suzanne Gaskins. Elle a aussi pour but de préparer en douceur les enfants au passage à l'âge adulte, d'en faire de bons travailleurs, capables d'assurer la survie de leurs futures familles. Apprendre à fonctionner en société, à résoudre des problèmes ou à se positionner en fonction de sa personnalité et de son sexe sont des compétences que les petits Occidentaux acquièrent en grande partie par le biais du jeu. Les petits Mayas du Yucatán, eux, les acquièrent à travers le travail. Ils sont perpétuellement en prise avec le quotidien et la réalité, et même si cette existence laborieuse ne développe pas la créativité autant que le jeu, elle aide ces enfants-là à se sentir utiles et importants, tout en leur inculquant des compétences essentielles à leur survie présente et future.

Dans un essai rédigé pour *The Child : An Encyclopedic Companion*, Suzanne Gaskins décrit des enfants de son village secret en train de travailler : *J'ai interrogé deux sœurs, Mar, huit ans, et Chula, neuf ans, pour savoir ce qu'elles faisaient tous les jours après l'école. Elles m'ont répondu qu'en général, elles commençaient par faire la lessive (à la main, dans des bassines). Avec fierté et enthousiasme, elles m'ont raconté qu'elles avaient le droit non seulement de laver leurs vêtements à elles, mais aussi ceux de leurs petits frères et sœurs. Avec une once de supériorité, Chula, l'aînée, a ajouté qu'elle avait même parfois l'occasion de laver les habits de son grand frère. Quand je leur ai demandé si ça ne les embêtait pas de devoir faire des tâches ménagères après l'école, plutôt que d'aller jouer, elles m'ont répondu que non, qu'elles étaient très contentes de pouvoir aider leur maman. Parfois, elles terminaient leur travail assez tôt pour jouer à la maman ou à la marchande avec leurs petits frères et sœurs, et ça, c'était super aussi. Mais s'il fallait s'arrêter en plein jeu pour donner un coup de main à la cuisine ou pour le ménage, ce n'était pas un problème. Leur maman commençait même à leur apprendre à broder, annoncèrent-elles avec des yeux brillants. Le temps et l'énergie que ces enfants consacrent aux corvées domestiques et l'enthousiasme qu'ils y mettent sont sans commune mesure avec ce qui a cours dans les cultures industrialisées*, écrit Suzanne Gaskins. Le jeu, dit-elle, est une éventualité plus qu'une priorité, et ce dans l'esprit des enfants eux-mêmes.

Les gamins du village sont si investis de leur rôle qu'ils réclament encore plus de travail. Ça me paraît hallucinant, j'ai même du mal à y croire, mais Suzanne Gaskins, elle, trouve ça tout à fait logique : tout d'abord, déclare-t-elle, ces enfants-là sont témoins au quotidien du travail des adultes. Tout se passe sous leurs yeux, au sein même du village. Et en général, il s'agit de tâches et de gestes assez simples et répétitifs pour être imités. D'autre part, les parents veillent à assigner les tâches en fonction de l'âge de l'enfant et à guider ses premiers pas de travailleur. Un petit de trois ans pourra se voir confier un bébé, mais la maman restera dans les parages pour lui expliquer ce qu'il doit faire, ou ne pas faire. Suzanne Gaskins ajoute que la seule pression que les parents exercent sur l'emploi du temps de leurs enfants porte sur le travail domestique, et que pour le peu de temps libre qu'il leur reste, ils leur fichent une paix royale, ce qui constitue une réelle soupape, dont les petits Occidentaux pourraient être jaloux.

À notre époque, dans nos sociétés industrielles très préoccupées de savoir si les enfants jouent bien et suffisamment, où le seul moyen d'accès à une vie heureuse et pleine de succès, pense-t-on, repose sur les études, on peut trouver la vie des petits Mayas rude et âpre. Et pourtant, à lire et à entendre ces témoignages… Bref, je n'étais guère plus avancée.

Suzanne Gaskins m'a aidée à trancher : attendre d'un enfant qu'il prenne part aux corvées ménagères, dit-elle, ce n'est pas comme l'enchaîner dix heures par jour à un métier à tisser, ou le faire travailler dans une mine de charbon. En général, ce qu'on demande à ces enfants n'est ni dur ni déplaisant. La preuve, c'est qu'ils sont toujours partants pour en faire plus, car ils apprécient les sentiments de compétence et d'appartenance que leur procurent ces petits travaux. «Je pense que trop travailler, c'est comme trop jouer : l'un et l'autre comportent des avantages et des désavantages. C'est vrai aussi pour l'école. Je trouve que la plupart des petits Occidentaux ne travaillent pas assez, en dehors des devoirs d'école, qu'on les responsabilise trop peu, et cela les empêche d'acquérir certaines compétences.»

Selon elle, notre société protège nos enfants du travail, mais pas de l'école, qui les coupe de la vie concrète presque huit heures par jour. Or il y a aussi beaucoup à apprendre de la réalité du quotidien, en s'y frottant chaque jour. L'idéal serait de trouver un juste équilibre entre ces deux modes éducatifs.

Dans les cultures qui impliquent les enfants dans les tâches domestiques, m'a-t-elle dit, ceux-là paraissent plus stables, plus ancrés. Et ce n'est pas dû au poids des travaux dont on les charge. C'est plus léger, plus impalpable que cela : il s'agit d'un sentiment d'appartenance qui découle de la certitude d'être utile et compétent pour des choses ayant de l'importance et de la valeur aux yeux des adultes.

Maria Zeitland, qui enseigne à l'université Tufts, a beaucoup écrit sur les pratiques parentales des Yorubas du Nigeria. Contrairement aux Occidentaux, lesquels considèrent souvent le travail domestique des enfants comme un premier pas vers leur exploitation, les Yorubas, eux, n'y voient que de bonnes choses. Le travail manuel, disent-ils, doit commencer dès le sevrage du bébé et faire partie de son quotidien, afin qu'il apprenne la vie. Sitôt qu'il sait marcher, on commence à le stimuler en le chargeant de petites commissions. On lui demande d'aller rechercher un objet et de le ranger à la bonne place. On l'envoie même acheter un sachet de sucre ou de sel, chez le boutiquier.

Transporter des objets, faire attention à ne pas les casser ou les perdre en chemin sont de menus services qui apprennent aux bambins à se repérer dans l'espace, à faire la différence entre le bas, le haut, l'intérieur et l'extérieur, à suivre des instructions séquentielles, ainsi qu'à connaître la topographie du village, écrit-elle.

Faire seul l'emplette d'une boîte d'allumettes ou apporter de la part de sa maman des beignets à la voisine, par exemple, conduit également le petit enfant à développer son langage et son sens des interactions sociales. D'autant qu'à son retour on ne manque pas de lui demander de raconter comment ça s'est passé. On l'encourage à restituer le plus fidèlement possible les gestes et les paroles des uns et des autres (en restant dans le factuel, car les ragots sont très mal vus chez les Yorubas).

DANS TOUTES LES SOCIÉTÉS, et ce depuis la nuit des temps – du moins jusqu'à une époque assez récente, pour ce qui nous concerne –, on a attendu des enfants qu'ils fournissent leur part de travail. Chez les Giriamas, une ethnie du Kenya, le mot «bambin» se traduit par *kahoho kuhuma madzi*, ce qui veut dire «assez grand pour aller chercher une tasse d'eau». C'est donc de là que partent les expectations parentales, explique l'anthropologue Martha Wenger. De l'âge de huit ans jusqu'à la puberté, une fille est appelée *muhoho wa kubunda*, ce qui signifie littéralement : «capable de porter une botte de maïs». Et un garçon *muhoho murisa*, «capable de surveiller les troupeaux». Le Pr Gerd Spittler nous apprend pour sa part que chez les caravaniers du désert malien, les petits garçons commencent à prendre soin des chèvres dès quatre ans, ensuite vient le tour des zébus, puis des chameaux, ce qui les prépare pour plus tard, quand ils devront à leur tour guider leurs familles à travers les dunes, dans des conditions de vie qui comptent parmi les plus difficiles au monde.

L'état d'esprit occidental sur la question du travail des enfants diverge totalement de celui du reste du monde, et constitue même le plus gros point d'achoppement moral et culturel, écrit l'anthropologue David Lancy dans *The Anthropology of Childhood : Cherubs, Chattel, Changelings. Chez nous,* poursuit-il, *il existe des lois pour préserver les enfants du monde du travail. On pense qu'ils y perdraient leur sacro-sainte innocence, entre autres choses, et que cela les détournerait des études. Dans le même temps et sur la même planète, un grand nombre de cultures, si ce n'est la majorité, y voient le plus sûr chemin vers l'âge adulte, la meilleure des ouvertures. Le principe est si bien ancré dans les mentalités que ces enfants, impatients de gagner un peu d'argent, de-ci, de-là, pour contribuer aux frais du foyer, s'engagent d'eux-mêmes et avec enthousiasme sur la voie du travail. Avec certaines compétences déjà, de par leur habitude précoce du travail domestique.*

David Lancy décrit dans son livre le quotidien des enfants de l'île de Ponam, en Nouvelle-Guinée, où les petits garçons, dès l'âge de dix ans, construisent de petites pirogues à balancier et apprennent à naviguer dessus. « Cette façon que nous avons de refuser de voir nos enfants grandir et de les traiter indéfiniment comme de petits êtres dépendants et immatures n'est pas sans conséquences», m'a-t-il dit.

Il admet avoir lui aussi choyé ses filles, mais trouve que de nos jours, on pousse le maternage trop loin. «Le fait de se montrer extrêmement concerné et protecteur se révèle contre-productif, à partir d'un certain âge. Ça devient de la névrose. On n'agit même plus dans l'intérêt de l'enfant.»

D'après lui, les enfants sont plus résistants et autosuffisants qu'on ne le pense. «En Nouvelle-Guinée, par exemple, les bambins sont autorisés à tailler des bouts de bois à la machette, et personne ne s'inquiète quand ils jouent avec le feu. S'ils se blessent, on considère que cela fait partie de la vie, et qu'ils en verront bien d'autres, car là-bas, le milieu naturel s'avère souvent hostile.»

Il en va ainsi dans tout le tiers-monde, explique-t-il, et le résultat, c'est que, à l'âge où ces enfants-là se posent déjà en membres actifs et indépendants de la communauté, les nôtres sont encore en pleine crise d'adolescence et ne savent toujours pas se comporter en société.

Cela me semblait faire sens. D'autant que dans l'un de ses articles, la psychologue Suzanne Gaskins évoquait elle aussi le prix à payer pour notre positionnement face au travail des enfants. «Ce mode éducatif que nous improvisons depuis quelques décennies, m'a-t-elle dit de vive voix, est en grande partie fondé sur l'apologie du jeu et de l'innocence,

laquelle, pense-t-on, passe par la déresponsabili-
sation des enfants.»

Un postulat dont les effets à long terme se
révèlent bien souvent désastreux : crises identitaires,
inadaptation sociale, narcissisme, individualisme,
égoïsme, par habitude du «moi d'abord». Avec, à
la clef, une incapacité à fournir un effort suivi, une
démotivation nourrie d'inaptitude et de découra-
gement face aux exigences du monde du travail,
donc une estime de soi dégradée, une fois soumise
aux réalités de la vie.

Même son de cloche du côté de David Lancy :
«Nous savons bien que notre culture ne produit
pas que de bonnes choses. Cette culture, dite de
référence, affiche les plus hauts taux de dépression
infantile, et c'est bien la preuve que notre culture,
soi-disant d'élite, se paie au prix fort. Nous, professeurs, voyons de plus en plus de brillants lycéens
baisser les bras, une fois à l'université. Papa et maman
ne sont pas sur le campus, alors ils sombrent, incapables de prendre soin d'eux-mêmes. Et pourtant,
l'université, ce n'est pas la jungle!»

VOILÀ CE QUI M'A CONDUITE À ME CREUSER LA
TÊTE pour trouver un petit job à Sofia.

Le déclic s'est fait un dimanche matin, devant
la montagne hebdomadaire de linge propre à plier,
qui menaçait de s'écrouler. Je me suis souvenue
de ma mère, laquelle, en bonne directrice d'école,

n'hésitait pas à nous réquisitionner, et hop, ni une ni deux, j'ai installé ma petite chérie sur une chaise à côté de moi, et c'était parti pour sa première tâche ménagère. Résultat, elle s'est tellement amusée à déplier ce que je pliais que j'ai fini par la limiter au roulage en boules des chaussettes. Ça ne l'a pas intéressée du tout. Elle a préféré s'emparer d'un pantalon en haut de ma belle pile au cordeau, pour le déplier en le secouant. Puis elle a joué aux marionnettes en enfilant une chaussette de son père sur son bras, avant de jeter son dévolu sur la chemise que je venais de repasser. Elle a enlevé son short et son débardeur pour l'enfiler comme une robe, et j'ai laissé faire, parce que c'était assez irrésistible. Néanmoins, je ne me vois pas vivre ça à chaque lessive, je préfère attendre quelques années avant de retenter l'expérience.

Je me suis rabattue sur une chose plus simple : Sofia m'aiderait plutôt à faire le lit. L'idée lui plaisait énormément, mais ce qui lui plaisait encore plus, c'était quand je secouais le drap, juste au-dessus de sa tête. «Encore, maman, encore!» On a joué à ça pendant deux minutes, puis j'ai bordé un côté du lit, la chargeant de border l'autre. J'ai fondu de tendresse en la voyant s'appliquer à nous imiter, son père et moi, dans notre première tâche du matin, mais le résultat était loin d'être aussi charmant que le spectacle. Il m'a fallu tout recommencer à zéro, une fois que Sofia a eu le dos tourné.

Son père a suggéré qu'elle devienne notre masseuse attitrée, parce qu'on a la nuque raide, le soir, après des heures passées sur l'ordinateur.

«Ou alors dépoussiéreuse en chef de la maison», a-t-il proposé avec plus de sérieux (c'était son job, quand il était petit. Sa mère rangeait, et Monte passait le plumeau). «Pas bête! ai-je répondu. Sofia adore essuyer des trucs!»

C'était pas mal, mais ce ne pouvait être qu'une occupation occasionnelle, pas un job au quotidien, ai-je regretté. Monte m'a rappelé que notre fille venait à peine d'avoir trois ans, et que l'occasionnel, c'était déjà un bon début.

Suzanne Gaskins aussi a tempéré mes ardeurs : «On n'est pas dans le Yucatán, m'a-t-elle dit, où la participation des enfants est une question de survie pour leurs familles. Vos motivations et les résultats que vous attendez du travail de votre fille restent dans le contexte du jeu, ce qui n'est pas le cas chez les Mayas. Ils n'impliquent pas leurs enfants dans une vie de labeur pour s'amuser, eux.»

Sandra Hofferth, directrice du Population Research Center du Maryland, s'est lancée dans un travail de fourmi pour comptabiliser l'implication des petits Américains de moins de treize ans dans les tâches domestiques. En 2008, elle est arrivée au constat suivant : sur mille trois cent quarante-trois familles, le temps moyen passé par les enfants à rendre service était de vingt-quatre minutes par jour. 12 % de moins qu'en 1997, et 25 % de moins qu'en 1981.

Pour Sue Shellbarger, mère de famille et journaliste au *Wall Street Journal*, les conséquences du mode éducatif occidental sont faciles à constater, surtout en début d'année universitaire. «Des centaines de milliers de bacheliers intègrent leur premier campus et, moins de quinze jours plus tard, on les retrouve avec des boutons partout, à cause de la malbouffe, leur linge a déteint et ils n'ont plus qu'une paire de chaussettes sales à se mettre. On parle d'une montée en flèche du changement sociologique, mais moi, je vois plutôt une chute libre», m'a-t-elle dit avec un petit rire.

Et ça ne s'arrange pas avec l'âge! De nombreuses études sur les jeunes adultes montrent que ce changement a des conséquences sur les futures vie de famille et vie sociale de ces gamins.

Ces mêmes recherches prouvent statistiques à l'appui, que les jeunes couples qui partagent les tâches ménagères sont plus heureux que les autres. Pourtant une étude conduite par un professeur de sociologie de l'université de New York révèle que sur soixante jeunes femmes âgées de dix-huit à trente-deux ans, 90 % espèrent que leurs futurs compagnons de vie s'impliqueront, pour ce qui est de prendre soin des enfants et de la maison, et ce de manière engagée, solidaire et égalitaire. Une autre étude portant cette fois sur cinq cent six couples américains, publiée en 2006 dans *The American Journal of Sociology*, révèle que les foyers les plus stables sont ceux où les hommes participent aux travaux domestiques. Et selon le Pew Research Center, la majorité des jeunes Américains, hommes et femmes, place carrément le partage des tâches sur la troisième marche du podium du bonheur conjugal, juste après la fidélité et la bonne entente sexuelle. Il faut dire que grâce à la technologie moderne, les tâches ménagères empiètent de moins en moins sur l'emploi du temps des femmes occidentales. Elles qui, dans une autre vie, auraient été les vestales du foyer et pas grand-chose d'autre ne se contentent plus de gérer le pécule familial. La majorité d'entre elles travaille, ce qui leur permet de mettre du beurre dans les épinards (ce qu'elles faisaient déjà autrefois, mais seulement au sens propre). Pour peu qu'elles en aient les moyens, elles n'hésitent plus à embaucher quelqu'un pour ranger et nettoyer à leur place. De la même façon, beaucoup de parents refusent de stresser leurs enfants en les harcelant pour qu'ils mettent la main à la pâte, car le temps réservé à décompresser, à se détendre, est devenu sacré. Le rêve américain a bien changé : à l'époque de nos parents, c'était le travail qui était sacré ; aujourd'hui, ce sont les loisirs. C'est peut-être aussi, dans l'inconscient collectif, une manière de rendre hommage aux ancêtres. Ne se sont-ils pas brisé le dos dans les champs, les mines et les usines pour que leur descendance ait une vie meilleure?

N'empêche que moi, c'est décidé, j'implique ma fille, je la mets au boulot. Ma mère ne s'en est pas privée avec moi et ça m'a plutôt réussi. Petite fille, j'avais deux jobs : plier le linge et passer l'aspirateur. Mes frères, eux, tondaient la pelouse et arrosaient le jardin. Quand on nous demandait un coup de main, on ne disait jamais non. Le virus du travail était en nous. Adolescente, j'ai commencé à gagner un peu d'argent en faisant des baby-sittings, puis en travaillant comme hôtesse sur des foires et des salons. J'avais une telle hâte d'entrer dans le monde du travail et d'être indépendante que les efforts, au lieu de m'abattre, me donnaient des ailes.

Les travaux de Marty Rossman, spécialiste de l'éducation et de la famille, et professeur émérite à l'université du Minnesota, ont tout spécialement retenu mon attention. J'y ai trouvé des réponses à ma grande question du moment, à savoir : mettre ma fille au boulot, ou pas. Le Pr Rossman s'est fondée sur un panel de quatre-vingt-quatre jeunes adultes pour étudier la façon dont le mode éducatif auquel est soumis l'enfant influe sur sa qualité de vie future. Selon elle, la participation ou la non-participation aux tâches ménagères à un âge précoce, c'est-à-dire trois ou quatre ans, est un indicateur quasi infaillible des succès ou insuccès que l'enfant rencontrera à l'âge adulte. En impliquant leurs enfants, dit-elle, les parents leur inculquent le sens des responsabilités, ce qui les amène à acquérir des compétences, lesquelles boostent leur confiance en eux et leur conscience de leur propre valeur, et c'est là un étayage qui les soutiendra leur vie entière. D'autres études mettent en avant le fait que cela encourage le sens du partage, de l'altruisme, de la communauté, lesquels font si tristement défaut, de nos jours. Alice Rossi, professeur de sociologie à l'université du Massachusetts, a analysé les us et coutumes de trois mille familles. Résultat : la plupart des adultes impliqués dans des actions de volontariat et/ou des associations avaient pris part, enfants, aux tâches ménagères.

J'ai demandé à Suzanne Gaskins si la façon dont elle a élevé ses trois enfants, aujourd'hui adultes, avait été influencée par son étroite fréquentation des Mayas. « En tout cas, ça m'a ouvert les yeux sur le fait que je manipulais les centres d'intérêt de mes gamins, à force d'organiser leur emploi du temps, y compris leur temps libre. J'ai corrigé le tir en les encourageant à aller vers leurs propres aspirations, à agir de leur propre chef. On apprend aussi de ses erreurs. »

En confiant des tâches domestiques à leurs jeunes enfants sans rester derrière leur dos à les surveiller, dit-elle, les Mayas leur laissent mille petites occasions de faire des choix au quotidien, donc de se tromper, ce qui est le début du progrès. «Tout le contraire des Occidentaux!» regrette Gaskins. Selon elle, nous plaquons sur notre progéniture des attentes à la fois précises et floues (devenir quelqu'un de bien, faire de bonnes études plus tard…), ce qui les rend anxieux et hyper-dépendants de notre regard, car on ne passe pas, sans conséquences, son enfance entière suspendu à la future approbation de ses parents.

DANS LA FAMILLE, NOUS AVONS UNE GRANDE CONSIDÉRATION POUR LE TRAVAIL et c'est une valeur que je tiens à transmettre à ma fille. Je veux qu'elle se sente investie dans la bonne marche de la maison, afin qu'elle soit capable de gérer son propre foyer, le jour venu. Finalement, je vais la remettre au pliage du linge, et si elle met dix minutes à plier une chemise, qu'importe, il faut un début à tout, non? J'attendrai patiemment qu'elle ait fini, même si cela bouscule mon programme. L'essentiel, c'est qu'elle en retire de la satisfaction, pas question d'en faire une punition. Mais pas question non plus de la récompenser en retour. Je lui demande simplement de m'aider, c'est tout.

Pour ce qui est de son petit job attitré, je pense qu'il doit être en rapport avec la nature, la vraie, parce qu'on vit dans une jungle de béton. Il lui arrive souvent de nourrir notre joli poisson chinois, mais ce n'est pas assez. À partir de demain, Sofia sera chargée d'arroser les fleurs, ce qu'elle a toujours fait avec plaisir, bien que de manière occasionnelle.

Même en hiver, le soleil tape dur sur notre terrasse. Les pétunias et les bégonias en souffrent, alors qu'ils sont censés adorer les UV. Monte et moi oublions trop souvent de les arroser, mais j'ai dans l'espoir qu'à force de demander à notre fille de le faire elle finira par y penser d'elle-même. J'aimerais que cela devienne une habitude chez elle, comme de se brosser les dents après les repas ou de se laver les mains en sortant des toilettes.

Pourquoi remettre les sages décisions au lendemain ? Finalement, on a commencé aujourd'hui même. Après la sieste de Sofia, on est allés directement sur la terrasse.

– Qu'est-ce qu'on va faire ? lui a demandé son père.

– Je vais jouer. Avec mes jouets.

– Non, chérie. De quoi vient-on de parler, tu t'en souviens ?

– Oh ! les fleurs ! les fleurs ! s'est-elle exclamée avec un grand sourire en marchant vers notre petite plantation.

Monte a rempli le petit arrosoir de Sofia et, tandis que j'écartais les obstacles de leur chemin, il l'a aidée à arroser les fleurs en évitant autant que possible qu'elle soit éclaboussée, car à Buenos Aires, l'automne est froid et venteux, surtout sur notre terrasse. Une fois de plus, on avait mal choisi notre moment, il aurait fallu faire ça en été, mais on était malgré tout assez satisfaits : même si ça a pris vingt minutes et qu'on était trois pour faire un truc qui nous aurait pris dix fois moins de temps, à Monte ou à moi, c'était pour la bonne cause. Et puis c'était un bonheur de voir à quel point chaque goutte versée remplissait Sofia de fierté. Monte a quand même fini le travail, parce que le vent s'est mis à souffler plus fort encore et qu'on était trempés et frigorifiés.

Les enfants aussi
ont d'incroyables talents

En voici quelques exemples, cités dans *The Anthropology of Children* :

• Dès l'âge de huit ans, le petit Ache du Paraguay sait s'orienter dans les labyrinthes tentaculaires de la forêt primaire. Il maîtrise déjà le maniement de l'arc et de la sarbacane, même s'il lui faudra attendre son dixième anniversaire pour passer dans la catégorie chasseur.

• Les petits Zapotèques du Mexique connaissent par cœur la flore locale. Ils peuvent réciter le nom de chaque plante aussi bien qu'un ethnobotaniste chevronné.

• Au Liberia et au Ghana, les bambins kpelles, à cinq ans, servent de messagers d'une maison à l'autre.

• Sur les îles Togian, en Indonésie, les garçons commencent à pêcher sérieusement, pour nourrir leurs familles, dès l'âge de sept ans.

• Et c'est à cet âge aussi que les fillettes hazdas, de Tanzanie, excellent à la cueillette au point de rapporter plus de nourriture qu'elles n'en consomment.

• Sur les hauts plateaux du Tibet, à six ans, les enfants se voient déjà confier les troupeaux de yacks et de moutons.

• Dans l'archipel de Torres, situé entre l'Australie et la Papouasie-Nouvelle-Guinée, à six ans, on reçoit son premier harpon, pour pêcher la sardine du rivage. Et entre deux sardines, l'enfant ramasse des fruits de mer. À dix ans, la plupart des garçons sont aussi bons pêcheurs que leurs pères.

11

Comment (et pourquoi) les petits Asiatiques travaillent bien à l'école

Mes copines trouvent que j'en demande beaucoup à Sofia. Combien de fois les ai-je entendues me dire : «Elle n'a qu'un an!» «Elle n'a que deux ans!» «Elle n'a que trois ans!»

J'ai fini par demander à l'une d'elles ce qu'elle insinuait par là, et elle s'est mise à me débiter la liste : Un, l'avoir bassinée avec la chanson de l'alphabet dès huit mois, en lui désignant la bonne lettre à chaque fois. Deux, lui avoir inculqué les bases de la discipline dès un an, et l'usage du pot dans la foulée. Trois… Je l'écoutais, bras croisés, un peu sur la défensive. Apparemment, j'avais tout de la mère obsédée par les performances de sa gamine, mais ce n'était pas du tout comme ça que je me voyais.

Et si mon amie disait vrai? Jusque-là, j'avais toujours eu le sentiment d'avancer au gré des curiosités

313

de ma fille, en harmonie avec son évolution naturelle, et voilà que je me torturais à essayer de comprendre pourquoi je lui avais acheté un puzzle alphabet quand elle n'avait qu'un an, comme si j'avais commis un crime.

Mon amie s'est gentiment moquée de moi : « Du calme, tu n'es pas un monstre. C'est vrai que tu es assez exigeante avec Sofia, mais tu l'es plus encore avec toi-même, c'est ta nature. Peut-être que je serai comme toi, quand j'aurai des enfants, va savoir… »

Elle me souriait avec amitié, mais dans ses yeux, je me voyais toujours sous les traits d'une maman hystérique. Le genre qui inscrit sa fille de cinq ans à *Spelling Bee.*

Spelling Bee est un jeu télévisé très populaire aux États-Unis. Les meilleurs élèves du pays viennent s'y défier sur des questions d'orthographe. Quand j'étais journaliste à Washington, j'ai couvert l'événement plusieurs années de suite. Je suivais les candidats locaux tout au long de leur période d'entraînement, puis pendant l'émission, et ça me fascinait de voir des gamins hauts comme trois pommes capables d'épeler sans faute des mots que j'avais moi-même du mal à prononcer, tels que « *pfeffernuss* » (petit pain d'épice rond). Je n'en revenais pas de la capacité de mémorisation et de l'aplomb des petits compétiteurs, pouvant se concentrer tout en regardant droit dans les yeux des millions de téléspectateurs. Mais ce qui m'a le plus surprise, c'est que les dernières années, la plupart des vainqueurs étaient d'origine asiatique, tendance qui n'a fait que se confirmer depuis.

En 2008, sur douze finalistes, sept l'étaient. La finale s'est jouée entre Sidharth Chand et Sameer Mishra, l'un comme l'autre issus de parents récemment immigrés du centre de l'Inde. Détail amusant : les deux enfants voulaient devenir neurochirurgiens, plus tard. En 2009, Anamika Veeramani, élève de cinquième à North Royalton, Ohio, est devenue la sixième gagnante native d'Asie du Sud, ces douze dernières années. Elle avait, entre autres, réussi à épeler correctement « *stromuhr* », mot de racines allemandes désignant un instrument de mesure que plus personne n'utilise, inventé en 1867 par un certain Carl Lutwig et destiné à évaluer la quantité de sang qui s'écoule par unité de temps dans un vaisseau sanguin. La victoire de cette jeune fille paraît d'autant plus exceptionnelle que le pays compte moins de 1 % d'Indo-Américains.

Les statistiques prouvent que les Asiatiques travaillent mieux à l'école que les autres. Aux États-Unis, ils ne représentent que 5 % de la population, mais 15 à 20 % de l'effectif des grandes universités, comme Yale, Harvard ou Princeton. Dans son livre *Beyond the Classroom*, le psychologue Laurence Steinberg écrit : *De tous les facteurs de réussite, l'origine ethnique arrive en tête de liste. Mieux vaut être asiatique qu'issu d'une famille riche,*

que d'avoir des parents non divorcés ou encore une
mère présente à plein temps à la maison.

Plus avantageux d'être asiatique? C'est vrai qu'à
l'école et à l'université j'ai toujours eu de bonnes
notes, mais dans mon cas, l'influence de mes origines reste un mystère, puisque j'ai été élevée par
des parents américains à 100 %. Alors, s'agit-il
d'une véritable particularité génétique ou d'un
simple mythe tricoté autour d'une minorité ethnique, comme je l'ai longtemps cru?

J'avais vu un documentaire sur une mère
chinoise qui, du matin au soir, poussait sa gamine
à jouer du piano, sur un père singapourien faisant
quasiment un lavage de cerveau à son petit garçon
pour qu'il devienne médecin plus tard, sur une
post-ado japonaise qui se rendait malade à force
de bûcher ses examens, mais je persistais à n'y voir
que des cas particuliers. En revanche, le palmarès
de l'émission *Spelling Bee* et les statistiques scolaires
et universitaires sur lesquelles je me suis penchée
par la suite m'ont amenée à me poser des questions.
Quels secrets éducatifs se cachent derrière de telles
performances? Qu'est-ce qui motive ces enfants-
là à vouloir à ce point réussir? Chose étonnante,
en Asie, contrairement à chez nous, punitions et
menaces de punition ne riment pas avec discipline
de fer. Alors comment font-ils pour inculquer à
leur progéniture ce goût de l'effort et de la persévérance qui, si souvent, les mène à l'excellence?

Les petits participants asiatiques de *Spelling Bee* ne semblaient ni apeurés ni stressés par la présence de leurs parents, pourtant assis au premier rang dans un état d'anxiété et d'excitation pas possible. Qu'ils finissent dixième, huitième, troisième ou premier, ils se précipitaient joyeusement dans leurs bras à la fin de l'émission.

Sameer Mishra, le petit coquin à lunettes de treize ans qui a gagné la saison 2008, a spontanément offert son trophée à sa mère. Il a raconté aux journalistes que ses parents l'encourageaient depuis toujours à rester calme, cool et bien concentré. «Cette victoire, a-t-il ajouté, je la dois à mes efforts, bien sûr, mais avant tout à ma famille, qui m'a poussé à travailler dur.» Non seulement l'émission de télé avait été amusante à vivre, disait-il, mais il avait tout autant adoré les longs mois de préparation, qui lui avaient permis d'améliorer considérablement son anglais. Ses parents et sa sœur l'avaient aidé à établir des listes de mots, à chercher les définitions dans le dictionnaire, à apprendre la prononciation. Ensuite, ils l'interrogeaient pendant des soirées entières, jusqu'au zéro faute. Shruti, la grande sœur de Sameer, a participé trois fois à l'émission, mais c'est grâce à des concours de mathématiques qu'elle a gagné des bourses pour les meilleures universités du pays.

Les réponses simples et directes de Sameer aux journalistes suffisent à révéler les raisons de son succès. À la BBC, qui lui demandait ses conseils aux futurs candidats, il a dit : «Donnez-vous à fond. Même si vous ne gagnez pas, vous aurez au moins appris plein de choses.»

Beaucoup d'immigrants asiatiques, en particulier ceux de la première génération, éduqués dans leur pays d'origine, sont encore dans cette logique-là. Dans des pays tels que l'Inde ou la Chine, l'excellence scolaire n'est pas seulement un sésame vers un meilleur futur individuel : la notion d'entraide y est si fortement ancrée que la promotion financière et sociale de l'un transforme la qualité de vie de la famille tout entière, en la faisant passer de la pauvreté à la classe moyenne. C'est donc un sacré challenge, car même pour les jeunes écoliers, la survie du clan passe bien avant des questions de fierté personnelle ou d'aspiration professionnelle.

D'où le fait que la réussite scolaire soit aussi valorisée dans ces sociétés, à la maison comme à l'extérieur. «Fais de ton mieux à l'école» ne signifie pas «du mieux que tu peux», mais «vise vingt de moyenne».

En Inde, l'ambiance est plus répressive. Maya Garg se souvient de la pression scolaire qui régnait au sein du quartier de Delhi où elle a grandi, dans les années 1980. «Certains enfermaient leurs gamins à clef jusqu'à ce qu'ils aient fini leurs devoirs, m'a-t-elle raconté. Et quand ils ne rapportaient pas de bonnes notes, c'était la bastonnade.» Les familles qui en avaient les moyens engageaient des répétiteurs six ou sept soirs par semaine. Quant aux enfants qui, malgré tout, ne travaillaient pas assez bien, ils n'avaient plus le droit d'aller jouer dehors, on ne les voyait plus pendant des semaines, dit-elle.

Par chance, Maya n'a pas été élevée dans ce climat, et la majeure partie des Asiatiques que j'ai interrogés non plus. Au pire, elle se faisait gronder quand elle avait une mauvaise note. Le message que lui transmettaient ses parents et ses grands-parents était clair cependant : il fallait viser l'excellence. Et pour cela, pas besoin de cris ni de menaces. « Le quotidien était très structuré, explique-t-elle. On dînait à heure fixe, on prenait notre douche à heure fixe, on faisait nos devoirs à heure fixe, et on les faisait bien. On savait qu'en donnant 100 % de nous-mêmes on était assurés d'avoir de bonnes notes. »

La mère de Maya était toujours dans les parages pour encourager ses enfants ou les aider dans leur travail. Et si l'un d'eux rencontrait des difficultés, un professeur privé était aussitôt engagé. « À l'intérieur comme à l'extérieur de la famille, être bon élève, c'était la norme. Personne n'aurait eu l'idée de vous traiter d'intello, de fayot ou de chouchou de la maîtresse. On avait plutôt de la peine pour ceux qui avaient du mal à l'école, on se demandait ce qui ne tournait pas rond chez eux. »

Une autre de mes amies d'origine asiatique, Aicha Sultan, dont la famille vient de Lahore, au Pakistan, a été élevée dans le même état d'esprit. Elle aussi avait eu conscience, dès son plus jeune âge, du travail et des sacrifices que s'imposaient ses parents afin de lui offrir un meilleur avenir. À son arrivée aux États-Unis, en 1973, sa mère ne parlait que quelques mots d'anglais. C'était tout un univers, familial, social, linguistique, culturel, qu'elle laissait derrière elle pour embrasser l'inconnu. Les communications téléphoniques coûtaient cher, les billets d'avion étaient inabordables ; pas évident de maintenir le contact avec les proches restés au pays. La seule façon de s'intégrer à la société américaine sans perdre ses coutumes pour autant, c'était que les enfants fassent de bonnes études, pour décrocher un bon travail, plus tard. Aicha et ses sœurs avaient le droit d'aller jouer avec leurs cousins ou petits voisins, mais les devoirs passaient avant tout. Et pas question de bâcler la chose en vingt minutes. Il fallait chercher la définition de chaque mot compliqué dans le dictionnaire, et l'écrire dans un cahier spécial jusqu'à la connaître quasi par cœur. « Papa me donnait de petits sujets de rédaction à faire, en plus de mon travail scolaire. Non seulement cela m'a procuré l'amour de l'écriture, mais du coup, j'étais toujours en tête de classe », dit-elle.

Pendant les vacances d'été, le grand-père de ses cousins venait du Pakistan leur rendre visite à Houston. Il apportait dans sa valise des livres de grammaire, et leur faisait l'école au minimum cinq heures par jour. Ce n'était pas un tendre, raconte-t-elle, mais il leur enseignait plein de choses. «Maman, elle, m'a fait apprendre les tables de multiplication dès la maternelle. La maîtresse lui a demandé d'arrêter, sans quoi j'aurais probablement abordé les équations et les fractions en CP!»

Elle n'en voulait pas à ses parents de focaliser à ce point sur sa scolarité, bien au contraire. Elle adorait les sentir fiers d'elle, fiers d'eux. La seule chose qui l'embêtait, c'était leur côté très strict. Surtout à l'adolescence, quand ils lui interdisaient de dormir chez des copines, d'aller à des boums, ou même de se promener au centre commercial, comme les autres filles de son âge. Ça l'exaspérait, mais elle comprenait leur position. «Je crois qu'ils avaient peur qu'on s'américanise trop, qu'on perde nos valeurs, c'est-à-dire les leurs aussi.»

Aujourd'hui journaliste, Aicha vit à Saint Louis, avec son mari et ses deux jeunes enfants, un garçon et une fille. Elle pense qu'elle les laissera plus libres qu'elle ne l'a été, mais pour ce qui est des études, elle avoue reproduire déjà le schéma de ses parents. «Dès que ma fille Ameena a eu quatre ans, je lui ai appris l'alphabet, et après quelques mois, elle lisait couramment. La lecture, c'est sa passion. J'ai demandé à son institutrice de lui donner des devoirs supplémentaires, le week-end, et elle a accepté. Mon fils n'a que cinq ans, mais dès la rentrée prochaine, je lui ferai suivre le même entraînement. Je veux que mes enfants grandissent dans l'idée de viser haut.»

CE PRÉTENDU «AVANTAGE ASIATIQUE» A ÉTÉ ÉTUDIÉ sous toutes ses coutures, aussi bien par des psychologues que par des anthropologues. Quelles que soient leurs cultures d'origine ou la diversité de leurs pays, les écoliers et les étudiants asiatiques sont presque toujours en tête de classe. En Californie, les jeunes Punjabis ont beau avoir du mal à se faire accepter par leurs camarades, et subir régulièrement des réflexions racistes de leur part, concernant leur mode de vie, leur accent, leur religion, ils obtiennent de bien meilleurs résultats scolaires que les Américains de souche. Dans *The Anthropology of Childhood*, David Lancy écrit : *Jamais ces enfants-là ne gaspillent leur énergie à blâmer leurs professeurs ou le «système». Ils sont bien conscients que ce qui les attend, s'ils ne réussissent pas leurs études, c'est de se retrouver mariés avant l'heure et/ou au boulot dans l'un de ces vergers californiens géants, à cueillir des oranges et des pamplemousses de l'aube au coucher du soleil. Pour leur mettre la pression, les parents n'hésitent pas à jouer sur la corde sensible, en leur faisant comprendre qu'un échec serait celui de la famille, voire de la communauté tout entière.* Une autre recherche, menée en Corée du Sud, démontre que, en dépit de classes surchargées et d'un budget éducatif moitié moindre qu'aux États-Unis, les jeunes Coréens obtiennent de meilleurs résultats scolaires et universitaires que leurs homologues occidentaux. Pour

David Lancy, cela tient à la façon dont la culture coréenne excelle à transcender la culpabilité, pour la transformer en piété filiale et en goût de l'effort.

En 1985, Laurence Steinberg, professeur à la Temple University et expert en psychologie de l'adolescent, a réuni une équipe pluridisciplinaire composée de psychologues, de professionnels de l'éducation et de spécialistes du développement humain, autour de la question suivante : pourquoi les petits Américains trouvent-ils normal de travailler mal à l'école ? Pendant plus de dix ans et dans neuf villes différentes, lui et ses collègues ont passé à la loupe un panel de vingt mille adolescents issus de tous les milieux sociaux et de toutes les origines ethniques, et analysé des montagnes de bulletins scolaires et de remarques de professeurs.

Nous avons été frappés par la forte incidence, écrit-il dans son rapport, *qu'exerce l'origine ethnique des adolescents sur leur vie quotidienne, qu'elle structure de façon intra et extrascolaire, car leurs grilles d'activités, leurs centres d'intérêt et leurs relations sociales en dépendent aussi.* Les statistiques, dit-il, prouvent que les élèves d'origine asiatique s'en sortent mieux que leurs homologues blancs et bien mieux que les Afro-Américains ou les Latinos. Et ce dans les meilleures comme dans les pires écoles, et quel que soit le milieu socioprofessionnel des parents. « Je n'adhère pas à l'idée selon laquelle les capacités scolaires, comme les compétences en maths et en sciences, seraient génétiques, explique-t-il. Toutes les études ont échoué à le prouver. »

La seule chose qu'on ait réussi à mesurer, dit-il, c'est l'incidence culturelle. Chez les Asiatiques, la forte attente scolaire des parents, de la famille, de la communauté tout entière, et la manière qu'ils ont d'inculquer à leurs enfants, de façon précoce, le sens du devoir et du travail font que ces élèves-là ont une exigence envers eux-mêmes bien plus élevée et rigoureuse que dans les autres cultures. Ils ont conscience des conséquences préjudiciables qu'impliquerait une scolarité mauvaise ou même moyenne, là où leurs camarades blancs, noirs et latinos se bornent, dans le meilleur des cas, à n'en concevoir que les désagréments immédiats. Comme le dit Laurence Steinberg : « Quand on demande à un élève d'origine asiatique quelle est la note la plus faible qu'il puisse rapporter à ses parents sans essuyer de réflexions, il répond seize sur vingt. Chez les Blancs, c'est dix sur vingt. Chez les Afro-Américains et les Latinos, on tombe à sept, voire à cinq sur vingt. Je pense que cela explique la suprématie des écoliers et lycéens asiatiques, pour qui scolarité ratée rime avec vie ratée. »

L'ambiance à la maison, les rares fois où ils reviennent avec une mauvaise note, contribue grandement à leur ancrer cette idée dans la tête. Leurs parents s'y prennent dès les petites classes, si bien qu'arrivés au collège ces adolescents-là n'imaginent même pas qu'il puisse y avoir d'autre voie que l'excellence scolaire. Il ne faut pas croire que les parents asiatiques sont des bourreaux pour autant, dit Steinberg. La plupart n'ont recours ni au bourrage de crâne ni aux menaces, pas plus qu'aux punitions ou à l'humiliation. Toujours est-il qu'un petit nombre d'entre eux ne s'en privent pas, loin de là, ce qui expliquerait le taux inquiétant de suicides chez les adolescents américains d'origine asiatique. Car à en croire les experts, la pression n'a que des effets délétères, si elle est trop forte. Les élèves les plus performants, asiatiques ou non, affirment-ils, sont ceux qui sont élevés de façon stricte, déter- minée, claire et nette, et dont les parents savent se montrer encourageants, sans tomber dans l'encen- sement. Qui félicitent leurs enfants en cas de bonne note, bien sûr, mais sans jamais leur faire miroiter de récompenses, argent ou cadeaux.

Laurence Steinberg (qui a eu la chance d'avoir pour mentor Urie Bronfenbrenner, le célèbre psy- chologue russo-américain) enseigne à l'université de Cornell, où il a tout le loisir d'observer la jeu- nesse américaine, issue ou non d'une immigration récente, et aussi un panel varié d'élèves venus de l'étranger, le temps de leurs études.

« Un campus, c'est un concentré de choc des cultures, dit-il. Mes élèves asiatiques, par exemple, n'arrivent pas à croire leurs homologues cauca- siens, lorsque ceux-ci racontent qu'ils se font des soirées bière-bowling avec leurs parents. Jamais il ne viendrait à leurs pères et mères l'idée de jouer les copains avec eux. »

Mais ce qui explique selon lui les prouesses scolaires et universitaires des élèves d'origine asiatique, c'est avant tout qu'ils ne sont pas éduqués à l'occidentale. « Les parents occidentaux ont fortement tendance à considérer que le succès découle d'éventuels dons ou facilités, et à faire rimer réussites et fiascos scolaires avec environnement socio-économico-culturel favorable ou non, don pour les études ou non, voire favoritisme ou injustice de la part des professeurs. Tandis que pour les Asiatiques, la réussite est le fruit du seul travail, si bien que pétris de cet état d'esprit, leurs enfants considèrent l'échec comme un simple manque d'efforts. »

Voici ce qu'écrit Laurence Steinberg, dans son livre : *Cette tendance qu'ont les parents, les élèves et même les professeurs occidentaux à considérer les capacités ou le manque de capacités de l'enfant comme indissociables de ses résultats scolaires est bien loin de la mentalité des pays en voie de développement ou émergents, pour lesquels tout tient à la motivation de l'enfant, sa volonté de réussir, le sérieux, le temps et les efforts qu'il consacre à apprendre ses leçons et à faire ses devoirs. À leurs yeux, le succès n'est pas fonction des aptitudes ou des facilités de l'élève, mais de son combat pour arriver à l'excellence.*

S'il fallait une preuve de plus de l'efficacité de la polarisation des Asiatiques sur la scolarité, je l'ai trouvée dans *Nurture Shock*, le livre de Po Bronson et Ashley Merryman. Ils y relatent l'expérience menée par le Pr Florrie Ng sur des élèves de dix à onze ans, dans l'Illinois puis à Hong Kong. Tandis que les enfants bûchaient sur un examen prévu, à leur insu, pour qu'ils ne puissent répondre correctement qu'à la moitié des questions (dans le meilleur des cas), leurs mères, lesquelles n'étaient pas non plus au courant de la combine, devaient les attendre dans une pièce contiguë. Ce n'est qu'une fois les copies corrigées et notées qu'elles ont pu rejoindre leurs enfants en salle d'examen. Et là, les mamans américaines ont eu un comportement aux antipodes de celui des mamans hongkongaises : tandis que les premières s'efforçaient de ne pas faire de commentaires négatifs, préférant discuter de choses gaies et positives avec leurs enfants, sans rapport avec l'interrogation écrite, les secondes ne parlaient que de ça, reprochant à leurs petits d'avoir sous-estimé l'importance de cet examen, de ne pas s'être suffisamment concentrés, et revoyant chaque question avec lui. Après ce moment d'interaction, les élèves sont repartis pour un nouvel examen, tout aussi difficile. Résultat des courses, les petits Hongkongais ont vu en moyenne leur note grimper de 33 %, soit deux fois plus que les petits Américains.

Si Bronson et Merryman ont donné cette expérience en exemple, c'est pour montrer qu'encourager un enfant à travailler toujours plus dur a un bien meilleur impact sur ses succès scolaires que lorsqu'on essaie de regonfler son ego en lui serinant qu'il est quelqu'un de formidable. *On pourrait croire les mères chinoises cruelles, mais c'est loin d'être le cas*, écrivent-ils. *Il suffit, pour s'en rendre compte, de visionner les vidéos de l'expérience. Les mots qu'elles prononcent sont certes fermes et sans appel, mais cela ne les empêche pas de sourire et de câliner leur progéniture autant que les mères américaines. Et elles n'élèvent pas plus la voix ni ne froncent davantage les sourcils.*

Dans *Intelligence and How to Get It*, un ouvrage qui traite de l'impact de la culture sur la réussite, le psychologue Richard Nisbett en vient lui aussi à voir dans la profonde implication des parents asiatiques la source de l'extrême motivation de leurs enfants, et donc la clef des succès scolaires et universitaires qu'ils remportent.

Pour quelqu'un qui a grandi dans la culture occidentale, il est difficile de comprendre à quel point, chez les Asiatiques, la réussite scolaire est une affaire familiale, dont les enjeux, pour l'élève aussi, vont bien au-delà de simples satisfactions égotiques. L'époque, en Chine, où, en accédant au statut de mandarin, c'est-à-dire de lettré, on faisait faire un bond économique et social à sa famille tout entière n'est pas si lointaine, et cette idée reste bien ancrée dans les mentalités actuelles. Si dans les sociétés confucéennes la réussite n'a pas pour but premier la fierté et l'enrichissement individuels, elle n'est aucunement un frein au sentiment d'accomplissement personnel. La force des Asiatiques, c'est de se battre d'abord et avant tout pour l'honneur et l'amélioration du niveau de vie de leur famille, et cette motivation se révèle le plus efficace des aiguillons. Tandis que chez nous, les Occidentaux, on nous laisse le plus souvent la bride sur le cou. Résultat, soit l'élève décide de tout donner scolairement, dans le but de réussir sa vie, de devenir quelqu'un, de gagner de l'argent ; soit il n'a pas assez confiance en ses capacités, ou n'a tout simplement pas envie de fournir des efforts, et il préfère sortir de la course. Mais si ses liens familiaux étaient à la fois plus forts et plus exigeants, et ce depuis le berceau, il n'aurait pas le loisir de tergiverser, ni l'ambivalence de se saboter, et, du coup, n'aurait d'autre choix que de donner le meilleur de lui-même à l'école, et plus tard dans sa vie professionnelle. Avec d'autant plus de décontraction et d'absence de complexes que, depuis toujours, sa famille lui aurait fait comprendre que la réussite est plus affaire de volonté que de talents innés.

Parul Pratap Shirazi, trente-quatre ans, journaliste Internet et mère d'Alison, quatre ans, vit dans la région de New Delhi. Elle a grandi avec l'idée que sa seule option, c'était « d'aller à l'école et d'y faire des merveilles ». À chaque succès, si elle était première de sa classe en anglais par exemple, ses parents la félicitaient, voire la récompensaient, tandis que le plus petit échec lui valait des réprimandes. Mais, dit-elle, sa motivation première pour se maintenir en tête de classe était moins de faire plaisir à ses parents que de ne pas les décevoir. Le respect des aînés est une valeur traditionnelle forte en Inde comme dans toutes les sociétés d'Asie de l'Est, où les principes confucéens de piété filiale ont façonné toutes les générations et continuent de le faire. « La simple idée de la tête que feraient mes parents si je leur rapportais une mauvaise note m'était insupportable. C'était une question de respect. Je n'avais pas droit à l'échec. »

D'autant que ses parents s'étaient tellement battus pour leur assurer ce niveau de vie, pour faire entrer la famille dans la classe moyenne, qu'il fallait à tout prix s'y maintenir. Elle avait l'exemple de sa mère, qui, en plus d'être une maman et une épouse exemplaire, confectionnait des vêtements pour enfants et vendait des plats à emporter. Et celui de son père, qui, même s'il voyageait souvent pour son travail, se débrouillait pour être un papa très présent lorsqu'il était à la maison. « J'ai grandi avec l'idée que tous les gens travailleurs et obstinés finissent par atteindre leurs buts », dit-elle.

Et c'est une vision de l'existence qu'elle tient à transmettre à sa propre fille. Comme tous les Indiens des classes moyennes et supérieures, les Shirazi ont une femme de ménage à demeure, mais la petite Alison aide à débarrasser la table après les repas. Et à l'école aussi, elle doit ranger au cordeau son pupitre et donner un coup de main à la cantine. Quand elle a du mal avec une leçon (en Inde, on a déjà des leçons à apprendre, à quatre ans), ses parents usent d'un mélange de douceur et de fermeté, jusqu'à ce qu'elle la sache sur le bout des doigts.

ROBERT COMPTON a passé un bon bout de temps en Inde. Dans le documentaire qu'il a réalisé, *Deux Millions de Minutes : vision d'ensemble*, il suit et compare trois binômes de lycéens : deux Américains, deux Chinois et deux Indiens, tous issus de milieux socio-économiques comparables. Deux millions de minutes, c'est le temps qu'un élève passe au lycée, soit à le gaspiller plus ou moins, soit à le rentabiliser au max, et le film s'attache à montrer combien les principes moraux et l'hygiène de vie hérités des différentes cultures influent sur le parti qu'un adolescent tire ou non de cette période de sa vie. On y voit le binôme américain faire ses devoirs à la dernière minute, entre deux activités sociales. «Il m'arrive de faire mon travail, mais pas toujours, sauf le week-end, à la rigueur», raconte le jeune Neil tout en surfant sur Facebook. On bascule ensuite sur l'un des deux Chinois, qui lui travaille tout le temps. Dès qu'il a trois minutes, dit-il, il s'efforce de prendre de l'avance en maths en potassant *Le Pouvoir des chiffres*, un bouquin pour mathématiciens chevronnés. Puis c'est au tour de

Rohit, l'un des Indiens, qui explique face caméra :
« En Inde, quand tu as eu la chance de pouvoir aller
jusqu'au lycée, tu t'accroches, tu te bats encore plus.
Tu n'as pas le choix. C'est soit les études, soit…
rien. » Tandis que les deux Américains, des garçons
pourtant intelligents et ambitieux, ne paraissent
voir dans leurs années de lycée qu'une étape un peu
molle sur le chemin de leurs succès futurs, les deux
Chinois et les deux Indiens semblent tout entiers
dévolus à la compétition scolaire et travaillent
d'arrache-pied, comme s'il s'agissait déjà de leurs
vies professionnelles. Entre les deux cultures, le
contraste est saisissant.

Même si chaque année, chaque école américaine
produit son lot d'élèves brillants, notre société doit
gérer une majorité d'élèves peu motivés, aux résultats
médiocres, pour ne pas dire consternants. Malgré
certaines améliorations, les États-Unis restent à la
traîne de beaucoup de pays développés, aussi bien
en lecture qu'en maths et en sciences. En 2009,
l'Organisation pour la coopération économique et
le développement a testé un demi-million d'élèves
âgés de quinze ans, et ce à travers soixante-dix pays.
Verdict : rayon lecture, les États-Unis arrivent dix-
septièmes (la palme de l'alphabétisation revient à
la Corée et à la Finlande), vingt-troisièmes pour
les sciences et trente et unièmes pour les maths. Il
ressort de cette étude que le niveau, dans les lycées
américains, dépasse tout juste celui du Mexique et

de la Turquie! Et le score serait pire encore si l'Inde et la Chine faisaient partie du panel, car si ces pays doivent encore se battre pour l'accès de tous à la scolarité, ceux qui en bénéficient obtiennent de bien meilleurs résultats que les élèves américains. Alarmé par ce constat, le président Barack Obama, en octobre 2010, a fait un grand discours sur l'éducation dans les jardins de la Maison-Blanche. En voici un extrait parlant : «On vit en ce moment même une sorte de guerre mondiale de l'instruction, de la Chine à l'Allemagne, en passant par l'Inde, la Corée du Sud… Ne pas développer le secteur de l'éducation équivaudrait à un désarmement unilatéral. Et on ne peut pas se le permettre. »

Pour expliquer ce score piteux, parents, professeurs et politiciens dénoncent un manque de budget, les failles du système, ou encore l'incompétence des enseignants et l'apathie des élèves et de leurs géniteurs. En vérité, la majorité des parents américains sont très concernés par la scolarité de leurs enfants. On achète des jeux éducatifs et, si on peut se le permettre, on déménage dans un autre quartier parce qu'il y a de meilleures écoles. Certaines sont à peine enceintes qu'elles s'empressent d'inscrire leur futur bébé dans la meilleure maternelle du secteur. D'après un article de BabyCenter.com fondé sur l'audit, en 2008, de deux mille quatre cents parents, leur plus grande angoisse serait que leur enfant n'ait pas accès à une éducation et à des opportunités en rapport avec son potentiel (là encore, n'est-on pas aux antipodes de la posture pédagogique des Asiatiques, pour lesquels il faut faire du mieux qu'on peut avec ce qu'on a ?).

Dans son livre *Parenting, Inc.*, Pamela Paul dénonce le tentaculaire secteur de la puériculture, qui surfe avec cynisme sur les peurs des parents et en tire des bénéfices énormes, en leur faisant croire qu'avec la bonne poussette, la bonne tétine, le bon puzzle, les bonnes chaussures premiers pas leur bambin poussera comme il faut. *Un véritable drame,* écrit-elle, *pour tous ceux qui ont déjà du mal à joindre les deux bouts chaque mois : ils se serrent encore plus la ceinture, car en bons parents, ils rêvent d'un meilleur avenir pour leurs enfants, et les industriels et leur propagande ont réussi à les persuader que sans tous ces gadgets, leurs gamins ne prendront pas un bon départ dans la vie.*

Un bon départ, c'est sûr, ça compte. Je veille moi-même et veillerai toujours à ce que mes enfants aillent dans les meilleures écoles possibles, avec les meilleurs professeurs possibles. Mais je commence à me demander si toute cette énergie que nous consacrons à contourner des obstacles et une adversité plus ou moins fantasmés ne serait pas mieux utilisée à instiller en nos enfants le sens et le goût de l'effort, afin qu'ils aient bien en main les rênes de leur destinée. La plupart d'entre nous aimeraient que l'excellence leur vienne naturellement, et les articles aguicheurs du Web, du genre «Votre enfant est-il surdoué?», sont très séduisants, je le reconnais, mais ne devrait-on pas plutôt se demander : «Comment encourager mon enfant à faire de son mieux, à s'obstiner dans l'effort, même quand c'est difficile, quitte à être un peu ferme avec lui?» Il est peut-être temps aussi de se demander si, sur la balance des priorités, leur scolarité ne finit pas par peser moins lourd que les activités extrascolaires dont nous truffons leurs jeunes existences. À bien y réfléchir, je n'aimerais pas que la vie scolaire (donc intellectuelle) de ma fille se retrouve noyée sous le flot de mes efforts enthousiastes pour qu'elle devienne quelqu'un de créatif, d'heureux et d'harmonieux (on l'a déjà inscrite dans une classe d'art, un cours de danse et une colonie de vacances). Selon les experts, certains parents avouent se sentir plus à l'aise avec leurs enfants lorsque les échanges passent par les distractions ou le sport que lors d'interactions concernant la scolarité. Du coup, pour se défausser, ils ont tendance à sous-évaluer l'importance des notes.

Mes parents étaient dans l'enseignement alors forcément, l'école, chez nous, c'était un sujet hyper-important. Ma mère prétend n'avoir jamais eu à nous pousser, mais en vérité, elle et mon père se montraient tout ce qu'il y a de plus vigilants; encourageants, certes, détendus en apparence, mais sans pitié pour ce qui était du bulletin de notes. En fait, les parents des bons élèves occidentaux ont presque tous le même profil : ils collent un bon gros surmoi à leurs enfants, histoire de maintenir sur le long terme la pression et le niveau d'exigence, mais au quotidien, ils ne se mêlent quasiment pas de leur scolarité, les laissant gérer seuls tout en étant prêt à leur faire réciter une leçon, s'ils le demandent. La fille d'une de mes amies, qui a fait de brillantes études, m'a dit : « J'adorais l'école. C'était mon petit domaine à moi. Le seul endroit où mes parents n'avaient pas le droit d'entrer. Et quand on gère soi-même, dès le CE2, une parcelle aussi importante de son éducation, cela demande du sérieux, de l'application. On apprend à s'organiser, à se dépasser. » Ainsi nos parents m'ont-ils élevée dans l'idée qu'il faut être très exigeant avec soi-même (*trop* exigeant, diraient certains de mes amis). L'espèce d'intello qui, pendant les vacances d'été, lisait *Hamlet* sur la pelouse du campus, c'était moi. J'adorais étudier, je pouvais passer cinq heures d'affilée à la bibliothèque de l'université à apprendre par cœur des pages et des pages de mots en espagnol. J'aimais tellement apprendre que je n'ai quasiment jamais manqué un cours, même avec 40° de fièvre.

Je déplore que la société américaine fasse passer la scolarité, les études et l'éventuel succès qui les couronne bien après le fait d'être séduisant, riche, ou même bon en sport. Je me souviens de la fierté que je ressentais, et pas seulement par empathie, en voyant rayonner devant les caméras de télévision les jeunes vainqueurs de *Spelling Bee*, superstars d'un soir. Mais ce qui me déprimait d'avance, c'est que je savais que leur retour à l'école se ferait moins sous un arc-en-ciel de gloire que sous une pluie de quolibets. On sait combien les enfants sont parfois cruels entre eux : l'un de nos neveux a été molesté par ses copains de classe parce qu'il était le seul à avoir réussi un contrôle surprise. C'est ce mauvais esprit qui a fait qu'enfant et adolescente je n'ai jamais voulu passer pour une «première de la classe», du moins aux yeux des gens de mon âge. Je me souviens avec un pincement au cœur de ce garçon très populaire et assez idiot qui s'était moqué de moi devant tout le monde à cause de ma tendance à utiliser des mots compliqués. J'avais beau être bonne élève, j'étais embarrassée qu'on m'élise d'emblée déléguée de classe. Tout cela contribue au fait que, du primaire au lycée, peu d'élèves osent avouer qu'ils frétillent de bonheur à l'idée du prochain contrôle de maths.

La culture pop n'a rien arrangé. À part un film ou un bouquin qui, de temps à autre, célèbre un geek de la révolution digitale, personne n'aurait l'idée de rendre glamour un brave gars ou une brave fille qui s'en sort à force de passer des années le nez dans ses livres de cours (à part si il ou elle devient millionnaire). On est épaté par une star de cinéma ou une reine de beauté qui se lance dans la politique, par l'ouvrier malin qui grimpe les échelons et devient directeur de son usine, par le chercheur d'or qui trouve le filon et devient le roi du Far West, ou même par le voyou qui fait fortune en fourguant sa drogue dans les rues malfamées. On préfère nos héros beaux, musclés et talentueux, plutôt qu'intellos et besogneux.

C'est vraiment une honte que notre culture soit si fascinée par les histoires d'ex-cancres qui réussissent leurs vies d'adultes, écrit Steinberg dans Beyond The Classroom. Bien sûr, il y a toujours eu et il y aura toujours des millionnaires n'ayant jamais décroché leur bac, des génies dont le talent n'a pas été repéré sur les bancs de l'école, des athlètes de haut niveau et des acteurs et actrices de cinéma quasi analphabètes. Mais cela reste anecdotique, et nous ne rendons pas service à nos enfants en faisant passer ces exceptions à la règle pour des cas d'école (c'est le cas de le dire). Bien travailler, faire de bonnes études reste une des meilleures, si ce n'est la meilleure manière d'avoir une future vie d'adulte réussie, tant au niveau intellectuel que social, professionnel et financier.

Cette faible attente quant aux études concerne beaucoup moins les immigrés. Il a été démontré que la deuxième génération a même tendance à les pousser plus loin encore que la première, car elle est non seulement motivée par les expectatives parentales, mais aussi par la reconnaissance de leurs sacrifices. Malheureusement, tout cela s'étiole dès la troisième génération. D'après les recensements, le

338

nombre de bacheliers parmi les immigrants, toutes origines confondues, augmente à la deuxième génération et baisse à la troisième.

À EN CROIRE CERTAINS PARENTS VIVANT À NEW DELHI que j'ai interviewés, en Asie aussi, les mentalités changent. Du moins dans la classe moyenne. En Inde, le système des examens et la grille des évaluations ont été entièrement révisés en 2011. De plus en plus d'enfants s'impliquent dans des activités extrascolaires (théâtre, musique, sport...), car les parents modernes sont désormais capables d'envisager pour eux d'autres carrières que celles de médecin ou d'ingénieur. Rohit et Vanessa Ohri, pour ne citer qu'eux, se considèrent comme faisant partie d'une nouvelle génération de parents, plus sensibles aux désirs et aux aspirations de leurs enfants. Ainsi encouragent-ils leur fils, Revant, dix-huit ans, dans sa passion pour la photographie, et leur fille, Ravia, treize ans, dans ses talents de peintre. «Notre rôle de parents, c'est de les mettre en garde contre la compétitivité qui règne dans le monde actuel et, du coup, de les aider à perfectionner leurs talents», explique Vanessa, qui a lâché son job de rédactrice publicitaire pour celui de maman à plein temps. «Après l'école, dit-elle, mes enfants passent d'un cours particulier de maths ou d'anglais à une leçon de danse, d'art, de musique ou de sport.»

Rohit, son mari, vice-président d'une agence de publicité, ajoute : « Il n'en reste pas moins qu'on aurait du mal à encaisser que nos enfants soient moyens à l'école, même s'ils montrent par ailleurs, dans d'autres domaines, des aptitudes formidables. La pression est là depuis toujours et ne s'arrêtera pas comme ça. Chez nous, Indiens, c'est quasi dans nos gènes de regarder sans cesse derrière notre épaule pour vérifier si les pays voisins d'Asie ne sont pas en train de nous rattraper. La compétitivité fait partie intégrante de notre mentalité. On a beau calmer la pression sur les études à la maison, dès qu'on met le pied dehors, la société est là pour nous rappeler à l'ordre. »

Voici ce que Ravia, leur fille, pense de l'école : « On a des tonnes de devoirs à faire, tous les jours. Et ça empire chaque année. Mais puisque tous mes copains s'en sortent, je ne vois pas pourquoi je ne m'en sortirais pas moi aussi. »

Cette immersion dans la pédagogie asiatique a pas mal modifié ma façon de voir et de faire, chaque fois que j'enseigne quelque chose à ma fille, Sofia. J'ai pris conscience de la façon dont je lui parle, des mots que j'utilise, du ton que je prends. Je continue par exemple à lui dire « c'est fou ce que tu es maligne », mais plus à tout bout de champ. Quand elle bute sur quelque chose, je veille désormais à rester encourageante et positive, mais je la pousse à s'en sortir toute seule. Si elle a du mal et qu'elle me tend le crayon, je lui dis : «Essaye encore, et après, je t'aiderai.» En général, elle s'en sort très bien, et je vois que ça la remplit de joie et de fierté. Elle apprend ainsi à aimer les défis.

Je ne tiens pas de manière hystérique à ce que ma fille intègre Yale ou Princeton le jour de ses dix-huit ans ; tout ce que je souhaite, c'est qu'elle ait de l'ambition dans la vie. Pour mettre nos enfants sur le bon chemin, pour les aider à se construire un bon mental, il nous faut les élever avec amour, certes, mais avec un juste dosage de fermeté et d'exigence aussi. Telle est la leçon que j'ai tirée de toutes ces interviews de parents. Ce n'est pas une mauvaise chose d'obliger parfois un enfant à faire ce qu'il pense ne pas avoir envie de faire, ni de le pousser à travailler un peu plus dur que ce dont il croit être capable.

Du coup, je continue à aller de l'avant, à remplir la maison de livres pour enfants, de puzzles et de jouets pédagogiques. Entre deux séances de poupées et de pâte à modeler, on consacre, Sofia et moi, dix minutes au déchiffrage des lettres, des syllabes et à l'écriture. Mon mari, lui aussi, dédie chaque jour un moment à notre fille, pour «l'aider à travailler sa calligraphie», et comme il le fait en dessins et en chansons, ça se passe à merveille. À deux ans et neuf mois, elle épelle son nom avec fierté et le reconnaît quand elle le voit écrit (elle se montre particulière-ment possessive envers la lettre *s*, son initiale).

Elle est capable d'écrire la plupart des lettres de son prénom – qui n'est pas long, je le rconcède –, même si elle le fait encore dans le désordre. Je l'engage à essayer encore et encore, ce qui ne m'empêche pas d'applaudir ses efforts. En général, elle consent, mais si l'ambiance est à l'impasse, on bascule sur une autre activité et on attend le lendemain pour recommencer.

Palmarès mondial

En 2009, l'OCDE (Organisation de coopération et de développement économique) a publié une étude comparant le niveau en lecture, en maths et en sciences d'adolescents âgés de quinze ans dans soixante-dix pays, dont trente-quatre pays riches. Voici les meilleurs résultats (à noter que les villes de Shanghai, Hong Kong et Macao représentent la Chine) :

Compréhension de l'écrit
1. Shanghai
2. Corée
3. Finlande
4. Hong Kong
5. Singapour
6. Canada
7. Nouvelle-Zélande
8. Japon
9. Australie
10. Pays-Bas
… Les États-Unis arrivent dix-septièmes, juste devant la France.

Maths
1. Shanghai
2. Singapour
3. Hong Kong
4. Corée

5. Taïwan
6. Finlande
7. Liechtenstein
8. Suisse
9. Japon
10. Canada
… Les États-Unis piétinent à la trente et unième place. La France arrive seizième.

Sciences
1. Shanghai
2. Finlande
3. Hong Kong
4. Singapour
5. Japon
6. Corée
7. Nouvelle-Zélande
8. Canada
9. Estonie
10. Australie
… Les États-Unis arrivent péniblement à la vingt-troisième place. La France ne lui prend que deux places.

Conclusion

Voyager vous change un homme. Le simple fait d'avancer dans la vie, de se déplacer dans le monde, suffit à évoluer. On laisse derrière soi la marque de ses pas, et peu importe la taille de l'empreinte. En retour, la vie et les voyages impriment la marque de leurs semelles en vous, sur votre corps, dans votre cœur. La plupart du temps, ce sont de belles marques. Mais parfois, elles sont cuisantes.

Anthony Bourdain, cuisinier et romancier

En mai 1997, par une de ces journées new-yorkaises aux parfums printaniers, Annette Sorensen, jeune actrice danoise, a commis le «crime» de laisser son fils de quatorze mois attaché dans sa poussette sur le trottoir – parfaitement visible depuis la baie vitrée du restaurant enfumé où elle déjeunait avec son mari américain. Les passants et les clients du restaurant ont étés horrifiés au point de faire un scandale aux parents indignes et au personnel de l'établissement, qui laissaient faire une chose aussi monstrueuse. Quelqu'un a appelé la police et le couple s'est vu jeté en prison. La malheureuse Annette était sous le choc. Elle n'en revenait pas qu'on la vilipende pour un acte banal dans son pays. En fin de compte, l'accusation de mise en danger de mineur par personne ayant autorité a été levée, mais cette histoire a suscité un débat international sur la radicalité de la police newyorkaise et sur ce qu'il convient ou non de faire dans l'intérêt des enfants. Au Danemark, la criminalité est faible et, tandis qu'ils sont au restaurant ou font les courses dans un magasin, les parents laissent souvent leurs bambins au frais, dehors, dans leur poussette. Ils disent que ça leur fortifie le corps et le cœur. Les Danois ont été très choqués par la réaction des Américains, la jugeant disproportionnée. *À New York*, a écrit une journaliste, *les gens enchaînent même leurs poubelles !*

Ce fait divers m'a fascinée, pas seulement à cause des différences culturelles qu'il met en lumière, mais aussi parce qu'il montre l'empressement des parents à se juger les uns les autres. C'était là un écueil dans lequel je ne voulais pas tomber, en me lançant dans ce livre. Les seules critiques que je me suis permises concernent notre société ou moi-même. Je connais mes limites. Je ne suis ni médecin, ni spécialiste du développement, ni anthropologue, ni scientifique. Je ne suis qu'une maman qui veut ce qu'il y a de mieux pour sa famille. L'idée n'était pas de faire des généralités ni de juger en bloc les croyances et agissements parentaux d'une culture donnée, mais de m'inspirer des us et coutumes de tous ces parents formidables que j'ai eu la chance de rencontrer, certes marqués par leur culture mais tous uniques en leurs genres, afin de trouver ma propre voie, ma propre façon d'élever mes enfants.

Une chose m'a particulièrement marquée, c'est l'impact de la mondialisation sur l'éducation, une influence à la fois insidieuse et tentaculaire qui se ressent des faubourgs de Delhi aux plus petits villages du Yucatán. Or on parle beaucoup des effets de la globalisation sur l'environnement, la politique, la consommation, mais on oublie trop souvent l'éducation. Le gigantesque business qui s'est bâti autour de l'enfant crée pourtant, partout sur la planète, de nouveaux besoins et de nouvelles attentes. Ce qui a pour effet, entre autres, de modifier le positionnement des parents, jusque dans leur façon de nourrir, d'instruire, de faire jouer ou dormir leur progéniture. En Chine, les couches jetables gagnent du terrain, retardant l'âge de la propreté. En France, la restauration rapide menace le sacro-saint déjeuner. Dans les cultures méditerranéennes, la crise économique mondiale sonne progressivement le glas des familles élargies, les morcelant en petites cellules mobiles qui finissent par prendre leurs distances d'avec la maison mère. Partout dans le monde, les biberons et le lait en poudre font leur apparition, écourtant du même coup la durée de l'allaitement, et jusqu'au fond de l'Afrique, les jouets en plastique remplacent peu à peu ceux que les enfants fabriquaient eux-mêmes avec ce qui leur tombait sous la main. Dans les contrées les plus reculées, les plus traditionnelles, l'enfantement lui-même se retrouve en pleine mutation. La médecine moderne parvient désormais à s'imposer sur les hauts plateaux du Tibet, révolutionnant la vision millénaire que ces gens ont de la venue au monde d'un nouvel être humain, leur façon d'accueillir l'enfant et de l'inscrire dans la famille, le village, la culture qui est la sienne. En attendant de pouvoir peser les bienfaits et les méfaits de cette mondialisation, on peut craindre une chose : l'éducation des enfants risque de devenir bien uniforme et monotone ! Et surtout, de produire, au final, des populations adultes à peu près faites dans le même moule, donc d'atténuer grandement les disparités culturelles, qui font pourtant la richesse du monde. Et pour moi qui adore voyager… Même si je suis assez en phase avec la pédagogie occidentale, dans laquelle on m'a élevée, je n'aimerais pas que nous étouffions les autres cultures parentales sous le poids de notre prétendue supériorité. Nous aurions beaucoup à y perdre. C'est pourquoi j'ai voulu, par l'intermédiaire de ce livre, faire entendre d'autres voix que celles que nous avons l'habitude d'entendre, et montrer un peu comment ça se passe ailleurs.

Néanmoins, je suis consciente que l'art d'être parents est en perpétuelle évolution, et ce depuis la nuit des temps, car pères et mères ont à cœur de faire bénéficier leurs familles des meilleurs outils éducatifs possibles, au sens pratique autant que théorique. Telle était mon ambition de départ, avec ce livre : créer une sorte d'outil, une base de référence dans laquelle je pourrais puiser pour mener au mieux l'éducation de mes enfants. Observer l'art d'être parents à travers les yeux de ces hommes et de ces femmes si différents, les écouter, les regarder vivre, les voir agir souvent à l'inverse de moi, m'a non seulement ouvert l'esprit, mais aussi fait changer certaines habitudes que je pensais impossibles à remettre en question (il est arrivé aussi, bien sûr, que cela me conforte au contraire dans l'un de mes principes éducatifs). Quoi qu'il en soit, cette longue enquête m'a appris beaucoup de choses, sur lesquelles nous nous appuyons, mon mari et moi, pour élever notre fille le plus harmonieusement possible, et j'espère de tout cœur que les lecteurs en tireront un profit égal.

J'en suis venue à une conclusion assez optimiste, à force de constater l'adaptabilité, la capacité de résilience de ces parents, de ces familles de tous horizons. En dépit des différences d'environnements, de croyances, de religions et de cultures, la majeure partie des pères et des mères de la planète, ai-je constaté, partage une seule et même ambition :

élever des enfants capables de s'épanouir dans le cadre où ils sont destinés à vivre. Il serait malsain de s'enfermer dans un esprit de clocher, car même si aucune culture ne peut se targuer d'être la meilleure, question éducation, toutes ont leur boisseau de grains à apporter au moulin. Bien sûr, on n'est pas obligé de piocher dans des pratiques culturelles exotiques ; on peut tout à fait rester sur ses positions éducatives, mais je crois que ça vaut la peine d'y réfléchir au préalable ; et, en tout cas, d'accepter l'idée réconfortante qu'il n'y a pas qu'une façon de faire dormir un bébé, de le transporter d'un endroit à l'autre, de le nourrir. Les enfants ont des capacités d'adaptation incroyables, qu'il s'agisse de manger des trucs bizarres, d'être propres avant de savoir parler, ou d'assumer à la maison des responsabilités dites « de grands ». Il existe mille et une façons d'être de bons parents, à partir du moment où les droits fondamentaux de l'enfant sont respectés. C'est un constat qui devrait nous donner, je l'espère, encore plus de cœur à l'ouvrage.

Remerciements

Ma reconnaissance va d'abord à tous ces parents qui ont partagé avec moi leur savoir et leur expérience. La débrouillardise, l'humour, la dévotion familiale dont ils font preuve en dépit de l'adversité m'ont beaucoup inspirée – pour ce livre comme dans mon quotidien de maman.

Je tiens aussi à remercier tous ces anthropologues, médecins, pédopsychiatres et autres spécialistes qui dédient leurs existences à l'observation de l'enfant et de la vie de famille, et ce à travers la planète tout entière. Leurs recherches vastes et minutieuses, trop souvent confidentielles, je le déplore, aboutissent à de précieux enseignements et permettent de nourrir l'indispensable débat sur l'éducation de l'enfant. Les lecteurs curieux gagneront à se pencher d'un peu plus près sur les travaux de Margaret Mead, de David Lancy, de Robert LeVine, de Meredith Small, de Suzanne Gaskins et de Sarah Hrdy, entre autres. *The Anthropology of Childhood*, de D. Lancy, et *Our Babies, Ourselves*, de M. Small, sont à même de constituer d'excellentes lectures pour des parents non initiés à l'anthropologie culturelle et désireux d'en savoir plus.

Je remercie bien sûr mon éditeur, Andra Miller.

Mes agents, Larry Weissman et Sascha Alper.

Sans oublier mes amis : Vicky Ortiz, Alex Salas, Dana Paterson, Susan Ager et Kristina Sauerwein pour leur précieux conseils.

Merci également à Vikki (Chicago, États-Unis), Marianne Waweru (Kenya), Riana Lagarde (France), Suzanne Kamata (Japon), Colleen Casey Leonard (Mexique), Colin Fernandes (Inde), Uma Chu (Chine) – merci d'avoir été mes yeux et mes oreilles entre deux séjours sous leurs latitudes.

Toute ma gratitude aussi à Ellen Shea, de la bibliothèque Schlesinger de Harvard, et à Jude Grant, mon correcteur à l'œil si aiguisé.

Ce livre est dédié à mon mari, Monte Reel, formidable partenaire de l'aventure parentale, et à notre fille Sofia, qui emplit nos vies de plus de surprises, de défis à relever et de joies que nous ne l'aurions jamais imaginé.

Et aussi à Violet, notre nouveau bébé, qui pour notre plus grand bonheur est venue agrandir notre famille.

Références et conseils de lecture

ALBER, Erdmute. «The Real Parents Are the Foster Parents : Social Parenthood among the Baatombu in Northern Benin», *Cross-Cultural Approaches to Adoption*, ed. Fiona Bowie, 33-47. New York : Routledge, 2004.

ARYA, Pasang. «Tibetan Embryology, Part 3.» 2010, http://www.tibetanmedicine-edu.org/index.php/n-articles/tibetan-embryology-3.

ARYA, Pasang. «Tibetan Embryology, Part 4.» 2010, http://www.tibetanmedicine-edu.org/index.php/n-articles/tibetan-embryology-4.

«Baby Strollers May Promote Obesity.» United Press International, 2 décembre 2003, http://www.upi.com/OddNews/2003/12/02/Baby-strollers-may-promote-obesity/UPI-84761070395189.

BATTEN, Mary. «The Psychology of Fatherhood». *Time*, 7 juin 2007, http://www.time.com/time/magazine/article/0,917,1630551,00.html.

BEAR, George, and Manning, Maureen. «Shame, Guilt, blaming, and Anger : Differences between Children in Japan and the US.» *Motivation and Emotion*, 33, no. 3 (2009) : 62-67.

BEAR, George, Manning, Maureen, et Kunio, Shiomi. « Children's Reasoning about Aggression : Differences between Japan and the United States and Implications for School Discipline. » *School Psychology Review* 35, no. 1 (2006) : 62-77.

BEARD, Lillian. *Salt in Your Sock and Other Tried and True Home Remedies*. New York : Three Rivers Press, 2003.

BENEDICT, Ruth. « Continuities and Discontinuities in Cultural Conditioning ». *Anthropology and Child Development : A Cross-Cultural Reader*, édité par Robert A. LeVine et Rebecca S. New, 42-48, Malden, MA : Blackwell, 2008.

BENNHOLD, Katrin. « In Sweden, Men Can Have It All. » *New York Times*, 9 juin 2010.

BIGOMBE, Betty, and Khadiagala, Gilbert M. « Major Trends Affecting Families in Sun Saharan Africa. » *Report for the United Nations*, 2004.

BLENNOW, Margareta, and Lindfors, Lotta. « Child Health Care in Sweden – 99 % of Children Attend – Why ? » Presentation at the 4th Annual National Forum for Improving Children's Health Care, Feb. 18-March 2, 2005.

BOUCKE, Laurie. *Infant Potty Training*. Lafayette, Colo. : White-Boucke Publishing, 2008.

BOWIE, Fiona. Ed. *Cross-Cultural Approaches to Adoption*. Oxfordshire, Oxford : Routledge, 2004.

BRIGGS, Jean L. « Autonomy and Aggression in the Three-Year-Old : The Utku Eskimo Case. » *Anthropology and Child Development : A Cross-Cultural Reader.* Malden, Ma. : Blackwell Publishing, 2008.

BRONSON, Po, and Merryman, Ashley. *Nurture Shock*. New York : Twelve, 2009.

BROWN, Anne Maiden, Farwell, Edie, and Nyerongsha, Dickey. *The Tibetan Art of Parenting : From Before Conception*

Through Early Childhood. Boston : Wisdom Publications, 2008.

BROWNING, Dominique. «Made for You and Me.» *New York Times* online, Sept. 23, 2007.

BURGESS, Adrienne. *Fatherhood Reclaimed : The Making of the Modern Father.* London : Vermilion, 1997.

CALIRI, Heather. «Relieving Myself.» *Brain Child Magazine* online, Winter 2008.

CEKADA, Sharon. «Hmong Shaman : Hmong Pregnancy Ceremony Good for the Soul.» *Post-Crescent* online, Nov. 14, 2008.

«Charges Dropped against Danish Mother Who Left Child in Stroller Outside New York Restaurant.» *Jet*, June 2, 1997.

CHILD, Julia. *Mastering the Art of French Cooking Vol. 1.* New York : Knopf, 2001.

CHUDACOFF, Howard A. *Children At Play : An American History.* New York : New York University Press, 2007.

CHUDACOFF, Howard A. «Children At Play : An American History.» Speech to the Brown Club of Oregon in 2008. Back to Class with Brown Faculty. Brown Alumni Association. (Youtube.com) http://www.youtube.com/watch?v=201hGBiFdjY.

COMPTON, Robert A. *Two Million Minutes Documentary.*

CRAIG, Sienna. «Pregnancy and Childbirth in Tibet : Knowledge, Perspectives and Practices.» *Childbirth Across Cultures.* Eds Helaine Selin and Pamela K. Stone. Amherst, Ma. : Springer, 2009.

«Disposable Diaper History.» Richer Investment Consulting Service Website. www.disposablediaper.net.

«Doll.» *Encyclopædia Britannica Online.* Encyclopædia Britannica, 2011. Web. 25 Jan. 2011.

DRESSLER, William W. « Extended Family Relationships, Social Support, and Mental Health in a Southern Black Community. » *Journal of Health and Social Behavior*. Vol. 26, No. 1, March 1985.

ENGLE, Patrice L., and Breauz, Cynthia. « Father's Involvement with Children Perspectives from Developing Countries. » Social Policy Report of the Society for Research in Child Development. Vol. 12, no. 1998.

FINKELHOR, David, Turner, Heather, Ormrod, Richard, and Hamby, Sherry L. « Trends in Childhood Violence and Abuse. » Archives of Pediatrics and Adolescent Medicine, Vol. 164, no. 3, March 2010.

GARRETT, Frances. *Religion, Medicine and the Human Embryo in Tibet*. New York : Routledge, 2008.

GASKINS, Suzanne. « From Corn to Cash : Change and Continuity within Mayan Families. » American Anthropological Association, 2003.

GASKINS, Suzanne. « Children's Daily Activities in a Mayan Village : A Culturally Grounded Description. » *Cross-Cultural Research*, November 2000.

GASKINS, Suzanne. « Children's Daily Lives among the Yucatec Maya. » *Anthropology and Child Development : A Cross-Cultural Reader*. Malden, Ma. : Blackwell Publishing, 2008.

GASKINS, Suzanne, and Miller, Peggy J. « The Cultural Roles of Emotions in Pretend Play » *Transactions At Play*. Cindy Dell Clark, Eds. Landham, Md. : University Press of America Inc., 2009.

GASKINS, Suzanne, and Paradise, Ruth. « Learning Through Observation in Daily Life. »

GASKINS, Suzanne. « Work Before Play for Yucatec Maya Children. » *The Child : An Encyclopedic Companion*. Richard Shweder Ed. Chicago : University of Chicago Press, 2009.

GORDON, Stephen. «Keeping Baby Outside.» Letter to the Editor. *New York Times* online, May 20, 1997.

GRABURN, Nelson. «Culture as Narrative : Who is Telling the Inuit Story.» *Critical Inuit Studies : An Anthology of Contemporary Arctic Ethnography.* Pam Stern and Lisa Stevenson Eds. Lincoln, Neb. : University of Nebraska Press, 2006.

«Grandparents of Children with ASD, Part 2.» Interactive Autism Network Research Report #15. April 2010. http://www.iancommunity.org/cs/ian_research_reports/ian_research_report_apr_2010_2.

Growing Up in Australia : The Longitudinal Study of Australian Children, 2009. http://www.fahcsia.gov.au/sa/families/pubs/lsac_report_2009/Pages/default.aspx.

HALL, Zoe Dare. «Living Together : Return of the Extended Family.» *The Telegraph* online, Feb. 2, 2008.

HALL, Trish. «Battle of Bedtime : Children Won.» *New York Times* online, March 1, 1990. (Featuring Dr Richard Ferber.)

HARKNESS, Sara, and Super, Charles. *Parent's Cultural Belief Systems.* New York : The Guilford Press, 1996.

HEWLETT, Barry S. *Intimate Fathers : The Nature and Context of Aka Pygmy Parental Infant Care.* Ann Arbor : University of Michigan Press, 1992.

HOFFERTH, Sandra L., and Sandberg, John E. «How American Children Spend their Time.» *Journal of Marriage and Family.* April 17, 2000. 63 (2), May 2001.

HOLLYER, Beatrice and Oxfam. *Let's Eat! Children and Their Food Around the World.* England : Frances Lincoln Limited, 2003.

«Household Chores Teach Children Lifelong Values.» University of Minnesota eNews. Oct. 17. 2002. http://www1.umn.edu/systemwide/enews/101702.html.

HOWELL, Signe. *The Kinning of Foreigners : Transnational Adoption in a Global Perspective.* Oxford, England : Berghahn Books, 2007. (Featuring the work of Erdmute Alber.)

HRDY, Sarah Blaffer. *Mothers And Others : The Evolutionary Origins of Mutual Understanding.* Cambridge, Mass. : The Belkap Press of Harvard University Press, 2009.

HRDY, Sarah Blaffer. *Mother Nature : Maternal Instincts and How They Shape the Human Species.* New York : Ballantine Books, 1999.

HUNSIKER, Urs. A., and Barr, Ronald G. « Increased Carrying Reduces Infant Crying : A Randomized Controlled Trial. » Pediatrics Vol. 77, no. 5, May 1986.

JAYASINGHE, Yasmin, Eames, Mai, and Jayasinghe, Daya. « A Buddhist Perspective on Women's Health Issues. » The Royal Australian and New Zealand College of Obstetricians and Gynaecologists publications. Vol. 10, no. 2, Winter 2008.

JAYSON, Sharon. « Multigenerational Households Changing Family Picture. » *USA Today* online, June 26. 2007.

JENNI, Oskar G., and O'Connor, Bonnie B. « Children's Sleep : In Interplay Between Culture and Biology. » Pediatrics Vol. 115, no. 1, January 2005.

LAMB, Michael, and Lewis, Charlie. « The Development and Significance of Father-Child Relationships in Two-Parent Families. » *The Role of the Father in Child Development.* (Ed. Michael Lamb.) Hoboken, NJ and Chichester, UK : John Wiley & Sons, version in press.

LANCY, David F. *The Anthropology of Childhood : Cherubs, Chattel, Changelings.* Cambridge, Mass. : University Press, 2008 (featuring the work of Martha Wenger on the Giriama community, and Gerd Spittler on Mali and Margaret Gibson ; Young-Shin Park and Uichol Kim ; Louis Langness on

the Bena-Bena and Dorothea Leighton and Clyde Kluc-
khohn on the Navajo; Douglas W. and Rebecca Bliege Bird
on reef children, and Nicholaisen; Johannes, Kim Hill and
A. Magdalena Hurtado on the Ache, Eugene Hunn on Zapo-
tec children and Nicholas G. Blurton-Jones Et Al on Hazda
children).

LANCY, David F. *Playing on the Mother Ground: Cultural Routines for Children's Development.* New York: Guilford
Press, 1996.

LEE, K. « Crying patterns of Korean infants in institutions. »
Child: Care, Health and Development, 26. 2000.

LEVINE, Robert. A., and New, Rebecca S. Eds. *Anthropology and Child Development: A Cross-Cultural Reader.* Malden, Mass.: Blackwell Publishing, 2008.

LEVINE, Robert. Dixon, Suzanne. LeVine, Sarah E. Rich-
man, Amy. Keefer, Constance. Liederman, Herbert P., and
Brazelton, T. Berry. « The Comparative Study of Parenting. »
P. 55. *Anthropology and Child Development.* Malden: Mass:
Blackwell Publishing. 2008.

LEVINE, Robert, and Miller, Patrice M. *Parental Behavior
in Diverse Societies (New Directions for Child and Adolescent
Development).* Jossey-Bass, September 1998.

LIEDLOFF, Jean. *The Continuum Concept: In Search of
Happiness Lost.* Cambridge: Perseus Books, 1977.

MARCANO, Tony. « Toddler, Left Outside Restaurant, Is
Returned to Her Mother. » *New York Times* (online), May
14, 1997.

MARTINI, Mary. « Peer Interactions in Polynesia: A View
from the Marquesas. » *Play and Development: Evolutionary,
Socio-cultural and Functional Perspectives.* Eds Goncu Artin
and Gaskins, Suzanne Eds. Mahwah, New Jersey: Lawrence
Erlbaum Associates, 2006.

MATTHIESSEN, Connie. «Top 5 Parenting Fears and What You Can Do About Them.» Babycenter.com. Updated June 2008.

MENELLA, Julie A., Jagnow, Coren P. and Beauchamp Gary K. «Prenatal and Postnatal Flavor Learning by Human Infants.» Monell Chemical Senses Center. Philadelphia, Pennsylvania, USA. Pediatrics. Vol. 207, no. 6, June 2001, p. 88.

MILARDO, Robert. *The Forgotten Kin : Aunts and Uncles* Cambridge University Press, 2010.

MILARDO, Robert. «Uncles and Aunts : The Other Family.» YourKidsEd.com.au. http://yourkidsed.com.au/info/uncles-and-aunts-the-other-family.

MILLER, Kara. «Do Colleges Redline Asians?» *Boston Globe* online, Feb. 8, 2010.

MONTGOMERY, Heather. *An Introduction to Childhood : Anthropological Perspectives on Children's Lives*. West Sussex, England : Wiley-Blackwell, 2009.

MOOALLEM, Jon. «The Sleep-Industrial Complex.» *New York Times Magazine* online, Nov. 18, 2007.

MOORHEAD, Joanna. «Are the Men of the African Aka Tribe the Best Fathers in the World?» *The Guardian* online, June 15, 2005.

MOSOTA, Mangoa, and Asego, Nicholas. «World Traditions : Myths and Taboos – Should We Believe Them?» African Press International, Oct. 1, 2007.

«The Mother Blessingway Ceremony – Native American Indian Tribes.» http://www.aaanativearts.com/article1503.html.

MOZNY, Ivo, and Katrnak. «The Czech Family.» *Handbook of World Families*, Bert N. Adams and Jan Trost (eds). Thousand Oaks, CA : Sage Publications, Inc.

NARENDRAN S., Nagarathna R., Narendran V., Gunasheela S., Nagendra HR. « Efficacy of yoga on pregnancy outcome. » J Altern Complement Med, April 2005.

NERIA, Jennifer T. « Understanding the Health Culture of Recent Immigrants to the United States : A Cross-Cultural Maternal Health Information Catalog. » *American Public Health Association.*

« NIH Study Indicates Stress May Delay Women Getting Pregnant. » National Institutes of Health Press Release on Aug. 11, 2010. http://www.nih.gov/news/health/aug2010/nichd-11.htm.

NEW, Rebecca S. « Child's Play in Italian Perspective. » *Anthropology and Child Development : A Cross-Cultural Reader.* Blackwell Publishing, 2008.

NISBETT, Richard E. *Intelligence and How to Get It.* New York : W.W. Norton & Company, Inc., 2009.

« Nuclear Families. » Jrank Online. http://family.jrank.org/pages/1222/Nuclear-Families.html.

« 'Open-Crotch Pants' Make Way for Disposable Diapers. » *China Daily* online. Updated July 7, 2004.

« OECD Programme for International Student Assessment 2009. » Organisation for Economic Co-Operation and Development. www.pisa.oecd.org.

PAL, Jyoti. « Stress Impairs Woman's Chances of Getting Pregnant – Study. » The MedGuru (online). Aug. 12, 2010. http://www.themedguru.com/20100812/newsfeature/stress-impairs-womans-chances-getting-pregnant-study-86139309.html.

PEASLEE, Kindy. « Food Affair – The French Approach to Healthy Eating and Enjoyment. » *Today's Dietitian.* August 2007 Vol. 9, no. 8.

PHILLIPS, W.J. « Maori Baby's Toilet. » *Te Ao Hou The New World.* No. 10, April 1955. National Library of New Zealand online.

RAY, Rebecca, Gornick, Janet C., and Schmitt, John. « Leave Policies in 21 Countries : Assessing Generosity and Gender Equity. » Center for Economic Policy Research, Sept. 2008.

« Researchers at UMDNJ-Robert Wood Johnson Medical School and The Bristol-Myers Squibb Children's Hospital at Robert Wood Johnson University Hospital Pinpoint Best Time to Begin Toilet Training for Children. » Press office for the Robert Wood Johnson Medical School online, Jan. 8, 2010. http://rwjms.umdnj.edu/news_publications/news_release/Barone_Toilet_Training_Children.html.

RITCHIE, James and Jane. *Growing up in Polynesia.* Sydney : George Allen & Unwin, 1979.

SCHMIDT, Susan. « Liberian Refugees : Considerations for Social Service Providers. » *BYCS Bulletin,* January 2009.

SCHMITT, Barton D. « Toilet Training : Getting it Right the First Time. » *Contemporary Pediatrics,* March 2004.

Science Daily staff. « Corporal Punishment of Children Remains Common Worldwide, Studies Find. » *Science Daily* online, Aug. 9, 2010.

SEN, Ashish Kumar. « South Asians Top US Spelling Contests. » BBC Mobile. June 17, 2008.

SHRYOCK, Andrew. *Arab Detroit : From Margin to Mainstream.* Detroit : Wayne State University Press, 2000.

SHEA, Christopher. « Leave Those Kids Alone. » *Boston Globe* online, July 15, 2007.

SHELLENBARGER, Sue. « On the Virtues of Making Your Children Do the Dishes. » *Wall Street Journal* online. Aug. 27, 2008.

SHWEDER, Richard Ed. *The Child : An Encyclopedic Companion.* Chicago : University of Chicago Press, 2009.

SMALL, Meredith. *How Biology and Culture Shape the Way We Parent.* New York : Anchor Books, Random House, 1998 (featuring the work of Robert LeVine on Gusii mothers).

SMALL, Meredith. *Kids : How Biology and Culture Shape the Way We Raise Young Children.* New York : First Anchor Books, 2001.

SPROTT, Julie. *Raising Young Children in an Alaskan Iñupiaq Village : The Family, Cultural, and Village Environment of Rearing.* Westport, Conn. : Bergin & Garvey, 2002.

STALLONE, Daryth D., and Jacobson, Michael F. « Cheating Babies : Nutritional Quality and Cost of Commerical Baby Food. » Center for Science in the Public Interest. http://www.cspinet.org/reports/cheat1.html.

STEINBERG, Laurence. *Beyond the Classroom : Why School Reform Has Failed and What Parents Need To Do.* New York : Touchstone, 1996.

SULLIVAN, Jack. « Worldwide Study Heralds Global Increase in Father Involvement and Reveals Why Men Have Nipples. » Fatherhood Institute press release, June 12, 2005.

SUPER, Charles M. « Environmental Effects on Motor Development : the Case of "African Infant Precocity". » Develop. Med. Child Neurology, 1976.

« Sweden Tops Child Welfare Ranking », The Local : Sweden's News in English online, December 12, 2008.

TAYLOR, Paul et al. « The Return of the Multi-Generational Family Household. » Pew Research Center. March 18, 2010.

TOBIN, Joseph, Hsueh, Yeh, and Karasawa, Mayumi. *Preschool in Three Cultures Revisited.* Chicago and London : The University of Chicago Press, 2009.

TOBIN, Joseph. *Preschool in Three Cultures*. New Haven and London : Yale University Press, 1989.

TSENG, V., Chao, R.K., and Padmawidjaja, I. « Asian Americans educational experiences. » In F. Leong, A. Inman, A. Ebreo, L. Yang, L. Kinoshita, & M. Fu (Eds.), *Handbook of Asian American Psychology*, (2nd Edition) Racial and Ethnic Minority Psychology (REMP) Series (pp. 102-123). Thousand Oaks, CA : Sage Publications, 2007.

VOGT, Evon Z. « Structural and Conceptual Replication in Zinacantan Culture. » *American Anthropologist* online, 1965.

VOGT, E. Z. *Zinacantan : A Maya Community in the Highlands of Chiapas.* Cambridge, MA : Harvard University Press, 1969.

WARREN, Jeff. *Head Trip : Adventures on the Wheel of Consciousness.* New York : Random House, 2007.

WAX, Emily. « An Idea Still Looking for Traction in Kenya. » *Washington Post* online. May 18, 2004.

WEHBY, Emily. « Childbirth and Culture : Providing Services to Latin American Families in the United States. » www.wehbycreative.com.

WEISMANTEL, Mary. « Making Kin : Kinship Theory and Zumbagua Adoptions. » *American Ethnologist.* Vol. 22 Issue 4. Nov. 1995. Published online Oct. 28, 2009.

WENGER, Martha. « Children's Work, Play and Relationships among the Giriama of Kenya. » *Anthropology and Child Development : A Cross-Cultural Reader.* Blackwell Publishing, 2008.

WOLFSON, Amy. *The Woman's Book of Sleep.* Oakland, Calif. : New Harbinger Publications Inc , 2001.

WORTHMAN, Carol M. and Melissa K. Melby. « Toward a Comparative Developmental Ecology of Human Sleep. »

Adolescent Sleep Patterns : Biological, Social, and Psychological Influences. Cambridge Univerisity Press, 2002.

YANG, Philip. « Through a Generation Lens : School Performance of Asian American Students. » Paper presented at the annual meeting of the American Sociological Association, Montreal Convention Center, Montreal, Quebec, Canada, Aug 11, 2006.

ZEITLIN, Marian. « My Child is My Crown : Yoruba Parental Theories and Practices in Early Childhood. » *Parents' Cultural Belief Systems.* New York : The Guilford Press, 1996.

ZUKOW-GOLDRING, Patricia. « Children as Family Caregivers in Mexico. » *The Child : An Encyclopedic Companion.* Chicago : University of Chicago Press, 2009.

ZUKOW-GOLDRING, Patricia. « Sibling Caregiving. » *Handbook of Parenting : Being and Becoming a Parent*, Vol. 3. Ed. Marc H. Bornstein. Lawrence Erlbaum Associates, Inc., 2002. (Taylor & Francis e-Library 2008.)

Table

CET OUVRAGE A ÉTÉ COMPOSÉ
PAR DOMINIQUE GUILLAUMIN (PARIS)
ET ACHEVÉ D'IMPRIMER EN FRANCE
PAR CPI BUSSIÈRE
À SAINT-AMAND-MONTROND (CHER)
EN JUILLET 2013

JC Lattès s'engage pour
l'environnement en réduisant
l'empreinte carbone de ses livres.
Celle de cet exemplaire est de :
769 g éq. CO_2
Rendez-vous sur
www.jclattes-durable.fr

PAPIER À BASE DE
FIBRES CERTIFIÉES

N° d'édition : 01. — N° d'impression : 2003420.
Dépôt légal : septembre 2013.